Une promesse entre nous

Rebelle attirance

BRENDA HARLEN

Une promesse entre nous

Collection : PASSIONS

Titre original : THE MAVERICK'S READY-MADE FAMILY

Traduction française de MARION BOCLET

HARLEQUIN®
est une marque déposée par le Groupe Harlequin
PASSIONS®
est une marque déposée par Harlequin S.A.

Photo de couverture
Femme : © KNAPE/ROYALTY FREE/GETTY IMAGES
Réalisation graphique couverture : C. GRASSET

83-85, boulevard Vincent-Auriol, 75646 PARIS CEDEX 13.
Service Lectrices — Tél. : 01 45 82 47 47
www.harlequin.fr
ISBN 978-2-2802-8299-4 — ISSN 1950-2761

Prologue

« Vous êtes arrivé à destination », indiqua le GPS.

Clayton Traub avait suivi la longue allée de graviers jusqu'à ce qu'il aperçoive, au-dessus de la porte d'une maison de deux étages, l'enseigne de Wright's Way.

Il avait parcouru trois cents miles pour rejoindre Forrest, son frère, à Thunder Canyon, dans le Montana. Depuis son retour d'Irak, Forrest paraissait particulièrement perturbé.

Clay se gara et observa un moment la maison. Les bardeaux du revêtement extérieur semblaient avoir été repeints récemment, les vitres des fenêtres brillaient dans la lumière de la fin d'après-midi, et des chrysanthèmes fauves dans des pots encadraient la porte d'entrée.

Ce coup d'œil rapide lui permit de constater que Wright's Way n'était pas un endroit désagréable où passer quelques semaines, et il n'avait pas l'intention de rester plus longtemps que cela.

Il se dirigea vers le bâtiment principal, suivant les instructions d'un employé du ranch, qui lui avait demandé de s'adresser à Toni pour signer le registre et récupérer les clés de sa chambre.

Il frappa à la porte. Une employée vint lui ouvrir et lui indiqua le bureau où il trouverait Toni. Clay s'y rendit et, lorsqu'il passa la tête dans l'entrebâillement de la porte, il fut surpris de découvrir que Toni était une femme.

Cela n'aurait pas dû avoir la moindre importance. Cependant, il fut non seulement surpris mais charmé, car la jeune femme en question était extrêmement attirante.

Elle était de dos, assise à son bureau, devant son ordinateur. Son nez était droit, son menton, légèrement pointu, et ses longs cheveux bruns lui tombaient en cascade sur les épaules. Ses doigts fins et agiles bougeaient avec grâce sur le clavier, sans jamais hésiter.

Elle dut sentir sa présence, car elle tourna la tête vers lui et sourit.

Aussitôt, son cœur fit un bond dans sa poitrine. Toni Wright était bel et bien une femme, et sa féminité était exquise.

— Je peux vous aider ? demanda-t-elle.

Il lui fallut un moment pour s'arracher à sa torpeur. Cela faisait longtemps qu'une femme ne lui avait fait aussi forte impression.

— Clayton Traub, dit-il enfin. Je voudrais une chambre.

— Bienvenue à Wright's Way !

Son ton était courtois, son sourire naturel, mais une certaine retenue se lisait dans ses beaux yeux verts.

— Combien de temps pensez-vous rester ?

Sous le charme, il se trouva incapable de répondre mais se le reprocha aussitôt. *Concentre-toi, Clay !* s'enjoignit-il.

Il était là parce qu'il avait besoin de changer d'air, et parce que sa mère voulait qu'il veille sur Forrest, qui se réadaptait difficilement à la vie civile. Il ne devait surtout pas se laisser distraire par une jolie femme. Mais il n'en demeurait pas moins que son séjour à Thunder Canyon promettait soudain d'être beaucoup plus intéressant que prévu.

— Au moins quelques semaines, répondit-il enfin.

— Le loyer se paie toutes les semaines, à l'avance.

— Ce n'est pas un problème, dit-il, sans se laisser décontenancer par l'attitude toute professionnelle de la jeune femme.

Elle lui tendit un formulaire indiquant les termes et conditions de la location.

— Veuillez lire ceci et signer au bas de la page, s'il vous plaît.

Il parcourut rapidement le document, ne s'arrêtant qu'au paragraphe huit.

— Qu'entendez-vous exactement par « visiteurs interdits » ?

— Cela signifie que seuls les clients dont le nom est inscrit sur le registre peuvent dormir ici.

— Cela risque de poser problème.

Elle haussa les épaules négligemment.

— Il y a un motel en ville qui vous conviendra peut-être mieux.

— C'est mon cousin, Dax, qui m'a recommandé vos chambres d'hôtes, il ne serait pas content que j'aille ailleurs. Il m'a dit qu'il allait à l'école avec Hudson Wright… Je suppose que c'est votre frère ?

— Oui, et Jonah, un autre de mes frères, était dans la classe de D.J.

— Combien de frères avez-vous ?

— Trois, mais cela n'a rien à voir avec le paragraphe huit. Comme le reste du règlement, il vise à assurer le confort et la sécurité de tous nos hôtes. Nous ne pouvons pas accepter que des inconnus arpentent les couloirs de la maison ou…

— Il n'arpentera pas les couloirs, l'interrompit-il, il ne sait même pas marcher.

Elle fronça les sourcils, visiblement perplexe.

— Pardon ?

— Mon fils.

Son expression s'adoucit.

— Vous avez un fils ?

— Un bébé, précisa-t-il. Il a cinq mois, il s'appelle Bennett.

Cette fois-ci, elle sourit, abandonnant toute réserve. Cette fois encore, il sentit son cœur s'emballer.

Bon sang ! Cette femme représentait un véritable danger pour lui.

— Un bébé, répéta-t-elle d'une voix douce. Je vais prendre les clés de votre chambre et…

Il n'entendit même pas le reste de sa phrase car, à ce moment précis, elle repoussa son fauteuil, se leva, et il découvrit alors que Toni Wright, en plus d'être très belle, était terriblement enceinte !

- 1 -

Cinq semaines plus tard

Maudites hormones de grossesse ! Antonia Wright, que tout le monde appelait Toni, se faisait souvent cette réflexion car, même si elle était enchantée à l'idée d'être bientôt mère, elle n'avait pas du tout anticipé les inconvénients liés aux montées d'hormones qu'elle subissait de plus en plus fréquemment. Elle n'en avait pas souffert pendant les six premiers mois de sa grossesse, mais en avait de plus en plus depuis quelques semaines. Pour être tout à fait exact, depuis que Clayton Traub s'était installé à Wright's Way, en fait.

Cependant, elle refusait de croire qu'il y avait un lien entre sa présence et ce dérèglement hormonal. Elle avait lu dans la plupart des livres qu'elle avait consultés sur le sujet qu'elle éprouverait probablement moins de désir sexuel pendant le dernier trimestre de sa grossesse, mais elle avait découvert que ce n'était pas le cas, au contraire. A vrai dire, tout ce qu'elle avait ressenti depuis qu'elle avait appris qu'elle attendait un bébé avait été inattendu.

La joie qu'elle avait d'abord éprouvée en apprenant qu'elle était enceinte s'était vite muée en un sentiment de panique, quand elle s'était rendu compte qu'elle allait être mère célibataire.

Avoir un bébé toute seule n'était sans doute pas une

situation idéale, mais elle avait l'intention de faire contre mauvaise fortune bon cœur. L'idée d'être mère l'enchantait véritablement, mais elle ne s'était pas attendue à ce problème d'hormones.

Chaque fois qu'elle voyait Clayton dans la salle à manger, son cœur se mettait à battre la chamade, quand il passait près d'elle, elle sentait ses jambes se dérober sous elle et, quand il la regardait, elle était toujours parcourue d'un frisson.

Cependant, elle avait compris la leçon quand Gene était parti. Elle n'avait pas l'intention d'écouter de nouveau son cœur, et s'était juré de ne plus *jamais* fréquenter l'un de ses clients.

Elle se rassurait en se disant que l'effet que Clayton Traub avait sur elle était purement physiologique, et n'avait rien à voir avec son cœur. Elle ne le connaissait même pas, elle ne pouvait pas avoir de véritable affection pour lui. De l'attirance, c'était indéniable.

Bien sûr, elle était peut-être simplement en manque de sexe : cela faisait très précisément sept mois, une semaine et quatre jours qu'elle n'avait pas fait l'amour. Cela ne lui avait pas manqué au cours des six premiers mois de sa grossesse. A vrai dire, elle n'y avait même pas pensé, elle avait été trop occupée à se préparer à la naissance du bébé.

Mais, depuis que Clayton Traub était arrivé au Wright Ranch, elle se surprenait souvent à se demander depuis combien de temps on ne l'avait pas embrassée ou touchée.

Bien sûr, aucun homme sensé n'en aurait le désir *maintenant*, étant donné la taille de son ventre. Il était tellement gros qu'elle avait peine à croire qu'il lui restait encore sept semaines avant d'être au terme de sa grossesse.

Elle avait hâte de tenir son bébé dans ses bras, mais

son inquiétude grandissait autant que son impatience à mesure que le temps passait.

Elle ne savait pas vraiment comment s'occuper d'un nouveau-né, et était terrifiée à l'idée de mal faire. Si seulement elle avait pu en parler avec sa mère ! Hélas, Lucinda était morte deux ans plus tôt, à la suite d'une attaque foudroyante. Depuis, plus rien n'était pareil. Son père, John Wright, avait été anéanti par la mort de sa femme et avait commencé à manquer à ses obligations. Le ranch ne tournait plus comme avant et, par conséquent, ils avaient parfois du mal à payer les factures. Ses frères faisaient de leur mieux pour prendre le relais de leur père, et elle les avait convaincus de transformer l'ancien bâtiment-dortoir en chambres d'hôtes pour créer une source de revenus supplémentaire. La plupart des chambres étaient restées inoccupées un bon moment, assez longtemps pour qu'elle commence à s'en inquiéter mais, une fois que les premiers clients s'étaient présentés et qu'ils avaient parlé en ville du confort du lieu et de la qualité des repas, d'autres clients avaient commencé à affluer. Maintenant, il était rare qu'une chambre reste libre plus d'une semaine ou deux, ce qui la confortait dans l'idée qu'elle avait bien fait de se lancer dans cette entreprise, de donner une augmentation à Peggy, la cuisinière de la famille depuis toujours, et d'avoir récemment engagé comme serveuse Nora, une lycéenne qui habitait au bout de la rue.

Maintenant qu'elle était dans son troisième trimestre de grossesse, elle reconnaissait enfin qu'elle n'avait plus l'énergie d'être sur la brèche seize heures par jour, et quand la journée commençait à 5 heures du matin, comme cela avait été le cas le jour même, elle ressentait les premiers signes de fatigue avant même que le petit déjeuner soit fini.

— Bonjour, Toni.

La voix de Clayton l'arracha à ses pensées. Elle la reconnut tout de suite, et sentit aussitôt son cœur faire un bond dans sa poitrine et ses joues s'empourprer. La façon dont il disait son prénom la troublait toujours profondément.

— Bonjour, répondit-elle, prenant soin de regarder le bébé qu'il avait dans les bras plutôt que de plonger ses yeux dans ceux de Clayton. Comment ça va, ce matin, mon mignon ?

Bennett afficha un grand sourire, dévoilant ses gencives nues, et tendit les bras vers elle. Elle avait très envie de le prendre dans ses bras mais, malheureusement, elle avait une cafetière dans une main et une tasse dans l'autre.

— Typiquement masculin ! dit-elle d'un ton songeur. Il réclame quelque chose à une femme qui est déjà débordée.

Comme elle ne pouvait pas faire un câlin à Bennett, elle se contenta de lui déposer un baiser sur le front. Enfin, elle se risqua à croiser le regard de Clayton.

— Je lui apporterai son petit déjeuner dès que vous serez installés.

— Rien ne presse, je lui ai donné un biberon de lait il y a une heure.

— Nous servons le petit déjeuner à partir de 6 heures, lui rappela-t-elle.

Elle lui avait donné les horaires des repas avec le reste des papiers quand il était arrivé à Wright's Way, et au cours des quelques jours qui avaient suivi, il était venu prendre le petit déjeuner très tôt avec son bébé. Au fil des jours, ils avaient commencé à arriver de plus en plus tard, et jusqu'à venir juste avant la fin du service.

— A 6 heures, la salle à manger est presque pleine, dit-il.

— Il y a beaucoup de gens qui viennent tôt parce qu'ils doivent aller travailler en ville, après.

Elle se demandait comment son beau pensionnaire occupait ses journées à Thunder Canyon. Bien sûr, du moment qu'il ne lui faisait pas de chèques sans provision, sa situation professionnelle ne la regardait pas.

Elle savait tout de même certaines choses sur Clayton. C'était l'un des Traub de Rust Creek Falls, et il était parent des Traub de Thunder Canyon, ce qui signifiait que l'on parlait souvent de lui, en ville. Il avait cinq frères, et avait travaillé au ranch familial avec quatre d'entre eux, à Rust Creek Falls. Seul son frère Forrest avait choisi une carrière différente, il s'était engagé dans l'armée. Il était revenu d'Irak avec une blessure à la jambe, et souffrait d'une névrose posttraumatique, d'après certaines rumeurs.

Depuis leur arrivée à Wright's Way, Clayton et Forrest faisaient tous deux l'objet de l'admiration générale autant que de multiples conjectures. Les femmes, en particulier, s'intéressaient de très près à eux. On ne pouvait pas le leur reprocher : Clayton et Forrest étaient tous deux extrêmement beaux. Quant à elle, elle avait craqué sur Bennett dès le premier jour.

— C'est pour cela que nous venons plus tard, dit Clayton, la rappelant à la réalité, pour que Bennett puisse flirter avec sa préférée.

— Il faut que tu revoies tes critères à la hausse, dit-elle au petit garçon. Et moi, ajouta-t-elle à l'attention de son père, il faut vraiment que j'apporte ce café en salle. Forrest est déjà à votre table habituelle.

— Bien sûr.

Il s'écarta pour la laisser passer. Tandis qu'elle se dirigeait vers la salle à manger, il lui sembla sentir son regard posé sur elle, mais peut-être n'était-ce que le fruit de son imagination.

Pourquoi Clayton l'aurait-il regardée ? Pourquoi un homme *quel qu'il soit* l'aurait-il regardée, alors que son ventre entrait dans une pièce dix secondes avant le reste de son corps ?

Bien sûr, elle n'était peut-être pas aussi énorme qu'elle en avait l'impression, mais, vêtue des chemises qu'elle était obligée d'emprunter à son père, elle avait le sentiment d'être bien peu séduisante. Le fait qu'un homme prête attention à elle lui remontait le moral et, quand il s'agissait d'un homme aussi beau que l'était Clayton Traub, elle pouvait bien se laisser un peu emporter par son imagination.

Même s'il ne s'intéressait pas à elle d'un point de vue sentimental, ce qui était compréhensible, elle appréciait les brèves conversations qu'il leur arrivait d'avoir pendant le petit déjeuner ou le dîner. Après seulement cinq semaines, elle ne pouvait pas dire qu'elle le connaissait très bien, mais elle le connaissait suffisamment pour savoir qu'elle appréciait son honnêteté et son caractère accommodant.

Ce qu'elle appréciait plus que tout, c'était le fait qu'il ne posait pas trop de questions. Depuis que l'on avait appris qu'elle était enceinte, elle avait fait l'objet de nombreuses rumeurs, et elle était contente de pouvoir enfin parler à quelqu'un qui semblait se moquer de l'identité du père de l'enfant qu'elle portait. De plus, l'affection évidente de Clayton pour son fils lui faisait chaud au cœur.

De toute évidence, il y avait des hommes capables de prendre leurs responsabilités et heureux d'être pères. Malheureusement, le père du bébé qu'elle portait n'en faisait pas partie.

Quand il s'était dirigé vers le bâtiment principal pour aller prendre le petit déjeuner, Clay avait remarqué que l'automne était dans l'air, ce qui lui avait rappelé qu'il était déjà resté à Thunder Canyon plus longtemps que prévu.

Tout en installant Bennett sur la chaise haute que Toni avait placée à l'extrémité d'une longue table, il se dit qu'il était peut-être temps pour lui de retourner à Rust Creek Falls et au ranch familial. Cependant, il n'était pas encore prêt à quitter Thunder Canyon.

Même s'il était parti avec la bénédiction de sa mère, il se sentait coupable de manquer à ses devoirs. Bien sûr, son père et ses frères étaient tout à fait capables de se débrouiller sans lui au ranch. D'ailleurs, ils n'avaient pas cherché à le retenir, au contraire : ils l'avaient tous encouragé à quitter Rust Creek Falls pendant quelque temps. Cependant, il était persuadé que son père aurait voulu qu'il aille non pas à Thunder Canyon, mais en Californie, pour convaincre Delia de l'épouser, afin que leur fils ait une famille normale.

Ses parents, Bob et Ellie Traub, leur avaient inculqué, à ses frères et à lui, des valeurs traditionnelles et des principes moraux stricts, et Clay avait toujours assumé ses responsabilités. Toutefois, il ne croyait pas que se marier avec Delia soit la solution dans le cas présent : il voulait mieux pour son fils qu'une femme qui n'avait manifestement que faire d'être mère.

En attendant, il profitait de son séjour à Thunder Canyon. La ville lui plaisait, et Wright's Way aussi. Le seul problème, c'était l'attirance qu'il éprouvait pour la propriétaire des chambres d'hôtes.

Effectivement, Toni était extrêmement séduisante,

mais elle allait bientôt être mère, et il avait mauvaise conscience d'éprouver du désir pour une femme enceinte.

Bien sûr, le sentiment de culpabilité qu'il éprouvait et les reproches qu'il se faisait intérieurement ne changeaient rien à ce qu'il ressentait, et la voir tous les matins, alors qu'elle servait le petit déjeuner à ses pensionnaires, ne faisait qu'attiser son désir pour elle.

Toujours aussi déconcerté par cette réalité, il s'assit en face de son frère, à côté de son fils.

Il avait toujours apprécié la compagnie des dames et, par le passé, avait eu quelques aventures sans lendemain, mais il avait changé. Il n'était plus le même homme. Maintenant, il avait un enfant, et devait prendre en considération les besoins de ce dernier. Toni serait bientôt dans le même cas que lui.

Il ne s'était jamais imaginé en père. Il n'avait pas écarté la possibilité de le devenir un jour, mais ne s'était tout simplement pas senti prêt à envisager d'avoir un enfant à ce stade de sa vie. Delia ne lui avait pas laissé le choix : elle était arrivée un beau jour sur le pas de sa porte avec le bébé.

Il aurait fait n'importe quoi pour protéger son enfant, mais ne pouvait assumer d'autres responsabilités pour l'instant. Il ne voulait surtout pas des complications d'une relation amoureuse en ce moment, et sortir avec une femme qui attendait un enfant aurait été insensé.

Il n'avait jamais rien fait de particulièrement déraisonnable, alors *pourquoi* était-il à ce point attiré par Toni ?

Elle posa un bol en plastique contenant de la bouillie sur le plateau de la chaise haute de Bennett, qui s'empara aussitôt maladroitement de la cuillère.

Elle lui ébouriffa les cheveux en souriant.

— Tu as faim aujourd'hui, hein ?

— Il a bon appétit, dit Clay.

— Les petits garçons ont besoin de manger pour bien grandir.

— Les grands garçons aussi, fit remarquer Forrest.

Toni reporta son attention sur lui. Ses joues s'empourprèrent, et elle s'empressa de se diriger vers la cuisine.

— J'arrive tout de suite !

Dès qu'elle se fut éloignée, Clay regarda son frère d'un œil noir.

— Tu ne crois pas que c'était un peu malpoli ?

— Quoi donc ? De t'interrompre pendant que tu flirtais ?

— Je ne flirtais pas.

Forrest émit un grognement railleur.

— Je ne flirtais pas, insista Clay, tout en se demandant pourquoi la remarque de son frère le contrariait à ce point.

Même s'il avait flirté, ce qui n'était pas le cas, il n'aurait pas dû se soucier de ce que Forrest en pensait. Cependant, il ne voulait pas que Toni surprenne leur conversation et pense qu'il avait le béguin pour elle, car il n'avait *pas* le béguin pour elle.

— Ce n'est pas Shakespeare qui a dit quelque chose au sujet des gens qui protestent un peu trop ? demanda Forrest d'un ton empreint d'ironie.

Bennett tapa du poing sur son plateau, donnant à Clay une excuse pour reporter son attention sur son fils et ignorer son frère.

— Comment est ton petit déjeuner ? Tu te régales ?

En guise de réponse, le bébé se pencha vers lui, bouche ouverte.

— Mange, Bennett.

Bennett s'exécuta avec joie.

Toni réapparut avec un plateau sur lequel étaient posées une cafetière et deux assiettes pleines d'œufs brouillés, de bacon grillé, de saucisses et de pommes de terre sautées. Elle leur servit à chacun une tasse de café, puis s'éloigna vers les autres tables pour proposer aux autres pensionnaires de les resservir.

Forrest se concentra immédiatement sur son repas. Clay, en revanche, se surprit à suivre Toni des yeux tandis qu'elle se dirigeait de nouveau vers la cuisine.

— C'est un transfert, dit soudain Forrest, l'arrachant à ses pensées.

Clay le regarda, perplexe.

— Quoi ?

— Un transfert d'émotions, c'est quelque chose qui arrive souvent au patient d'un thérapeute, mais cela peut aussi se produire dans d'autres circonstances.

Clay n'était pas sûr de voir où son frère voulait en venir. Toutefois, il savait que c'était en partie pour suivre une thérapie de groupe que Forrest avait décidé de venir à Thunder Canyon.

— Est-ce que tu essaies de me dire que tu as des sentiments pour ta thérapeute ?

De nouveau, son frère émit un grognement railleur.

— Je parle de toi, pas de moi.

Clay était encore plus déconcerté.

— Tu crois que j'ai des sentiments pour ta thérapeute ?

— Je crois que tu te sens coupable de ne pas avoir été là pour Delia quand elle était enceinte…

— Je ne savais pas qu'elle était enceinte.

— … et que tu veux te rattraper en manifestant de l'intérêt pour la grossesse de notre hôtesse, ce qui explique que tu sois amoureux d'elle.

— Je ne suis pas amoureux d'elle.

— Le fait qu'elle ne soit pas mariée fait d'elle une cible évidente, poursuivit Forrest comme si Clay n'avait rien dit.

— Ce qui est évident, c'est que tu as bien trop de temps libre si tu imagines de tels scénarios.

— Ç'a l'air lourd, Toni, dit Forrest, qui avait remarqué combien Toni était chargée. Attendez, je vais vous aider ! Je vais en ville, Toni, vous avez besoin de quelque chose ?

Clay lui lança un regard furibond, mais ce qui le contrariait, c'était que son frère avait raison, il s'en rendait bien compte.

— Qu'y a-t-il de mal à vouloir être serviable ?

— Rien, du moment que tu as conscience de tes vraies motivations.

Clay pensait connaître ses motivations bien mieux que son frère, et elles n'avaient rien à voir avec la grossesse de Toni. A vrai dire, chaque fois qu'il voyait son ventre rond, il était surpris, car lorsqu'il regardait cette belle jeune femme, la dernière chose qui lui venait à l'esprit était le fait qu'elle allait bientôt être mère.

Non, décidément, ses sentiments pour Toni Wright n'avaient rien à voir avec un élan paternel, mais tout à voir avec le désir qu'elle éveillait chez lui. Il était un homme, elle était une très jolie femme, et il avait envie d'elle, tout simplement.

— Mais, après tout, qu'est-ce que j'en sais ? demanda Forrest avec ironie. Je n'ai pas d'enfant. Deux fois plus de couches, c'est peut-être deux fois plus drôle !

Clay secoua énergiquement la tête.

— J'ai bien assez de couches à changer avec Bennett.

En entendant son prénom, son petit garçon leva les yeux vers lui en souriant. Clay sentit son cœur se serrer.

Certes, il ne projetait pas d'avoir des enfants quand Delia s'était présentée chez lui avec Bennett, et c'était à contrecœur qu'il lui avait proposé de s'installer chez lui, mais l'adaptation à la vie avec une femme et un bébé avait été dure pour lui.

Au tout début, il avait été terriblement angoissé à la pensée qu'il était peut-être bel et bien le père de l'enfant. Il commençait à se faire à l'idée quand, un beau matin, il s'était réveillé et s'était aperçu que Delia était partie en lui laissant le bébé. Soudain, il n'avait plus personne avec qui partager les responsabilités de l'éducation de Bennett.

Delia avait eu neuf mois pour se préparer à être mère, neuf mois pour préparer l'arrivée du bébé. Elle avait surgi chez lui sans prévenir, ne lui avait même pas laissé neuf *jours* pour accepter l'idée qu'il était père, et s'était enfuie en abandonnant son enfant.

Quand il avait compris qu'elle était partie pour de bon, il avait été pris de panique. C'étaient les pleurs de Bennett qui avaient fini par l'arracher à sa stupeur et lui avaient fait prendre conscience qu'il ne pouvait pas se payer le luxe de perdre ses moyens ou de s'effondrer, parce qu'une petite personne avait besoin de lui.

La première fois que Bennett avait serré son petit poing autour de son doigt, Clay avait été perdu. Une immense vague d'affection l'avait submergé, et la première fois que Bennett lui avait souri, quelques semaines plus tard, il avait fait le serment de ne jamais laisser Delia l'emporter.

Quand il avait reçu les résultats du test de paternité, il s'était aperçu que ceux-ci n'avaient en fait aucune importance, mais sa mère l'avait encouragé à ouvrir quand même l'enveloppe.

Ellie Traub avait accepté le bébé encore plus aisément que lui. A vrai dire, dès le premier jour, elle avait été folle du petit, et c'était pour cela qu'elle avait insisté pour qu'il connaisse son statut légal vis-à-vis de l'enfant. Elle avait été aussi enchantée que soulagée d'avoir la preuve que Bennett était son petit-fils, et avait été très mécontente quand Clay lui avait fait part de son projet de quitter Rust Creek Falls avec le bébé.

En fait, Clay avait hésité pendant des semaines avant de prendre sa décision. Il avait vraiment envie de partir quelque temps, d'échapper aux curieux et à leurs conseils non sollicités, mais il avait peur de ne pas être capable de se débrouiller seul avec le bébé. Sa mère l'avait beaucoup aidé, non seulement en lui faisant profiter de son expérience, mais aussi en l'aidant matériellement quand il se sentait dépassé, ce qui était arrivé fréquemment au cours des premiers mois.

Son téléphone portable se mit à sonner, le rappelant à la réalité. Il le sortit de la poche de sa veste et sourit en voyant le nom qui s'affichait sur l'écran : c'était justement sa mère.

— Bonjour, maman.

— Où est ton frère ? demanda-t-elle sans préambule.

Il jeta un coup d'œil à Forrest.

— Pourquoi m'appelles-tu sur mon portable si c'est lui que tu cherches à joindre ?

Forrest le regarda et fit non de la tête, puis il s'écarta de la table, tapota le cadran de sa montre et lui fit comprendre par gestes son intention d'aller en ville en voiture.

— Parce qu'il ne décroche pas quand je l'appelle, répondit sa mère.

— Il est peut-être au volant.

— Peut-être, mais peut-être aussi qu'il ne veut pas me parler.

— Qu'est-ce qui te fait dire ça ?

— Le fait qu'il n'est pas spécialement communicatif depuis son retour d'Irak.

Clay ne pouvait pas dire le contraire. Il regarda son frère s'enfuir précipitamment de la salle à manger.

— Il a juste besoin d'un peu de temps, maman.

— J'ai essayé d'être patiente mais, maintenant, j'ai besoin de savoir s'il va bien.

— Il va bien, je t'assure.

— Eh bien, je veux m'en rendre compte par moi-même, et puis mon petit-fils me manque… Ton père et moi avons l'intention de venir à Thunder Canyon, ce week-end.

— Nous serions ravis de vous voir.

— Tant mieux ! J'en ai déjà parlé à Allaire, elle m'a promis de se débrouiller pour obtenir la salle à manger privée du Rib Shack, pour un dîner de famille, vendredi soir, à 19 heures.

— Je serai là.

— Assure-toi que ton frère sera là, lui aussi.

— J'essaierai, dit simplement Clay, ne voulant pas faire de promesses pour son frère.

— Je me contenterai de ça pour l'instant… Bon ! Maintenant, dis-moi comment va mon petit-fils.

Il fut heureux de parler à sa mère de Bennett, et de lui raconter tout ce qu'il avait fait au cours des derniers jours.

Cependant, il se garda bien de lui dire que le petit garçon semblait avoir un faible pour la propriétaire de Wright's Way, car il craignait que Bennett ne soit pas le seul.

- 2 -

Toni attendait généralement que la plupart des pensionnaires soient partis pour commencer à débarrasser, et quand elle retourna dans la salle à manger, ce jour-là, elle vit qu'il n'y avait plus que Clayton et son fils.

Tout en empilant la vaisselle sale, elle remarqua que Clayton était au téléphone. Elle s'efforça de ne pas écouter sa conversation, mais ne put s'empêcher d'en entendre des bribes.

— Je t'aime aussi, l'entendit-elle soudain dire.

Sous le choc, elle s'immobilisa, une poignée de couverts à la main, mais, avant qu'elle n'ait eu le temps de se répandre en conjectures quant à l'identité de la personne à laquelle il parlait, il ajouta :

— A bientôt, maman.

Elle se rendit compte qu'elle avait retenu son souffle et poussa un profond soupir.

Elle n'avait vraiment pas eu l'intention d'écouter sa conversation mais, quand il raccrocha, leurs regards se croisèrent, et elle sentit aussitôt le rouge lui monter aux joues.

Puis il repoussa sa chaise et s'approcha d'elle alors qu'elle prenait une pile d'assiettes sales.

— Donnez-moi ça, je vais vous aider.

— Non, merci, ça va aller.

— Ç'a l'air lourd…

Elle ne put s'empêcher de sourire.

— Je travaille dans ce ranch depuis toujours, quand je n'étais pas enceinte, je nettoyais les stalles et je dressais les chevaux... Je crois que je peux porter une pile d'assiettes sales.

— Vous portez des assiettes et des plats depuis 6 heures du matin. Pourquoi ne pas vous asseoir une minute ?

— Parce que la vaisselle sale ne va pas se mettre au lave-vaisselle toute seule.

Bennett tapa son plateau avec son gobelet.

— Je crois que quelqu'un veut encore du jus.

Deux semaines plus tôt, Clayton lui avait dit que Bennett avait commencé à boire du jus de pomme dilué dans de l'eau minérale. Depuis, elle en avait toujours à portée de main.

— Je peux lui en donner ?

— Bien sûr, répondit Clay.

Le bébé sourit quand elle lui prit son gobelet, et elle sentit son cœur fondre.

— J'arrive tout de suite.

Le temps qu'elle aille remplir le gobelet de Bennett dans la cuisine, Clayton avait rassemblé le reste des assiettes et des couverts sales.

— Vous essayez de me faire renvoyer ? demanda-t-elle en revenant dans la salle à manger.

— Je ne crois pas que vous perdrez votre travail parce que vous laisserez quelqu'un vous aider à débarrasser, dit-il en se dirigeant vers la cuisine.

Il avait raison, bien sûr, mais la question n'était pas là. Le problème, c'était qu'elle avait l'habitude de se débrouiller toute seule, qu'elle préférait tout simplement se débrouiller toute seule. Elle avait appris depuis longtemps que, si elle ne comptait sur personne, elle ne serait jamais déçue.

Bennett prit son gobelet et bâilla.

— Tu es déjà prêt pour ta sieste ? lui demanda-t-elle.

Il tendit les bras vers elle. Elle hésita car, chaque fois qu'elle le prenait dans ses bras, elle devait se faire violence pour le reposer. Cependant, il en avait manifestement assez d'être attaché dans sa chaise haute et, à en juger par les bruits qui venaient de la cuisine, Clayton était occupé à faire la vaisselle et n'allait pas revenir tout de suite dans la salle à manger.

Avec un soupir de résignation, elle releva le plateau de la chaise haute, détacha Bennett et le prit dans ses bras. Il se blottit contre elle, appuya sa tête sur son épaule et ferma les yeux.

Elle n'aurait jamais cru pouvoir s'attacher aussi vite et aussi profondément à quelqu'un, mais, depuis que son médecin lui avait confirmé qu'elle était enceinte, elle s'était rendu compte que les règles habituelles ne s'appliquaient pas aux bébés. Elle ne savait pas si cela s'expliquait par leur innocence, leur vulnérabilité ou ses propres instincts maternels, mais les enfants avaient toujours été son point faible.

Quand elle avait appris qu'elle attendait un enfant, elle avait été submergée par l'émotion et, la première fois que Bennett avait posé sur elle ses grands yeux bleus, elle avait été sous le charme.

Maintenant, alors qu'il était pelotonné au creux de ses bras et que son parfum de talc et de shampoing pour bébé venait lui chatouiller les narines, elle se sentait encore plus attachée à lui.

Elle alla dans la cuisine, où Clayton chargeait le lave-vaisselle.

— Pourquoi n'emmèneriez-vous pas Bennett faire une sieste pendant que je m'occupe de la vaisselle ?

— Il ne dort jamais plus d'un quart d'heure, vingt minutes, après le petit déjeuner, répondit Clayton. Si ça ne vous dérange pas de vous asseoir un peu avec lui, je vais finir de ranger ça…

— Pourquoi est-ce que *vous* ne vous asseyez pas avec lui pendant que *je* finis de nettoyer la cuisine ?

— Parce que j'ai presque terminé.

Sa logique était implacable. Avec un sentiment de soulagement qu'elle s'efforça de dissimuler, elle s'assit sur l'une des chaises de cuisine, à côté de la vieille table de bois. Bennett se blottit plus étroitement contre elle dans son sommeil et frotta sa petite joue toute douce contre son chemisier. De nouveau, elle sentit son cœur se serrer.

Elle ignorait tout de la mère de l'enfant, qui elle était, où elle était. Tout ce qu'elle savait, c'était qu'au cours des cinq semaines qui s'étaient écoulées, depuis l'arrivée de Clayton et de Bennett à Wright's Way, elle ne l'avait jamais vue et n'en avait jamais entendu parler. Elle devait admettre que cela l'intriguait.

Bien sûr, l'identité de la mère de l'adorable petit garçon ne la regardait pas, pas plus que la vie privée de Clayton.

— Il est un peu sauvage avec les gens qu'il ne connaît pas, d'habitude, mais visiblement il vous adore.

L'occasion était trop belle pour qu'elle puisse y résister. Mettant de côté ses propres principes, elle aborda le sujet qui la taraudait.

— Je lui rappelle peut-être sa mère.

— C'est peu probable, étant donné qu'il était âgé de deux semaines la dernière fois qu'il l'a vue.

Abasourdie par cette révélation, elle leva les yeux vers lui.

— Comment ça se fait ?

— Elle a décrété que s'occuper d'un bébé était trop difficile, et elle me l'a laissé pour partir en Californie.

Elle en demeura bouche bée de stupéfaction. Elle ne pouvait concevoir qu'une mère puisse abandonner délibérément son enfant. Son bébé n'était pas encore né, et elle savait déjà qu'elle aurait fait n'importe quoi pour lui. Bien sûr, elle ne dit rien de tout cela à Clayton.

— En Californie ? Pourquoi ? demanda-t-elle simplement.

— Pour faire du cinéma.

— Elle est actrice ?

— Oui, et bien plus douée que je ne le soupçonnais, répondit-il d'un ton lourd de sous-entendus.

Elle perçut toute l'ironie de la réponse.

— Cela a dû être dur pour vous de vous retrouver seul avec un nouveau-né.

— C'est le moins que l'on puisse dire ! Je n'avais pas prévu de devenir père à ce stade de ma vie, et je ne connaissais absolument rien aux bébés. A vrai dire, je ne suis pas sûr que Bennett ou moi nous en serions sortis sans l'aide de ma mère, les premières semaines.

A bien des égards, l'histoire de Clayton était semblable à la sienne. Elle non plus n'avait pas prévu d'avoir un enfant, et même si elle ne pouvait pas dire qu'elle ne connaissait « absolument rien » aux bébés, son expérience était limitée. Cependant, contrairement à Bennett, son fils ou sa fille n'aurait pas de grand-mère.

Elle détourna le regard pour que Clayton ne puisse pas voir les larmes qui lui montaient aux yeux.

— Vous avez de la chance de l'avoir, murmura-t-elle.

— Je suis désolé, j'avais oublié que votre mère était décédée.

Elle hocha la tête.

— Il y a deux ans.

— Elle doit beaucoup vous manquer.

— Enormément, surtout en ce moment.

Lucinda Wright avait été plus qu'une mère pour elle, elle avait aussi été une amie, et ses conseils lui manquaient. Ce qui lui manquait le plus, c'était la façon que sa mère avait de toujours sentir quand elle était inquiète, ses étreintes réconfortantes et l'assurance dans sa voix quand elle lui disait que tout allait s'arranger.

Elle espérait de tout cœur que les choses allaient bien se passer mais, pour l'instant, elle ne savait pas ce qui serait le mieux pour son bébé.

Clay ne vit de nouveau son frère que plus tard, ce soir-là. Il ne savait pas exactement comment Forrest occupait son temps, en dehors de ses séances de thérapie de groupe à l'hôpital. Bien sûr, certaines personnes devaient se demander ce que *lui* faisait de ses journées, mais toute personne s'étant déjà chargée d'un bébé devait savoir que Bennett le tenait occupé vingt-quatre heures sur vingt-quatre.

Il était dans la salle commune de Wright's Way, en train de regarder un match de base-ball, quand Forrest entra avec un bol de pop-corn et deux bouteilles de bière. Parfois, il y avait tant de monde dans la pièce qu'il était impossible de trouver une chaise, mais la plupart des pensionnaires travaillaient tôt le matin et, par conséquent, se couchaient tôt, surtout en début de semaine.

Ce soir, son frère et lui étaient donc seuls. Clay prit la bière que Forrest lui tendait et en but une gorgée, puis il posa la bouteille sur la table basse, à côté du babyphone.

— Bennett dort déjà ? demanda Forrest.

— Il est près de 22 heures, lui fit remarquer Clay.

Forrest semblait déçu.

Clay n'avait pas été enchanté quand son frère s'était engagé dans l'armée, mais il comprenait que Forrest veuille servir son pays. Cependant, depuis qu'il était revenu, tout le monde voyait bien que sa blessure à la jambe n'était pas sa blessure la plus profonde. Pourtant, par moments, Clay retrouvait le frère facile à vivre qu'il avait connu. Depuis qu'ils étaient à Thunder Canyon, il était arrivé à Forrest de faire preuve d'humour et de le taquiner. Cependant, c'était surtout quand il s'occupait de Bennett qu'il semblait le plus redevenu lui-même. Le petit garçon était le seul à avoir vraiment réussi à faire tomber ses défenses.

— Je me souviens d'une période où il ne s'endormait jamais avant minuit, dit Forrest.

— Heureusement, j'ai fini par me ressaisir et par l'empêcher de faire la sieste juste après le dîner !

— Si tu le couchais plus tard le soir, il ne se lèverait pas si tôt le matin.

Clay haussa les épaules négligemment.

— Ça ne me dérange pas de me lever tôt.

— Ça ne te manque pas de travailler ?

Clay hocha la tête.

— Si, le travail physique et la sensation du devoir accompli me manquent, et je me sens coupable d'avoir laissé tout le travail à papa et aux frangins.

— Tu n'étais pas obligé de venir à Thunder Canyon pour me surveiller.

— Je ne suis pas venu ici pour te surveiller, je suis venu parce que j'en avais assez d'être le centre d'attention chaque fois que je sortais avec Bennett. C'était à croire que personne à Rust Creek Falls n'avait encore vu de père célibataire !

— Essaie d'imaginer ce que c'est que d'être un soldat

blessé… Les gens m'évitent comme si j'étais contagieux, à moins que ce ne soient les rumeurs au sujet de ma névrose posttraumatique qui les effraient.

— Tu n'as pas effrayé tout le monde, lui rappela Clay. Marla James aurait bien aimé te manifester sa reconnaissance pour les services que tu as rendus à ton pays.

Forrest but une gorgée de bière. Clay remarqua que ses joues s'étaient empourprées.

— Je ne sais toujours pas si je dois te remercier de l'avoir fait fuir ou t'en vouloir, finit par dire Forrest.

Clay se contenta de sourire. Comme tout le monde le savait, Marla James avait toujours été follement amoureuse de Forrest. Sa famille était venue s'installer à Rust Creek Falls l'été avant qu'elle entre en CM2 et, dès le jour de la rentrée, elle s'était entichée de lui et n'en avait pas démordu. Il l'avait repoussée plusieurs fois et, plus tard, était sorti avec plein d'autres filles, mais elle était restée persuadée qu'ils finiraient ensemble un jour. Quand Forrest était revenu d'Irak, elle avait décrété que ce jour était enfin arrivé.

Elle était passée au moins une fois par jour au ranch Traub pour voir comment allait son héros blessé. Forrest, particulièrement perturbé depuis son retour d'Irak, l'avait repoussé sans délicatesse, mais Marla ne s'était pas laissé dissuader pour autant.

Cependant, quand Clay, feignant d'être embarrassé, lui avait fait comprendre que la blessure de son frère n'avait pas touché que sa jambe, et qu'il n'était pas en mesure d'apprécier ce qu'elle avait à lui offrir, Marla avait pleuré à chaudes larmes et avait déposé les armes. De toute évidence, son amour pour Forrest n'était pas aussi fort que son désir pour lui.

— Tu peux toujours appeler Marla et lui dire que tu vas beaucoup mieux, dit Clay d'un ton taquin.

— Si seulement c'était vrai…

Clay savait bien que la remarque de son frère n'avait rien à voir avec le handicap qu'il lui avait inventé. C'était pour cela que leur mère se faisait tant de souci pour lui, et Clay devait faire tout son possible pour la rassurer.

— Bennett et moi allons à Billings demain matin pour assister à la vente aux enchères de matériel de ferme. Tu veux venir avec nous ?

Forrest secoua la tête et prit une poignée de pop-corn.

— Très bien, reprit Clay d'un ton dégagé, alors que dirais-tu d'aller manger au Rib Shack vendredi soir ?

Son frère le regarda d'un air soupçonneux, les yeux plissés.

— C'est dans trois jours… Depuis quand prévois-tu quoi que ce soit trois jours à l'avance ?

De toute évidence, Clay avait eu tort de se croire capable de leurrer son frère. Au lieu de lui répondre directement, il haussa les épaules négligemment.

— Si tu as un rendez-vous galant et que tu ne veux pas venir, tu n'as qu'à le dire.

Forrest haussa les sourcils.

— Eh bien, j'ai tellement de rendez-vous ces derniers temps que je vais devoir consulter mon agenda pour te répondre.

— Je suis content de voir que tu as gardé ton sens de l'humour ! Même si cela ne se voit pas toujours.

Forrest détourna les yeux.

— Ce n'est pas parce que j'accepte de sortir avec toi vendredi que tu as le droit de sombrer dans le sentimentalisme.

— Je n'y pensais même pas.

— Tant mieux.

Forrest but une gorgée de bière et reporta son attention sur la télévision.

Le Rib Shack, situé au Thunder Canyon Resort, était souvent bondé le vendredi soir. En attendant que son amie Catherine arrive, Toni parcourut des yeux le restaurant, avec ses photos en noir et blanc de cow-boys et sa peinture murale représentant l'histoire de la ville. Plus encore que le décor, c'était la bonne odeur de la fameuse sauce barbecue de D.J. flottant dans l'air qui attirait les clients.

Toni inspira profondément, et le bébé donna un coup de pied dans son ventre. Si elle était affamée, il devait avoir faim, lui aussi.

Soudain, la voix familière de son amie s'éleva derrière elle.

— C'est un réflexe pavlovien : chaque fois que j'entre dans ce restaurant, j'en ai l'eau à la bouche !

Toni rit et se retourna pour embrasser Catherine.

— Moi aussi !

Une serveuse les conduisit jusqu'à une table. Elles commandèrent tout de suite, car elles connaissaient toutes les deux le menu et savaient ce qu'elles voulaient.

Un quart d'heure plus tard, elles avaient devant elles des assiettes pleines de travers de porc, de frites et de coleslaw. Toni se sentait un peu coupable d'avoir choisi des frites plutôt que des légumes verts, mais si elle se faisait plaisir maintenant, elle serait moins tentée de piller le réfrigérateur à 3 heures du matin.

— Je ne me rappelle plus quand j'ai mangé ici pour la dernière fois, ce qui prouve que ça fait bien trop longtemps que je ne suis pas venue !

— Je suis contente que tu aies enfin engagé quelqu'un

pour servir le dîner au ranch, dit Catherine. Nous n'étions pas sorties entre filles depuis une éternité.

— Tu as été encore plus occupée que moi, et comme si ouvrir le Real Vintage Cowboy ne suffisait pas, il a fallu que tu tombes amoureuse de Cody Overton et que tu te maries avec lui !

Catherine sourit.

— C'est vrai, j'ai été très occupée.

Toni se laissa aller en arrière sur sa chaise et observa attentivement son amie. Ce soir, celle-ci portait un chemisier blanc en dentelle, une longue jupe fluide et des santiags. Ses cheveux bruns tombaient en cascade sur ses épaules, et une lueur brillait dans ses yeux couleur chocolat. Elle était rayonnante.

— Tu as l'air heureuse, en tout cas. La vie conjugale te réussit !

— Je *suis* heureuse, reconnut Catherine.

— Je suis vraiment contente que Cody se soit avéré être l'homme de ta vie, dit Toni avec sincérité.

Elle était ravie que son amie ait tout ce dont elle avait toujours rêvé, la réussite professionnelle et l'amour. Mais elle ne pouvait s'empêcher de l'envier.

Elle n'avait pas à se plaindre : elle était satisfaite de sa vie, soulagée que les choses se soient arrangées au ranch et que les finances familiales se soient améliorées ; mais elle avait conscience d'être seule, même si elle vivait avec son père et ses frères, et même si elle allait avoir un bébé.

— J'aimerais que tu rencontres quelqu'un comme lui, dit Catherine, un homme merveilleux, gentil, intelligent et séduisant !

— Je ne crois pas qu'il y ait beaucoup d'hommes comme Cody, fit remarquer Toni.

Cependant, alors même qu'elle prononçait ces mots,

elle se rendit compte qu'il y en avait au moins un : un homme qui était fou de son fils, qui n'avait pas peur de retrousser ses manches dans une cuisine, qui avait le sens de l'humour et un sourire irrésistible, un homme dont la seule présence la troublait profondément.

A ce moment précis, elle se pétrifia. Clayton Traub venait d'entrer dans le restaurant, avec Bennett dans les bras. Forrest les accompagnait, mais elle faillit ne pas s'en apercevoir : même s'il y avait eu un défilé d'hommes plus beaux les uns que les autres, elle n'aurait eu d'yeux que pour Clay.

— Il y a quelqu'un pour toi quelque part…, commença à dire Catherine.

Son amie dut se rendre compte qu'elle avait l'esprit ailleurs, car elle s'interrompit et suivit son regard. Elle tourna la tête vers les deux hommes qui venaient d'entrer et qui se dirigeaient maintenant vers la salle à manger privée, au fond du restaurant.

— Eh bien ! s'exclama-t-elle dans un souffle. Peut-être y a-t-il quelqu'un pour toi *ici même* !

Toni comprenait la réaction de Catherine, elle avait eu la même la première fois qu'elle avait vu Clayton.

Catherine se tourna de nouveau vers elle.

— Alors, dis-moi… Lequel de ces deux cow-boys très séduisants a attiré ton attention ?

Toni sentit le rouge lui monter aux joues.

— Ni l'un ni l'autre.

— Menteuse.

— Je les connais, admit-elle enfin. Il s'agit de Clayton et Forrest Traub, ils logent à Wright's Way.

— Je comprends mieux pourquoi tu ne viens plus en ville aussi souvent qu'avant ! Le paysage est bien plus intéressant au ranch…

— C'est vrai, ils sont agréables à regarder.

— *Agréables à regarder ?* répéta Catherine d'un ton ironique. Ce sont de vrais cow-boys, cela se voit à leur démarche assurée, à l'impression de force tranquille qu'ils dégagent. Et puis un homme avec un bébé dans les bras paraît encore plus viril.

— Je te rappelle que tu es mariée.

— Mariée, et très heureuse en ménage, mais cela ne signifie par pour autant que je suis devenue aveugle.

— Effectivement, puisque tu as remarqué le bébé qu'il avait dans les bras.

Catherine fit la grimace.

— C'est *son* bébé ?

Toni acquiesça d'un hochement de tête.

— Il est marié ?

— Non.

— Alors où est le problème ? demanda Catherine. Il est père célibataire, tu seras bientôt mère célibataire…

— Oui, et je ne vois vraiment pas comment il pourrait me trouver attirante, dit Toni en posant sur son ventre rond un regard lourd de sous-entendus.

— Tu plaisantes ? Tu te regardes dans le miroir, parfois ? Tu es magnifique, Antonia.

— C'est pour ça que tu es ma meilleure amie, parce que tu arrives à me dire ce genre de choses avec un air sincère.

Catherine soupira.

— Bon, parle-moi de lui.

— Je ne sais pas grand-chose à son sujet, seulement qu'il est de Rust Creek Falls, qu'il est arrivé à Thunder Canyon en septembre et qu'il a un adorable petit garçon de six mois qui s'appelle Bennett.

— C'est bien son frère qui suit une thérapie de groupe pour vétérans, n'est-ce pas ?

— Oui, avec Annabel Cates, qui deviendra bientôt Annabel North.

— Décidément, l'amour est dans l'air à Thunder Canyon ! Peut-être que si tu prenais simplement le temps d'inspirer profondément…

— Je vais avoir un bébé, que j'aime déjà plus que je ne l'aurais cru possible. Je ne veux rien de plus que cela, et je n'ai *besoin* de rien de plus.

— Tu ne crois pas que c'est important pour un enfant d'avoir un père ?

— Dans l'idéal, si, mais ce que je veux surtout, c'est être une bonne mère. Pour l'instant, c'est plus important pour moi que de trouver un père pour mon enfant.

— Tu seras une *très* bonne mère, affirma Catherine d'un ton catégorique.

Toni espérait de tout cœur que son amie avait raison, mais elle était en proie à toutes sortes de questions et de doutes, et ne pouvait se confier à personne comme elle aurait pu se confier à sa mère. Catherine était là pour elle, bien sûr, mais elle n'avait aucune expérience en matière de grossesse ou d'enfants, elle ignorait tout des inquiétudes qui la rongeaient en ce moment.

Une mère ne cessait jamais de s'inquiéter pour ses enfants, Ellie Traub était bien placée pour le savoir. Même maintenant que ses garçons étaient adultes, elle continuait à se faire du mauvais sang pour eux. Clayton avait toujours été celui pour lequel elle s'était fait le plus de souci, du moins jusqu'à ce que Forrest parte en Irak, mais elle n'avait pas envie de penser à cela pour l'instant.

Pour l'instant, elle se préoccupait surtout de Clayton et n'avait en tête que de le faire revenir à Rust Creek

Falls. Clayton était le troisième de ses six fils, il était aussi beau que ses frères, avait toujours été bon à l'école, doué en sport et avait toujours eu du succès auprès des filles. Peut-être même un peu *trop* de succès.

Il avait aussi une vie sociale active, et était sorti avec beaucoup de femmes au fil des ans, sans jamais rester avec la même très longtemps. Il ne leur avait jamais présenté personne et, quand il avait eu vingt-neuf ans, elle avait commencé à désespérer de le voir un jour se ranger.

Elle ne lui avait fait part de ses inquiétudes qu'une seule fois, à une époque où il s'amusait bien trop pour songer à se marier et à fonder une famille. Puis l'une de ses anciennes petites amies avait resurgi dans sa vie, avec un bébé.

Il y avait pire que d'avoir un fils qui avait un enfant né hors mariage, elle le savait très bien, mais elle avait d'abord eu peur que le refus de Clay d'épouser la mère de l'enfant soit une preuve supplémentaire de son incapacité à se ranger et à assumer des responsabilités familiales. Heureusement, elle s'était vite rendu compte qu'elle se trompait sur ce point.

Elle ne pouvait pas lui reprocher de ne pas avoir fait de son fils sa priorité, mais, maintenant qu'il avait prouvé qu'il était capable de se consacrer pleinement à son enfant, elle craignait qu'il néglige d'autres aspects de sa vie. Un homme avait besoin d'une femme, et Bennett avait besoin d'une mère, et ce n'était certainement pas en vivant en reclus dans un gîte à la périphérie d'une petite ville que Clayton trouverait une femme capable de jouer ces deux rôles.

Elle avait Bennett dans les bras et retournait vers la salle à manger privée que D.J. avait réservée pour leur dîner en famille, quand le visage du petit garçon s'éclaira tandis qu'il tendait les bras vers quelqu'un ou quelque chose. Intriguée, elle suivit son regard et vit une très jolie jeune femme.

— Tu as l'œil, hein ? murmura-t-elle. Comme ton papa !

La jeune femme en question, qui les regardait en souriant, leur fit un petit signe de la main.

— Coucou, Bennett !

Ellie s'approcha de la table où elle était assise.

— Je vois que vous connaissez mon petit-fils…

La jeune femme hocha la tête.

— Je suis Toni Wright, vos fils et votre petit-fils logent chez moi. Je vous présente Catherine, une amie.

— Je suis ravie de vous rencontrer toutes les deux.

Ellie remarqua tout de suite que Catherine avait une alliance, mais pas Toni. Elle ne put s'empêcher de se demander pourquoi ni Clay ni Forrest n'avaient mentionné la belle jeune femme célibataire qui vivait au ranch où ils logeaient. De toute évidence, Toni s'était attachée à Bennett.

En fait, elle était sûre que Forrest ne s'intéressait pas du tout aux femmes en ce moment, de même qu'elle était sûre que la beauté de Toni n'avait pas pu échapper à Clay.

Finalement, elle commençait à penser que ce n'était pas une si mauvaise chose que Clay et Bennett restent un peu plus longtemps à Thunder Canyon.

— Je crois que j'ai oublié mon rouge à lèvres aux toilettes, dit-elle à Toni. Cela ne vous dérangerait pas que je vous laisse Bennett une minute, le temps d'aller le chercher ?

— Bien sûr que non, répondit la jeune femme en se levant pour prendre Bennett dans ses bras.

Ce fut seulement à ce moment-là qu'Ellie s'aperçut

que les choses seraient peut-être un peu plus compliquées qu'elle ne l'avait imaginé. Effectivement, Toni Wright n'avait peut-être pas d'alliance, mais elle était indubitablement *enceinte*.

- 3 -

Clay n'avait vu aucun inconvénient à ce que sa mère emmène Bennett avec elle dans les toilettes pour dames pour le débarbouiller en attendant que la serveuse leur apporte ce qu'ils avaient commandé. Il savait que son petit-fils lui avait beaucoup manqué, et il acceptait son aide chaque fois qu'elle la lui proposait. Cependant, au bout d'une dizaine de minutes, il commença à se demander ce qu'elle faisait. Quand la serveuse arriva avec leurs assiettes, il sortit de la salle à manger privée pour aller chercher sa mère, et fut surpris de la voir confier Bennett à Toni.

Il ne s'était pas attendu à croiser cette dernière au Rib Shack ce soir-là, et son cœur fit un bond dans sa poitrine quand il l'aperçut. Il pouvait déplorer l'effet qu'elle avait sur lui autant qu'il le voulait, mais il n'aurait certainement pas pu le nier.

Il fut encore plus étonné de voir sa mère s'éloigner, laissant Bennett aux soins de la jeune femme. Il n'avait aucune inquiétude, car il faisait entièrement confiance à Toni, mais *lui* la connaissait, pas sa mère. Il ne put s'empêcher d'avoir quelques soupçons quant aux raisons pour lesquelles elle était soudain prête à confier son petit-fils adoré à une étrangère.

Il s'approcha de la table de Toni. Bennett le regarda en souriant, mais il laissa sa tête contre l'épaule de cette dernière. Clay ne pouvait pas lui reprocher de préférer le câlin d'une belle jeune femme à un câlin de son père.

— Le monde est petit, dit-il en souriant.

— Le monde, je ne sais pas, mais Thunder Canyon, oui !

— Je crois surtout que les travers de porc sont meilleurs ici que partout ailleurs, dit la jeune femme assise en face de Toni.

— Ça, c'est sûr ! Clayton Traub, ajouta-t-il en lui tendant la main.

— Catherine Clifton… euh, Overton !

Elle sourit et agita les doigts de la main gauche.

— Je ne suis pas encore habituée à mon nouveau nom.

— Félicitations, dit-il.

— Merci ! D'ailleurs, je ferais mieux de rentrer retrouver mon mari.

Il eut nettement l'impression que Toni lançait à son amie un regard vaguement soupçonneux.

— Je croyais que Cody devait rentrer tard de Billings.

— C'est ce que je pensais, dit Catherine en montrant son téléphone, mais il vient de m'envoyer un message pour me dire qu'il était rentré.

Toni regarda le portable d'un air dubitatif, comme si elle ne croyait pas son amie. A vrai dire, à en juger par son expression, elle lui aurait sans doute arraché le téléphone des mains pour vérifier ses dires si elle n'avait pas eu Bennett dans les bras.

— On se voit demain, dit Catherine. J'ai été ravie de vous rencontrer, ajouta-t-elle en se tournant de nouveau vers lui.

Là-dessus, elle leur fit au revoir de la main, et s'en alla.

Il s'assit sur la chaise qu'elle venait de libérer.

— Je crois que votre amie a l'intention de vous laisser régler l'addition !

— C'est à mon tour de payer.

— Et d'une façon ou d'une autre, vous vous retrouvez encore avec mon fils dans les bras.

Toni sourit.

— Votre mère devait aller chercher quelque chose aux toilettes.

Sa mère ayant à peine quitté Bennett des yeux depuis son arrivée à Thunder Canyon, il se méfiait de ses motivations.

— Vous avez rencontré ma mère ?

— Bennett nous a présentées.

Cette réponse énigmatique n'expliquait pas grand-chose, mais il n'insista pas.

— Voulez-vous rencontrer le reste de la famille ?

Toni secoua énergiquement la tête, et il ne put s'empêcher de rire.

— Je suis désolée, s'empressa-t-elle de dire, je ne voulais pas paraître aussi catégorique. J'ai l'impression que vous dînez en famille, je ne voudrais pas m'imposer.

— Vous ne vous imposeriez pas du tout.

— Je vous remercie, mais il vaut mieux que je retourne au ranch. Le matin va venir vite, et la cohue du petit déjeuner aussi !

— Vous faites des pancakes le samedi matin, n'est-ce pas ? demanda-t-il d'un ton plein d'espoir en se levant.

— Oui.

— Alors, nous serons là !

Il tendit les bras pour prendre son fils et soupira en voyant que celui-ci s'était encore endormi contre l'épaule de Toni.

— Enfin… Nous serons là si j'arrive à le réveiller, demain matin. Malheureusement, quand il fait la sieste à cette heure-là de la journée, il reste éveillé jusqu'à minuit, ensuite !

— Je suis désolée, dit Toni en lui déposant avec douceur le bébé dans les bras. Je ne savais pas que je devais l'empêcher de s'endormir.

— Vous ne deviez rien faire du tout, c'est ma mère qui était censée s'occuper de lui. Merci d'avoir veillé sur lui !

Elle tapota du bout du doigt le nez de Bennett.

— C'est toujours un plaisir !

Tandis qu'il la regardait s'éloigner, Clay ne put s'empêcher de se dire que chaque moment qu'il passait en compagnie de Toni Wright était un plaisir pour *lui*.

La maison était plongée dans l'obscurité quand Toni rentra. Le seul bruit que l'on pouvait entendre était celui de la télévision, dans le salon. Ses frères étaient allés à Bozeman pour l'enterrement de vie de garçon de l'un des amis de Hudson, et ils ne devaient rentrer que le dimanche soir. Seul son père était à la maison.

Ses frères travaillaient dur pendant la semaine, et faisaient la fête presque tous les week-ends. Le Hitching Post avait été leur lieu de prédilection pour boire des bières et jouer au billard, mais, hélas, l'établissement avait fermé au printemps précédent, obligeant les habitants de Thunder Canyon à trouver d'autres lieux de sortie, du moins temporairement. Peu de temps après la fermeture du Hitching Post, Jason Traub avait racheté le bar-restaurant et y avait fait des travaux de rénovation. L'établissement devait rouvrir ses portes un peu plus tard en octobre. Si ce calendrier était respecté, les frères de Toni et bien d'autres habitants de Thunder Canyon en profiteraient.

En entrant dans le salon, elle vit que son père s'était

endormi devant la télévision. Il y avait une bouteille de whisky et un verre sur la table basse, à côté de lui.

Elle soupira. John Wright avait toujours aimé boire un petit verre de whisky le soir, mais il s'était rarement octroyé plus d'un verre. Hélas, cela avait changé quand sa femme était morte. Il s'était alors mis à boire de plus en plus souvent, cherchant dans l'alcool un réconfort factice, tentant en vain d'y noyer son chagrin.

Au cours des quelques derniers mois, elle avait eu l'impression qu'il buvait un peu moins. Apparemment, elle s'était trompée.

Cependant, lorsqu'elle prit la bouteille pour l'emporter dans la cuisine, elle remarqua qu'elle semblait pleine. En regardant de plus près, elle vit qu'elle n'avait même pas été ouverte. Elle renifla le verre vide : il n'avait pas été utilisé.

Elle ne comprenait pas pourquoi son père avait sorti un verre et une bouteille pour ne pas boire, mais peu lui importait : tout ce qui comptait, c'était qu'il n'ait pas bu.

Avec un mélange de soulagement et d'affection, elle lui déposa un baiser sur le front. Elle avait eu l'intention de sortir de la pièce sur la pointe des pieds et d'aller se coucher, mais il ouvrit les yeux.

— Toni ?

— Je suis désolée, papa, je ne voulais pas te réveiller…

— Je ne pensais pas m'endormir ici. D'où viens-tu ? Il est tard.

Elle sourit.

— Il n'est pas si tard que ça… J'ai dîné avec Catherine.

— Tu as raté un bon repas, ici. Peggy avait fait du rôti de porc, ce soir.

Elle le savait : Peggy et elle préparaient ensemble chaque dimanche les menus de tous les repas de la semaine. Cette fois encore, elle se demanda si son père avait la moindre idée de ce qu'elle faisait au ranch, des responsabilités qu'elle avait acceptées pour qu'ils puissent payer leurs factures.

Pendant quelque temps, elle avait eu l'impression qu'il était fier d'elle, mais cela avait changé depuis qu'elle était enceinte.

— Je suis contente que le rôti t'ait plu.

— Tu as bien mangé ? C'est important…

Il s'éclaircit la gorge.

— … pour toi et pour le bébé.

Elle repensa au fait qu'elle avait pris des frites plutôt que des légumes verts, mais refusa de se sentir coupable.

— Lucinda mangeait toutes sortes de cochonneries quand elle était enceinte, reprit son père.

Elle en eut le souffle coupé. Elle pouvait compter sur les doigts de la main le nombre de fois où son père avait prononcé le prénom de son épouse depuis sa mort, deux ans plus tôt. Il y avait quelque chose de très émouvant à l'entendre parler d'elle maintenant.

— Quel genre de cochonneries ? demanda-t-elle, espérant de tout cœur qu'il ne se replierait pas sur lui-même et continuerait à parler.

— Des frites, des chips, de la glace…

Il posa sur elle un regard lourd de sous-entendus, comme pour lui faire comprendre qu'il avait trouvé sa réserve dans le congélateur.

— La glace est un produit laitier.

Il sourit.

— Attends que ton enfant utilise la même logique avec toi !

— Je serai prête.

— Nous ne sommes jamais vraiment prêts, contrairement à ce que nous pouvons croire.

Une ombre passa sur le visage de son père, et elle

sut qu'il pensait de nouveau à sa femme, mais que ses souvenirs n'étaient pas des souvenirs heureux, cette fois-ci.

— La vie est tellement plus simple quand on a quelqu'un avec qui partager les hauts et les bas, poursuivit-il. J'aimerais que tu aies quelqu'un à tes côtés.

— Je n'ai besoin de personne pour me tenir la main.

— Je sais bien, tu as toujours été forte et indépendante… mais, parfois, c'est agréable de savoir que l'on peut compter sur quelqu'un. Juste au cas où.

Elle savait qu'il essayait de l'aider, mais elle n'était pas d'accord avec lui. Elle avait appris à ses dépens qu'elle ne pouvait compter que sur elle-même.

Le lendemain matin, Clayton et Bennett ne vinrent pas dans la salle à manger à l'heure du petit déjeuner.

Bien sûr, ce n'était pas grave. Le petit déjeuner et le dîner étaient compris dans le prix, à Wright's Way, mais personne n'était tenu d'assister aux repas. Cependant, leur absence la surprit, car Clayton avait manifesté son enthousiasme pour ses pancakes.

Elle s'efforça de ne plus y penser tout en finissant de nettoyer la cuisine. Enfin, elle s'assit à table avec un bol de glace à la vanille avec des copeaux de chocolat et des morceaux de pâte de cookie. Elle en prenait une pleine cuillerée quand, à son grand étonnement, Clayton fit son apparition sur le seuil de la porte.

Il fronça les sourcils en voyant ce qu'elle mangeait, mais ne fit aucun commentaire. Il indiqua la cafetière d'un geste vague.

— Je peux en prendre une tasse ?

— Bien sûr, servez-vous.

Il prit une tasse dans le placard et se servit un café.

— Il y a du sucre sur le plan de travail et du lait dans le réfrigérateur.

— Ça ira, je le prends noir.

Il s'assit en face d'elle et, aussitôt, son cœur se mit à battre la chamade. *Maudites hormones !*

— Je suis désolé d'avoir raté vos pancakes, mais mes parents ont insisté pour nous emmener prendre le petit déjeuner à la Mountain Bluebell Bakery, Bennett et moi.

— Vous n'avez pas à vous excuser. Si quelqu'un m'invitait à prendre le petit déjeuner là-bas, j'irais, moi aussi ! Les viennoiseries de Lizzie sont absolument délicieuses.

— Dans ce cas, je vous y emmènerai un jour, ne serait-ce que pour être sûr que vous ne mangez pas de glace au petit déjeuner.

— J'ai déjà pris mon petit déjeuner, ce n'est qu'un en-cas.

Elle prit une autre cuillerée de glace.

— Et vous, qu'avez-vous mangé ?

— Un muffin et un doughnut au sucre… et, curieusement, Bennett s'est retrouvé plein de sucre.

Elle sourit.

— Où est-il ?

— Il est encore avec mes parents. Il a beaucoup manqué à ma mère depuis notre arrivée à Thunder Canyon, alors elle m'a demandé si elle pouvait le garder cet après-midi.

— Vous allez pouvoir en profiter pour vous reposer.

— Oui, mais comme j'ai l'habitude de m'organiser en fonction de lui, je n'ai pas la moindre idée de ce que je vais faire pour m'occuper.

— Je suis sûre que vous allez trouver quelque chose.

— Eh bien, à la boulangerie, ce matin, j'ai entendu dire qu'il y avait un cinéma, en ville.

Elle hocha la tête.

— Le New Town Cinema, derrière le centre commercial. Il y a de bons films, en ce moment.

— Il y en a un que vous aimeriez voir ?

— Oui, répondit-elle en finissant sa glace, mais je trouve rarement le temps de…

— Toni, l'interrompit-il.

Elle leva les yeux lui.

— Je vous demande si vous voulez aller voir un film avec moi cet après-midi.

— Oh…

Elle ne savait absolument pas quoi dire. Elle vit une lueur amusée passer dans son regard.

— C'est un oui ou un non ?

— Euh… un oui.

Il prit le journal sur la table, l'ouvrit à la page des spectacles, et le lui tendit.

— Regardez le programme et dites-moi ce que vous avez envie de voir.

Il n'y avait que deux films en salle : une comédie romantique qui avait de bonnes critiques, et un film d'horreur. Elle ne voulait pas faire passer à Clayton un message ambigu en choisissant la comédie romantique, mais elle abhorrait la violence.

Elle fit la grimace.

— Je déteste les films d'horreur…

— Dans ce cas, allons voir autre chose, dit-il aimablement.

— Il n'y a pas de film d'action, il n'y a qu'une comédie romantique.

— Ça me va si ça vous va. Vous êtes partante ?

— Oui, répondit-elle, oubliant toute prudence.

Clay aurait pu faire plein de choses de son après-midi libre. Il aurait pu faire une promenade à cheval, s'octroyer une longue sieste sans risquer d'être réveillé par qui que ce soit… Ces deux possibilités l'avaient tenté mais, quand il avait bien réfléchi à ce qu'il avait *vraiment* envie de faire, il s'était rendu compte qu'il avait envie de voir Toni.

Il fut un peu surpris de se l'avouer, mais ne se laissa pas décontenancer. Il était inutile de chercher à expliquer cette impulsion. Il appréciait Toni, elle était intelligente et amusante, avait des opinions bien arrêtées et n'avait pas peur de les exprimer, elle était belle et séduisante, tellement séduisante qu'il lui arrivait souvent d'oublier qu'elle était enceinte de sept mois.

Cependant, il ne fallait pas qu'il l'oublie. Ils allaient simplement passer l'après-midi ensemble parce qu'ils avaient tous les deux du temps libre.

Ils discutèrent agréablement pendant le trajet jusqu'au centre-ville, passant d'un sujet de conversation à un autre sans qu'il y ait entre eux de silences gênés. C'était amusant : ils s'étaient vus tous les jours pendant un mois et demi, et ils n'étaient toujours pas à court de choses à se dire.

Bien sûr, ils parlèrent beaucoup de Bennett, Clay lui racontant des anecdotes et Toni s'émerveillant des qualités du petit garçon. Ils ne cherchèrent pas à se soutirer l'un à l'autre des informations qu'ils n'étaient pas prêts à partager, comme si, d'un commun accord, ils respectaient les limites qu'ils s'étaient imposées, ce qu'il apprécia grandement.

Une fois au cinéma, Toni sortit son portefeuille, mais il secoua la tête.

— Je vous ai invitée à venir, c'est moi qui paie.

— Dans ce cas, c'est moi qui paie le pop-corn mais, d'abord, je vais passer aux toilettes.

Tenait-elle à payer sa part pour prouver son indépendance, ou pour lui faire bien comprendre qu'il ne s'agissait pas d'un rendez-vous galant, au cas où il se serait imaginé le contraire ?

Par pur esprit de contradiction, il profita de ce qu'elle était aux toilettes pour acheter les friandises.

Quand elle revint, elle fronça tout de suite les sourcils en voyant tout ce qu'il avait dans les mains.

— J'avais dit que j'achetais le pop-corn !

— Allez-y, dit-il, ça, c'est pour moi.

L'espace d'un instant, elle le regarda fixement, hésitante, se demandant visiblement s'il était sérieux, puis elle haussa les épaules négligemment et se dirigea vers le comptoir.

Il lui barra le passage.

— Je plaisantais.

— Oh…

Il lui tendit un gobelet.

— J'ai pensé que vous limitiez probablement votre consommation de caféine, alors je vous ai pris un soda décaféiné.

— Merci.

— Par contre, j'ai demandé du pop-corn au beurre.

— Vous avez pris des serviettes en papier ?

— Oui, et des Milk Duds.

Là, le visage de Toni s'éclaira.

— Des Milk Duds ?

Il rit.

— Oui, comme le pop-corn est salé, je me suis dit que vous aimeriez quelque chose de sucré, à côté.

— Bien vu !

Ils s'apprêtaient à entrer dans la salle quand une voix de femme s'éleva derrière eux.

— Toni ?

En reconnaissant la voix, Toni se rembrunit mais se ressaisit rapidement et se retourna.

— Bonjour, Vanessa.

— J'ai failli ne pas te reconnaître… Mon Dieu, on dirait que tu es sur le point d'exploser !

Toni haussa les épaules avec désinvolture, ne se laissant pas décontenancer par la remarque indélicate.

— J'en ai encore pour quelques semaines.

— Vraiment ? Eh bien ! Je ne pourrais jamais laisser mon corps changer comme ça pour un bébé.

— Non, je veux bien le croire.

La réponse de Toni était pleine de sous-entendus mais, de toute évidence, Vanessa était trop superficielle pour en saisir la subtilité. Il dut réprimer un sourire.

— Alors, tu ne me présentes pas ton ami ? demanda la jeune femme en le regardant de la tête aux pieds.

— Vanessa, je te présente Clayton Traub, dit Toni, manifestement à contrecœur. Clayton, voici Vanessa Wallace, une… amie de lycée.

Vanessa lui adressa un sourire éclatant.

— Enchantée, Clayton.

— Enchanté, répondit-il d'un ton simplement poli.

Elle se pencha légèrement vers lui.

— Etes-vous l'un des Traub du Texas ?

— Non, je suis de Rust Creek Falls.

— Vous êtes arrivé à Thunder Canyon il y a longtemps ?

— En septembre.

Elle continuait à sourire, malgré ses réponses laconiques.

— Eh bien, il n'y a pas grand-chose à voir dans

notre petite ville, mais si vous avez besoin d'un guide, n'hésitez pas à m'appeler !

Il avait peine à croire que la jeune femme fasse preuve d'un tel culot. Toni et lui n'étaient pas ensemble, mais *elle* ne pouvait pas le savoir et, pourtant, elle le draguait sans la moindre subtilité.

— Si vous voulez bien nous excuser, dit-il dans l'espoir de mettre un terme à cette situation de plus en plus tendue, Toni et moi allons nous chercher des places avant que la salle soit pleine.

Vanessa rit sottement, comme s'il avait fait une plaisanterie hilarante.

— La salle ne risque pas d'être pleine, mais vous avez raison, vous et *Toni* feriez mieux d'aller vous asseoir. N'oubliez pas de m'appeler, pour que je vous fasse visiter Thunder Canyon, ajouta-t-elle en lui posant une main sur le bras. Je suis dans l'annuaire.

Il ne prit même pas la peine de répondre.

Ils entrèrent dans la salle et allèrent s'asseoir. Toni restait silencieuse.

— J'ai dit une bêtise, n'est-ce pas ? demanda-t-il.

Elle secoua la tête.

— Non, pas vraiment.

— Allez… Je ne peux pas réparer mes erreurs si je ne sais pas ce que j'ai fait de mal.

— C'est juste que « Toni » était un surnom d'enfance dont j'espérais m'être débarrassée, admit-elle, visiblement à contrecœur.

— Je sais que votre vrai prénom est Antonia, mais vos frères vous appellent tous « Toni », se sentit-il obligé d'arguer pour sa défense.

— Oui, parce que ce sont eux qui m'ont donné ce surnom. J'essayais toujours de faire comme eux. C'est Ace, l'aîné, qui a décidé que, puisque je voulais absolument être un garçon, il me fallait un nom de garçon. C'est comme cela que je suis devenue Toni, mais la plupart de mes amis m'ont toujours appelée Antonia…, du moins jusqu'au lycée.

— Que s'est-il passé quand vous êtes entrée au lycée ? demanda-t-il, craignant un peu de poser la question.

— Je me suis développée assez tard. J'étais grande et maigre, je n'avais pas du tout de poitrine et, quand Jonah m'a appelée par mon surnom au lycée, cela s'est répandu comme une traînée de poudre.

Il fit la grimace, compatissant.

— Heureusement, poursuivit-elle, cela n'a pas duré longtemps. Quand je suis entrée en première, j'ai rattrapé les autres filles, et les garçons ont commencé à le remarquer. Presque tout le monde m'a de nouveau appelée Antonia, mais la façon dont les gens disaient mon prénom et dont ils me regardaient était gênante aussi.

— Les enfants peuvent être cruels et, à l'adolescence, les garçons se comportent comme des imbéciles avec les filles.

— Oui, je m'en suis rendu compte assez vite.

— Ça me plaît, *Toni*, comme prénom. C'est impertinent et unique, comme vous, mais maintenant que j'y réfléchis, *Antonia* vous va bien aussi. C'est un prénom féminin, fort et distingué à la fois.

— Eh bien ! Voilà une analyse plutôt détaillée, au pied levé.

— Je ne suis plus un adolescent, je suis capable de former une phrase cohérente même en compagnie d'une belle jeune femme.

— Ce qui est sûr, c'est que vous n'avez jamais eu de mal à discuter avec moi.

Ce n'était pas tout à fait vrai, mais il était content de

constater qu'elle ne s'apercevait pas de l'effet qu'elle lui faisait.

— A l'avenir, je veillerai à vous appeler Antonia.

— Ce n'est pas très important…

— Si, ça l'est, et je suis désolé de ne pas m'en être aperçu plus tôt.

Elle le regarda, la tête légèrement inclinée sur le côté.

— Vous voulez vraiment vous faire pardonner ?

— Oui.

Elle tendit la main, paume vers le haut.

— Donnez-moi des Milk Duds.

Il rit et fit ce qu'elle lui demandait.

Les lumières s'éteignirent et le silence se fit dans la salle. Tandis qu'il regardait la bande-annonce, il se surprit à penser à Antonia plutôt qu'à ce qui défilait sur l'écran. Elle lui avait donné un petit aperçu de sa vie, mais cela ne lui suffisait pas. Il voulait tout savoir sur elle, il voulait connaître ses amis, en savoir plus sur sa famille, savoir quand et comment elle avait commencé à dresser des chevaux, et qui lui avait appris à faire de délicieux cookies aux fruits confits.

Ce qu'il aurait surtout aimé savoir, c'était si ses lèvres étaient aussi douces qu'elles en avaient l'air, et comment elle réagirait s'il la prenait dans ses bras. Se serrerait-elle contre lui, ou s'écarterait-elle ?

Il l'ignorait, mais espérait avoir un jour l'occasion de le découvrir.

- 4 -

Ce n'était pas un rendez-vous amoureux. Assise à côté de Clayton dans la pénombre, Toni se répétait que ce n'était pas un rendez-vous amoureux. Ils passaient l'après-midi ensemble parce qu'ils avaient tous les deux un peu de temps libre.

Bien sûr, elle aurait pu faire une foule d'autres choses au ranch mais, quand Clayton lui avait proposé d'aller voir un film, elle s'était rendu compte que c'était ce qu'elle avait le plus envie de faire, en partie parce qu'elle n'était pas allée au cinéma depuis longtemps et que s'évader un peu lui ferait du bien, en partie parce qu'elle serait avec Clayton.

Elle aimait passer du temps en sa compagnie, discuter avec lui, et elle appréciait beaucoup le fait qu'il ne lui posait jamais de questions trop personnelles.

Par exemple, il ne lui avait jamais fait de remarques sur le fait qu'elle était enceinte sans être mariée. Bien sûr, c'était peut-être parce qu'il était lui-même père célibataire qu'il ne se montrait pas indiscret. Il lui avait dit que la mère de Bennett les avait abandonnés, son fils et lui, alors que le bébé n'était âgé que de deux semaines, mais, en dehors de cela, elle ignorait tout de la mère du petit garçon. Regrettait-elle d'avoir abandonné son enfant ? Etait-elle toujours en contact avec Clayton ? L'aimait-elle encore ?

L'avait-elle seulement aimé un jour ? Elle-même n'avait jamais couché avec un homme dont elle n'était pas amoureuse, mais elle savait que certaines femmes n'étaient pas aussi exigeantes. Jusque-là elle avait toujours eu besoin d'être attachée à un homme pour avoir des relations intimes. Le désir violent qu'elle éprouvait pour Clayton n'en était que plus déroutant.

Quoi qu'il en soit, les relations de Clayton avec la mère de Bennett ne la regardaient pas car, même s'il lui plaisait beaucoup, elle n'avait pas du tout l'intention de vivre une histoire d'amour avec qui que ce soit, le moment était mal choisi.

Certes, au cours des quelques dernières semaines, il lui était arrivé d'avoir des rêveries sentimentales, mais c'était bien normal. Après tout, Clayton était très séduisant. Elle pouvait tout de même s'autoriser à fantasmer un peu de temps en temps, du moment qu'elle ne se faisait aucune illusion.

Elle savait qu'un homme comme lui ne s'intéresserait jamais à une femme enceinte de près de huit mois. Et c'est pour toutes ces raisons que cette sortie au cinéma ne pouvait pas être un rendez-vous amoureux.

Pourtant, quand elle plongea la main dans la boîte de pop-corn et que ses doigts effleurèrent les siens, elle sentit son cœur faire un bond dans sa poitrine.

Clay remarqua que Toni avait gardé les Milk Duds pour les manger à la fin du film. Elle lui en proposa, mais il s'était gavé de pop-corn et refusa poliment quand elle les lui tendit. Apparemment, elle adorait les caramels couverts de chocolat. Elle les mettait un à un dans sa bouche et les laissait fondre un moment sur sa langue avant de les mâcher.

Quand les lumières se rallumèrent, tandis que le générique de fin défilait sur l'écran, il la vit poser une main sur son ventre et sourire, comme si elle communiquait silencieusement avec son bébé.

Delia ne lui ayant jamais dit qu'elle était enceinte, il avait raté toutes les étapes de sa grossesse. Elle avait tenté de justifier son silence en disant qu'il n'aurait pas été content d'apprendre qu'elle attendait un enfant. Ce n'était pas tout à fait faux car, à l'époque, il ne s'était pas cru prêt à être père.

Cependant, une fois remis du choc, il s'était montré à la hauteur, et il était persuadé que s'il avait eu du temps pour se préparer, il aurait fait ce qu'il fallait, pris les rendez-vous chez le médecin, assisté aux cours de préparation à l'accouchement, couru à l'épicerie à toute heure pour satisfaire les envies soudaines de Delia.

Toni avait-elle quelqu'un prêt à faire ce genre de choses pour elle ? Il en doutait car, depuis qu'il était arrivé au ranch, il ne l'avait jamais vue avec un homme.

Selon les rumeurs qui circulaient à Thunder Canyon, elle avait tellement eu envie d'avoir un bébé qu'elle était allée dans une clinique à Bozeman pour une grossesse assistée. Il ne pouvait s'empêcher de penser que, même si elle avait choisi d'avoir un enfant toute seule, il devait y avoir des moments où elle aurait aimé avoir quelqu'un avec qui partager les joies et les peurs de sa grossesse.

Elle prit un autre Milk Duds et se passa de nouveau une main sur le ventre. Il baissa les yeux, et vit un léger mouvement.

Elle croisa son regard et haussa les épaules négligemment.

— Le bébé aime les Milk Duds.

— Est-ce que… est-ce qu'il vient de donner un coup de pied ?

Toni hocha la tête. Instinctivement, il tendit la main vers son ventre, puis arrêta son geste, hésitant.

— Je peux ?…

Elle lui prit la main et la posa sur son ventre. Quelques secondes plus tard, il sentit le bébé donner un coup de pied.

— Oh !

Le bébé donna un deuxième coup de pied, puis un troisième.

— C'est… incroyable !

Son ton émerveillé la fit sourire.

— Bennett ne donnait pas de coups de pied ?

— Je ne sais pas. Je ne savais même pas que Delia était enceinte avant qu'elle resurgisse dans ma vie avec le petit.

Elle écarquilla les yeux, visiblement stupéfaite.

— Vous plaisantez ?

Il fit non de la tête.

— Alors vous n'étiez pas… ensemble, la mère de Bennett et vous ?

— Nous sortions ensemble par intermittence.

— Oh…

Elle paraissait plus déçue que désapprobatrice. Sans vraiment savoir pourquoi son opinion lui importait tant, il se hâta d'expliquer la situation.

— Nous ne voulions rien de plus, à l'époque.

— Alors la naissance de Bennett était un accident ?

— Sa naissance n'était pas prévue, répondit-il d'un ton ferme, mais elle n'était pas indésirable.

Elle sourit.

— Aucune personne vous ayant vu avec votre fils ne pourrait douter de votre amour pour lui.

Le bébé donna un autre coup de pied, lui rappelant

que sa main était toujours posée sur son ventre. Il eut soudain conscience de la familiarité de ce contact.

Il n'avait jamais éprouvé de l'attirance pour une femme enceinte auparavant, mais il y avait quelque chose de particulièrement féminin chez elle, qui le troublait au plus haut point.

Elle leva de nouveau vers lui ses grands yeux verts. Il retira vivement sa main, prit son gobelet et but une gorgée de soda.

La remarque qu'elle venait de faire l'avait un peu rassuré. Il aimait son petit garçon de tout son cœur, et voulait que Bennett ne puisse jamais en douter. Il avait peur que son fils se pose un jour des questions sur ses relations avec sa mère.

Pour l'instant, Clay ne savait pas grand-chose des projets de Delia. Sa dernière carte postale, que sa mère lui avait apportée de Rust Creek Falls avec une pile de courrier, ne l'avait pas vraiment renseigné.

« Clay,

« Je voulais juste te dire que je suis à Hollywood. Ne t'inquiète pas pour moi, je vais bien et, surtout, je réalise enfin mon rêve.

« Delia. »

C'était tout ce qu'elle lui avait écrit. Elle n'avait même pas mentionné le bébé auquel elle avait donné naissance et qu'elle avait abandonné.

De toute évidence, elle voulait à tout prix parvenir à ses fins, et elle n'allait laisser personne se mettre en travers de son chemin, pas même son propre fils. Il ne pouvait s'empêcher de se sentir coupable d'avoir eu un enfant avec une femme aussi égocentrique. Ils n'avaient pourtant pas fait preuve de négligence, Delia avait toujours pris la pilule. Cependant, ils ne s'étaient pas rendu compte que les médicaments qu'elle avait pris pendant un moment pour une bronchite avaient annulé les effets du contraceptif.

Maintenant que Bennett était là, il n'aurait souhaité pour rien au monde qu'il en soit autrement, mais il aurait voulu que son fils ait une mère aimante et affectueuse, une mère comme Toni.

Si une pensée dangereuse comme celle-ci s'était imposée à lui, c'était indubitablement parce qu'il venait de voir une comédie sentimentale avec une jeune femme qui sentait bon le printemps et dont le sourire pouvait illuminer une pièce entière, car si les films et les livres avaient souvent des fins heureuses, c'était bien moins souvent le cas dans la réalité.

Ses parents avaient toujours formé un beau couple, mais ce n'était pas parce que l'on avait des parents heureux en ménage que l'on était nécessairement chanceux en amour, comme deux de ses frères l'avaient prouvé. Dallas, qui s'était marié à l'âge de vingt-quatre ans, avait toujours l'air malheureux et, lors des rares occasions où Laurel, sa femme, honorait sa belle-famille de sa présence, elle paraissait tout aussi triste. Quant à Braden, qui n'était même pas marié, il n'osait rien faire sans consulter au préalable sa petite amie, Diana, qu'il fréquentait depuis deux ans.

Lui-même n'était pas contre le mariage, pas du tout, mais il ne l'avait jamais envisagé pour lui-même, et il n'était jamais sorti avec une femme assez longtemps pour faire des projets à long terme.

Bien sûr, l'arrivée de Bennett dans sa vie avait changé la donne, y compris sa vision des relations. Il n'envisageait pas de se fixer avec quelqu'un, mais il savait qu'il ne pouvait pas bouleverser son fils avec un défilé de femmes, et Bennett étant sa priorité, il avait décidé d'arrêter de sortir pendant quelque temps.

A vrai dire, ni les flirts insignifiants ni les jeux de séduction superficiels ne lui manquaient. Pourtant, être là avec Toni lui faisait prendre conscience que ce qui lui manquait bel et bien était ce qu'il n'avait partagé qu'avec très peu de femmes : la complicité.

Il ne se rappelait pas quand, pour la dernière fois, il avait apprécié la compagnie d'une femme sans arrière-pensées. Il ne pouvait nier qu'il désirait Toni, mais il avait accepté l'idée qu'il ne se passerait jamais rien entre eux. Il aimait simplement passer du temps avec elle.

Il avait une bonne raison de faire preuve de prudence : plus il passait de temps avec elle, plus il avait conscience qu'Antonia Wright était le genre de femme dont un homme risquait fortement de tomber amoureux.

Or, il n'avait pas du tout l'intention de tomber amoureux.

En entrant dans la salle, Clayton et Toni avaient tous deux coupé la sonnerie de leur téléphone, mais elle était persuadée qu'il n'aimait pas être injoignable, surtout quand il n'était pas avec Bennett, et elle ne fut donc pas surprise de le voir jeter un coup d'œil à son portable dès qu'ils furent sortis du cinéma.

— J'ai raté un appel de ma mère, dit-il, les sourcils froncés, l'air un peu inquiet. Il faut que je la rappelle.

Elle comprenait son anxiété, car c'était sa mère qui veillait sur Bennett.

— Bien sûr.

Elle le laissa téléphoner tranquillement et en profita

pour se rendre rapidement aux toilettes. Lorsqu'elle en ressortit, il paraissait rassuré.

— Elle voulait simplement me dire que j'étais invité à dîner chez Dax et Shandie ce soir.

Il avait l'air un peu gêné, et elle comprenait son dilemme : étant donné qu'il était 16 heures passées, il n'aurait pas le temps de la raccompagner au ranch s'il voulait être à l'heure chez son cousin.

— Je peux prendre un taxi pour rentrer, suggéra-t-elle.

Il fronça les sourcils.

— Certainement pas !

— Vous ne m'en croyez pas capable.

— Bien sûr que si ! Je voulais simplement dire que nous étions venus ici ensemble et que je n'avais pas l'intention de vous abandonner comme ça.

— Cela ne me dérange pas.

Il soupira.

— J'aurais dû dire à ma mère que nous étions ensemble, mais je ne l'ai pas fait parce que je craignais qu'elle me pose une foule de questions.

— Vous n'avez pas à vous justifier.

Elle avait laissé un petit mot à son père pour lui dire qu'elle était allée au cinéma, sans préciser avec qui, car elle ne savait pas comment il aurait réagi. Il n'aurait certainement pas désapprouvé, il n'aurait eu aucune raison de le faire, mais il lui aurait sans doute posé des questions auxquelles elle n'aurait pas eu envie de répondre.

— J'aurais mieux fait de lui dire maintenant… Elle va être étonnée en nous voyant arriver ensemble chez Dax et Shandie.

— Je ne vais pas aller dîner chez votre cousin, dit-elle d'un ton catégorique.

Il haussa les sourcils.

— Avez-vous une raison particulière d'être farouchement opposée à l'idée de rencontrer ma famille ?

— Non, mais il faut que je rentre pour m'occuper du dîner.

— C'est Peggy qui cuisine et Nora qui fait le service.

— Oui, et moi, je les aide, dit-elle, même si elle savait pertinemment que Peggy était tout à fait capable de se débrouiller seule.

— Vous n'avez jamais un soir de libre ?

— Je viens déjà de prendre mon après-midi.

— D'accord. Si vous devez vraiment rentrer, je vais vous raccompagner.

Elle se mordit la lèvre inférieure, un peu gênée. Elle n'était pas obligée de retourner au ranch tout de suite, surtout si cela compromettait les projets de Clayton, mais elle ne voulait vraiment pas aller chez son cousin.

Elle y aurait été bien accueillie, elle n'en doutait pas. La mère de Clayton avait été très courtoise la veille, quand elle l'avait rencontrée au Rib Shack. Cependant, elle avait aussi remarqué que la grand-mère de Bennett avait écarquillé les yeux quand elle avait vu qu'elle était enceinte, et si elle accompagnait Clayton chez Dax et Shandie, tout le monde se demanderait ce qu'ils faisaient ensemble.

Il valait mieux pour eux deux qu'ils n'en donnent l'occasion à personne.

— Il y a peut-être une autre solution, dit-elle.

— Laquelle ?

— Je pourrais passer voir Catherine pendant que vous dînerez avec votre famille, et vous passeriez me chercher quand vous auriez terminé.

— Vous préféreriez vous imposer chez votre amie et son mari plutôt que de dîner avec ma famille ?

— Oui, répondit-elle sans hésiter.

Il sourit.

— Eh bien, on ne peut pas vous reprocher de ne pas être honnête.

— Je fais de mon mieux.

— Bon, c'est d'accord ! Appelez Catherine pour vérifier qu'elle est chez elle.

Elle sortit son portable de son sac à main et composa le numéro de téléphone de son amie. Catherine se réjouit d'autant plus à l'idée de sa visite impromptue que Cody était allé aider un ami à réparer sa cabane à outils, partiellement détruite lors d'une récente tempête. Elle avait passé la journée à faire l'inventaire de sa boutique, et elle avait envie de se reposer et de manger quelque chose.

Cinq minutes plus tard, Clayton se garait dans l'allée, devant chez Catherine. Toni s'empressa de descendre de voiture, avant que son amie ne sorte pour l'accueillir, mais cela ne servit à rien, car Clayton attendit que la porte s'ouvre pour redémarrer, par courtoisie, à n'en pas douter.

— Etait-ce ton séduisant pensionnaire ? demanda Catherine sans préambule.

L'interrogatoire commence ! pensa Toni.

— Non, c'était juste Clayton.

Son amie sourit.

— C'est bien ce que je pensais.

Toni soupira.

— Ce n'est pas ce que tu crois.

— Je ne pense pas que tu saches ce que je crois.

— Je te connais ! Tu es tellement amoureuse que tu voudrais que ce soit le cas de tout le monde.

— Ce n'est pas faux, mais je t'ai vue avec Clayton hier soir, et j'ai bien senti qu'il y avait quelque chose entre vous.

Toni soupira de plus belle. Elle ne pouvait le nier, elle se troublait toujours en présence de Clayton Traub, mais c'était uniquement parce qu'elle éprouvait pour lui un vif désir, et *lui* ne ressentait certainement rien de la sorte.

— Sois réaliste, dit-elle, il est père célibataire d'un enfant de six mois, et j'approche de mon huitième mois de grossesse.

— Alors comment t'es-tu retrouvée en ville avec lui ?

C'était exactement pour cela que Clayton n'avait pas parlé à sa mère de leur sortie : parce que la réponse à cette question ne ferait que soulever d'autres questions.

— Toni ?

— Nous sommes allés au cinéma.

Catherine eut un sourire satisfait.

— Ce n'était *pas* un rendez-vous amoureux ! ajouta Toni.

— Un homme particulièrement séduisant t'emmène au cinéma, et ce n'est pas un rendez-vous amoureux ?

— Clayton m'a invitée à me joindre à lui parce qu'il n'avait pas envie d'aller au cinéma tout seul, c'est tout.

Le sourire de Catherine s'évanouit.

— Il t'a dit ça ?

— Bien sûr que non, mais c'était implicite.

Son amie eut un air songeur.

— Hum… Est-ce qu'il a payé les entrées ?

— Oui, mais…

— Est-ce qu'il a acheté du pop-corn ?

— Oui.

— Vos doigts se sont-ils frôlés quand vous vous êtes servis ?

Plus d'une fois — en fait, chaque fois —, Toni avait senti son cœur faire un bond dans sa poitrine, mais elle n'avait pas l'intention de l'avouer à Catherine.

— Qu'est-ce que ça peut bien faire ? demanda-t-elle d'un ton faussement dégagé.

Hélas, Catherine n'avait pas terminé son interrogatoire.

— Quel film êtes-vous allés voir ?

— Une comédie sentimentale, répondit-elle à contrecœur.

Catherine haussa les sourcils.

— Une comédie sentimentale ?

— Il n'y avait que ça et un film d'horreur qui m'aurait fait faire des cauchemars pendant des semaines.

— Il est allé voir une comédie sentimentale de son plein gré, dit Catherine d'une voix ferme. C'était un rendez-vous amoureux.

- 5 -

Quand Clay vit son frère à l'heure du petit déjeuner, le lendemain matin, ce dernier l'ignora royalement. Bennett n'était pas vraiment de meilleure humeur. Apparemment, le petit garçon ne se rappelait pas que c'était Peggy qui préparait le petit déjeuner et qui le servait le dimanche matin, parce que Toni allait à l'église. Il n'avait rien contre Peggy, qui l'adorait et était toujours très gentille avec lui, mais il n'était pas content lorsqu'il s'attendait à voir Toni et qu'elle n'était pas là.

Cependant, c'était l'humeur de Forrest qui inquiétait le plus Clay.

— Tu comptes me faire la tête éternellement ?

— Je ne sais pas encore.

— Je n'ai jamais demandé à jouer le rôle d'intermédiaire.

— Je suis venu à Thunder Canyon parce que j'avais besoin de souffler un peu. Je pensais que si quelqu'un pouvait comprendre ça, c'était toi.

— Personne ne voit d'inconvénient à te laisser souffler un peu, mais tu ne peux pas rompre complètement avec la famille.

— Même si j'essaie, marmonna Forrest.

— Pourquoi essaies-tu ?

Son frère resta silencieux, ne pouvant ou ne voulant pas répondre.

— Tu as raison, reprit Clay. Nous n'avons pas la moindre idée de ce que tu as vécu, en Irak. Personne ne peut imaginer ce que tu as vu. Mais il faut que *toi*, tu comprennes ce que maman et papa ont vécu. Ils ne savaient même pas s'ils te reverraient vivant !

Les yeux baissés sur son café, Forrest regarda fixement sa tasse pendant un long moment avant de répondre.

— Je croyais savoir dans quoi je m'aventurais, dit-il en secouant la tête, mais, en fait, je n'en avais pas la moindre idée.

Clay se tut, ne voulant pas dire de banalités. Il imaginait avec peine les horreurs dont son frère avait été témoin en Irak, et se doutait que la réalité avait dû être bien pire encore.

— Un de mes amis s'est approché d'un enfant tombé de vélo pour l'aider à se relever… Il ne devait pas avoir plus de sept ans mais, quand Reg s'est penché pour jeter un coup d'œil à son genou éraflé, le gamin lui a donné un coup de couteau dans le ventre.

— Quelle horreur !

— C'est un exemple parmi tant d'autres. Partout où nous allions, nous ne savions pas à quoi nous attendre, à qui faire confiance. En fin de compte, c'était plus simple de ne faire confiance à personne, parce que n'importe qui pouvait nous attirer dans un guet-apens.

Clay fit la grimace. Il devinait où son frère voulait en venir, et se sentait coupable de l'avoir entraîné au Rib Shack sans lui dire que toute la famille y serait réunie.

— C'est l'impression que j'ai eue vendredi soir, d'avoir été attiré dans un guet-apens, poursuivit Forrest.

— C'était juste une réunion de famille, pour maman.

— Je n'en doute pas, mais ne serait-ce que pour ça, tu ne m'as même pas laissé me préparer psychologiquement.

— Je suis désolé, dit Clay avec sincérité. Il fallait

vraiment que tu sois là, je n'aurais pas pu supporter la déception de maman si elle ne t'avait pas vu.

— Je ne me serais pas défilé.

C'était vrai, Clay le savait. Il s'en voulait d'autant plus d'avoir tendu un piège à son frère.

— Faut-il que je te présente de nouveau mes excuses ?

— Peut-être encore deux ou trois fois, répondit Forrest.

Il esquissa un sourire, et Clay sut qu'il était pardonné.

Pendant que Forrest et Clay prenaient leur petit déjeuner, Ellie entraîna Bob à l'église. Elle aimait aller à la messe le dimanche matin, et ce n'était pas parce qu'elle n'était pas chez elle qu'elle changerait ses habitudes. En outre, elle avait découvert que prendre le café avec les autres fidèles après la messe était le meilleur moyen d'apprendre les dernières nouvelles, et elle voulait en savoir un peu plus sur la propriétaire de la pension de famille où logeaient ses fils. Celle-ci était d'ailleurs présente à la messe.

Ellie venait de se servir un café quand elle vit un groupe de dames d'un certain âge en grande conversation approcher de la table. Elle avait déjà rencontré la plupart d'entre elles en ville, et était curieuse de savoir de quoi elle parlait pour avoir l'air aussi animées.

— Je n'arrive pas à croire qu'elle continue à venir à l'église toutes les semaines, dit Helen Vanderhorst.

— Qui donc ? demanda Bev Haverly.

— Antonia Wright ! C'est une honte de se promener comme ça, dans son état. Et son père l'accompagne, comme s'il cautionnait ce qu'elle a fait !

— Qu'a-t-elle fait, au juste ? demanda Judy Raycroft d'un ton las. Ce n'est tout de même pas la première mère célibataire à Thunder Canyon.

— Non, mais *elle*, elle est allée dans une clinique à Bozeman, elle porte le bébé d'un inconnu, répliqua Helen.

Ellie n'aimait pas encourager les commérages, et elle savait que Helen Vanderhorst était l'une des pires fouineuses qui fût, mais, dans ce cas précis, sa curiosité l'emporta sur son aversion pour les médisances, et elle s'approcha un peu du petit groupe.

— Pourquoi faire une chose pareille ? s'étonna Gertie Robbins.

— Elle a toujours été trop indépendante, répondit Helen d'un ton désapprobateur. Elle ressent sans doute le besoin de prouver qu'elle peut tout faire toute seule, même un bébé.

— Peut-être que cette histoire de clinique à Bozeman n'est qu'une rumeur, suggéra Caroline Turner. Il est très probable qu'elle soit tombée enceinte de la même façon que tout le monde, et qu'elle ne veuille pas que cela se sache.

Ellie savait que c'était le cas de deux des trois filles de Caroline, mais elle se garda bien de le mentionner, afin de ne pas se faire remarquer.

Bev secoua la tête.

— Toni n'a jamais été du genre à faire n'importe quoi, sa mère l'a bien élevée.

— Cela fait deux ans que Lucinda est morte, lui fit remarquer Helen, et John s'est mis à boire. Cette fille est seule depuis qu'elle a perdu sa mère.

— Elle s'occupe du ranch pratiquement toute seule aussi, dit Gertie, et elle s'en sort plutôt bien.

— Ce n'est pas un travail convenable pour une jeune femme ! s'emporta Caroline.

— Elle a fait ce qu'elle avait à faire, dit Judy. Je ne vois vraiment pas comment on pourrait le lui reprocher.

Ellie était d'accord, et elle était soulagée qu'au moins une personne prenne la défense de la jeune femme, qui manifestement avait traversé des moments difficiles.

— Je trouve que c'est bien dommage que personne ne croie plus aux valeurs familiales traditionnelles, dit Bev.

— Si les femmes ne rompaient pas avec la tradition de temps en temps, dit Judy, nous serions toujours devant nos fourneaux et enceintes tout le temps.

— Peut-être, mais trop de femmes font carrière au détriment de leur vie de famille, insista Helen.

Elles continuèrent à discuter, mais Ellie en avait assez entendu. La conversation lui en avait appris davantage sur celles qui parlaient que sur toute autre chose.

Elle posa sa tasse vide et s'éloigna. Si elle voulait en savoir plus sur Antonia, elle allait devoir apprendre à la connaître.

Au cours des six derniers mois, Clay avait consacré tant d'énergie à apprendre à s'occuper de son fils qu'il s'était dit que beaucoup d'eau coulerait sous les ponts avant qu'il n'ait de nouveau le temps ou même l'envie de sortir avec une femme.

Cependant, quand il était arrivé à Thunder Canyon, il s'était rendu compte qu'il s'était trompé. Son attirance pour Antonia Wright l'avait étonné lui-même, et il se surprenait souvent à trouver des prétextes pour aller la voir.

Son prétexte du jour était Bennett.

Elle se séchait les mains sur un torchon lorsqu'elle vint lui ouvrir la porte.

— Nous arrivons au mauvais moment ? demanda-t-il.

Elle regarda Bennett avec un grand sourire.

— J'ai toujours le temps pour un beau garçon !

Clay aurait bien aimé que cette remarque s'adresse à lui.

— Vous lui avez manqué ce matin, au petit déjeuner, dit-il, expliquant ainsi leur visite impromptue.

— C'est vrai ? demanda-t-elle à Bennett.

Le petit tendit les bras vers elle.

— Je peux ?

— Je ne pense pas avoir mon mot à dire !

Elle sourit. Tandis qu'elle lui prenait Bennett des bras, il lui effleura accidentellement le sein avec le dos de la main. L'espace d'un instant, ils s'immobilisèrent, puis il se ressaisit et recula. Les joues de Toni s'étaient empourprées.

— Je vous sers un café ?

— Non, merci, je crois que je bois un peu trop, ces jours-ci.

— Vous voulez un soda alors, ou une bière ?

— Non, merci. Nous sommes juste venus vous voir parce que Bennett était agité. J'ai essayé de lui faire faire la sieste, mais il n'y a pas eu moyen. Je me suis dit que si je marchais un peu en le gardant dans mes bras, il finirait peut-être par s'endormir, mais il n'a pas arrêté de regarder en direction de la maison, comme s'il se demandait où vous étiez… et nous voilà !

— Eh bien, je suis contente de vous voir. Pourquoi est-ce que tu refuses de faire la sieste ? demanda-t-elle à Bennett.

Celui-ci bâilla, prouvant qu'il était fatigué.

— Est-ce que vous voulez que je le berce, pendant un moment ?

— Je vous en serai éternellement reconnaissant.

Elle sourit et lui fit signe de la suivre dans le salon.

— Eternellement ?

— Eh bien, jusqu'à l'heure de la sieste demain, en tout cas !

Elle s'installa dans un rocking-chair de bois brillant. Il ne s'y connaissait pas beaucoup en matière de meubles, mais on aurait dit une antiquité bien entretenue ou merveilleusement bien restaurée.

Il regarda autour de lui, remarqua que le canapé et les fauteuils étaient un peu usés mais pas miteux, et que les meubles étaient parfaitement cirés. Des portraits étaient accrochés au mur, derrière le canapé. Deux d'entre eux étaient en noir et blanc.

— Ce sont vos grands-parents ?

Elle acquiesça d'un signe de tête.

— C'est une sorte d'arbre généalogique en images. Les parents de mon père sont de ce côté-ci, ceux de ma mère de ce côté-là, dit-elle en lui montrant les portraits du doigt.

Au centre, il y avait une photo d'elle avec ses trois frères et ses parents.

— Vous ressemblez à votre mère, fit-il remarquer.

— Etant donné que mon père a une moustache et qu'il mesure plus d'un mètre quatre-vingts, j'ai toujours estimé que c'était une bonne chose.

Il sourit et s'assit sur le canapé. Bennett avait appuyé la joue contre l'épaule d'Antonia, et ses yeux étaient fermés.

— Vous avez un don pour l'endormir.

— Il était fatigué, c'est tout.

— Il était déjà fatigué quand je l'ai promené à travers toute la propriété.

— Il aurait fini par s'endormir.

— Peut-être, mais mes bras se seraient engourdis bien avant !

— Il vous faudrait un porte-bébé qui s'accroche dans le dos.

— J'ai déjà un sac à couches qui s'accroche dans le dos.

Elle eut un petit rire doux, particulièrement séduisant, qui le troubla au plus haut point. Il ne comprenait vraiment pas ce qui se passait. Pourquoi éprouvait-il une attirance aussi violente pour une femme qui n'était pas faite pour lui, et pour laquelle il n'était pas fait ? Cependant, il savait qu'il était au moins partiellement responsable, car, au lieu de trouver des excuses pour passer du temps avec elle, il aurait mieux fait de garder ses distances.

— Nous allons vous laisser, dit-il en se levant, vous devez avoir un millier de choses à faire.

Il s'aperçut alors que Bennett avait glissé ses petites mains dans la chevelure brune et soyeuse de Toni. Il allait devoir lui faire desserrer les doigts pour pouvoir partir.

Il dut se tenir tout près d'elle pour cela, si près qu'il sentait le parfum tentant de son shampoing à la pêche. La mâchoire serrée, il s'efforça de penser à autre chose.

— J'avoue que j'ai du pain sur la planche. Il faut que je commence par trouver quelqu'un pour nous aider le temps que Jonah se rétablisse.

— Que lui est-il arrivé ?

— Il est allé à Bozeman le week-end dernier pour l'enterrement de la vie de garçon d'un ami, il s'est laissé convaincre de monter sur un taureau mécanique et il en est tombé, il s'est cassé la clavicule.

Clay parvint enfin à libérer ses cheveux de l'étreinte de Bennett, qu'il prit dans ses bras.

— Je crois qu'il a surtout été blessé dans son orgueil, poursuivit-elle, mais, malgré tout, il ne va pas pouvoir travailler pendant un moment.

— Je pourrais peut-être vous aider.

Il ne voulait pas paraître trop empressé, mais travailler avec son père et ses frères lui manquait vraiment. Les choses fonctionnaient sans doute différemment au ranch Wright, mais il était sûr de pouvoir se rendre utile.

Elle lança à Bennett un regard qui en disait long.

— Vous n'êtes pas déjà débordé, en ce moment ?

— Si, reconnut-il, mais même si j'adore m'occuper de Bennett, je ne peux pas être père au foyer éternellement. Je ne suis pas particulièrement pressé de le mettre à la garderie, mais je pourrai sans doute m'arranger avec un de mes cousins pour que quelqu'un veille sur lui pendant que je vous aiderai.

— Si vous voulez vraiment travailler au ranch, je pourrai m'occuper de Bennett, *moi*.

— Parce que *vous* n'êtes pas déjà débordée en ce moment ! la taquina-t-il.

Elle haussa les épaules avec désinvolture.

— J'ai un parc pour bébés que je pourrais mettre dans mon bureau, il pourrait rester avec moi pendant que je travaille. Je pourrais aussi me promener avec lui, l'emmener voir les chevaux, ou jeter des cubes en mousse avec lui.

Jeter des cubes en mousses autour de lui était l'un des passe-temps favoris de Bennett depuis quelque temps.

— Cela ne vous dérangerait vraiment pas ?

— Ce serait un bon entraînement pour quand j'aurai mon propre bébé.

— Quand devez-vous accoucher ?

— Normalement, fin novembre. J'avoue que je commence à avoir hâte… Je n'en peux plus d'avoir ce ventre !

Il baissa machinalement les yeux. Elle n'était ni trop

grosse ni disgracieuse. En fait, la rondeur de son ventre ne faisait qu'accentuer sa féminité et sa beauté.

Il repensa au moment où elle lui avait pris la main pour la poser sur son ventre. Il avait été ébahi de penser qu'un petit être humain y grandissait, et avait eu un regain d'admiration pour la gent féminine.

Certes, une femme ne pouvait pas avoir un bébé toute seule, mais le rôle de l'homme était bref et agréable. Pendant neuf mois, et souvent pendant bien plus longtemps, la femme seule avait la responsabilité de répondre aux besoins du bébé.

Il ne comprenait toujours pas comment Delia avait pu abandonner son propre enfant, mais il devait reconnaître qu'elle avait bien pris soin d'elle et de leur bébé pendant sa grossesse.

— Soyez contente de ne pas être un éléphant.

Elle haussa les sourcils, visiblement perplexe.

— Vous voulez dire que je dois me réjouir de seulement *ressembler* à un éléphant ?

Il sourit.

— Vous êtes très belle…

Elle baissa les yeux et rougit. La remarque qu'il venait de faire était peut-être un peu déplacée, mais c'était vrai, il la trouvait belle, et il ne voulait pas qu'elle s'imagine être moins séduisante parce qu'elle était enceinte.

— … mais, en fait, je faisais allusion au fait que la période de gestation d'une éléphante dure vingt-deux mois, et que le bébé éléphanteau pèse environ cent kilos à la naissance.

Elle fit la grimace.

— Comment savez-vous ça ?

— Quand Bennett ne faisait pas ses nuits, répondit-il, un peu gêné, je regardais beaucoup de documentaires à la télévision.

— Eh bien, je suis contente de ne pas être un éléphant ! Comment était-ce, quand il ne faisait pas ses nuits ? demanda-t-elle d'une voix un peu hésitante.

— Epuisant ! Heureusement, cela n'a duré que quelques semaines.

— Cela a dû être dur pour vous, d'être tout seul dans ces moments-là…

Instinctivement, elle posa de nouveau une main sur son ventre, et il devina qu'elle pensait qu'elle aussi serait seule pour élever son enfant. Elle se demandait probablement comment elle s'en sortirait si son bébé ne faisait pas ses nuits. Il se garda bien de lui dire que s'occuper d'un bébé représentait un immense défi, même quand tout se passait bien. A quoi bon ? Elle s'en apercevrait bien assez tôt.

— Savez-vous déjà si vous allez avoir un petit garçon ou une petite fille ?

Elle fit non de la tête.

— Je n'ai pas voulu le savoir.

— Avez-vous choisi des prénoms ?

— Quelques-uns.

— Vous ne voulez pas me les dire ?

Elle secoua de nouveau la tête.

— Pas encore.

— Delia, la mère de Bennett, voulait une fille.

— Bennett serait un drôle de prénom pour une fille, dit-elle d'un ton taquin. J'aime bien, mais c'est mieux pour un garçon !

Il parvint à sourire.

— Elle était persuadée qu'elle allait avoir une fille. Elle avait l'intention de l'appeler Sarah Jane, elle n'avait même pas choisi de prénom de garçon.

— C'est vous qui avez choisi le prénom de Bennett, alors ?

— Je ne savais même pas que j'avais un fils avant qu'il soit âgé d'une semaine, lui rappela-t-il.

— Oh…

De toute évidence, elle se posait des questions, mais elle n'insista pas.

Au cours des six dernières semaines, il avait eu l'occasion de s'apercevoir qu'elle n'avait pas pour habitude de se montrer indiscrète. Comme il l'avait dit à Forrest, cela le changeait agréablement des femmes qui voulaient connaître tous les détails de son passé et tous ses petits secrets.

Bien sûr, son frère lui avait fait remarquer qu'une femme qui respectait les secrets d'un homme en avait certainement quelques-uns, elle aussi. Il se demandait maintenant si les mises en gardes de Forrest étaient fondées ou non. Peut-être essayait-il simplement de justifier sa propre curiosité à l'égard de Toni, mais il se dit que, en lui confiant certaines choses douloureuses, cela l'encouragerait peut-être à en faire autant.

— Bennett est le nom de famille de Delia. Comme elle ne lui avait pas choisi de prénom, la sage-femme avait écrit « Bébé Bennett » sur le bracelet d'identité, et Delia a estimé que ce serait assez bien pour lui.

Toni était aussi choquée que consternée, mais elle se rendit compte qu'elle n'aurait pas dû être aussi étonnée. Une femme capable d'abandonner son enfant ne devait pas avoir beaucoup d'affection pour lui.

Et si elle non plus ne s'attachait pas à son enfant ? Elle ne pouvait pas le concevoir, elle avait déjà le sentiment qu'elle ferait n'importe quoi pour son fils ou sa fille. Cependant, elle avait entendu parler de femmes qui faisaient une dépression post-partum et ne voulaient même pas approcher leur bébé, et de femmes qui avaient tant souffert pendant l'accouchement qu'elles ne supportaient pas de regarder leur enfant.

Cependant, il ne s'agissait pas d'elle, mais de Bennett, et de la tristesse évidente de Clay à l'évocation de l'origine du prénom de son fils.

— Je ne crois pas que la façon dont il a reçu son prénom importe autant que le fait qu'il soit un Traub, dit-elle, et c'est évident que sa famille l'adore.

— C'est vrai, et je suis content que Delia ait au moins inscrit mon nom sur son certificat de naissance.

— Le bon nom de famille peut donner à un enfant un sentiment d'appartenance à une communauté. A Thunder Canyon, peu de noms ont autant d'influence que celui des Traub, des Cates ou des Clifton.

— C'est simplement parce que nous sommes très nombreux !

— En partie, peut-être.

— Quel nom portera votre enfant ?

Elle aurait dû s'attendre à cette question. Il était loin d'être le premier à s'enquérir de l'identité du père du bébé, même si elle devait reconnaître qu'il le faisait d'une façon plus subtile que les autres.

— Wright, répondit-elle en souriant.

— Est-ce que cela signifie que ce que l'on dit en ville est vrai ?

— Il y a tellement de rumeurs que j'ai perdu le fil.

— Il paraît que vous vouliez avoir un enfant à tout prix, et que vous êtes allée dans une clinique à Bozeman.

— Je veux ce bébé de toutes mes forces, c'est vrai.

— Vous ne vouliez pas que votre enfant ait une famille traditionnelle ?

— Si vous me demandez si je rêvais de tomber amoureuse et de me marier, la réponse est oui, mais cela ne m'est pas arrivé et, avec ou sans mari, je voulais un enfant.

— N'êtes-vous pas un peu jeune pour avoir déjà renoncé à vos rêves ?

— J'ai trente ans.

— C'est bien ce que je dis.

Elle secoua la tête.

— Je suis prête.

— Moi, je ne l'étais pas. D'ailleurs, il y a des jours où je ne le suis toujours pas !

— Eh bien, vous faites bien semblant.

Il sourit.

— Maintenant peut-être, mais vous auriez dû me voir au début !

— Je pense que tous les jeunes parents ont peur, au début.

— Il faut dire que je n'ai pas eu le temps de me préparer. La dernière fois que j'avais vu Delia, elle m'avait dit : « C'était sympa, mais je passe à autre chose, je veux voir plus grand. » Là-dessus, elle est partie, et neuf mois plus tard, sans prévenir, elle est arrivée chez moi avec un bébé dans les bras ! J'étais censé croire que j'étais le père de l'enfant, alors qu'elle m'avait garanti qu'elle prenait la pilule.

— Aucune méthode contraceptive n'est sûre à cent pour cent.

Il avait été prudent, lui, au moins. Toni ne pouvait pas en dire autant. Elle avait fait preuve de négligence. Gene et elle ne s'étaient pas protégés systématiquement, ce qui ne l'avait pas spécialement inquiétée : elle était amoureuse, et ne pensait pas qu'avoir un bébé avec l'homme qu'elle aimait serait une si mauvaise chose. Elle ne s'était certainement pas attendue à se retrouver seule pour élever son enfant.

— Oui, dit Clayton, l'arrachant à ses pensées, je l'ai appris à mes dépens.

— Mais, malgré tout, vous n'êtes pas parti en courant.

— J'y ai pensé, mais heureusement je ne l'ai pas fait.

— Et maintenant ?

Il regarda le bébé qu'il avait dans les bras avec une tendresse évidente.

— Maintenant, je ne l'abandonnerais pour rien au monde.

— Je ressens la même chose pour mon bébé, et je refuse de me sentir coupable de ne pas avoir la bague au doigt.

Sa réponse sembla le satisfaire et, quand il s'en alla avec Bennett, elle soupira, soulagée qu'il ne se soit pas rendu compte qu'elle n'avait jamais vraiment répondu à sa question.

- 6 -

Toni s'était peut-être un peu méfiée de Clayton ou, plus exactement, de la réaction irrépressible qu'elle avait chaque fois qu'elle le voyait. Mais elle ne pouvait nier l'affection qu'elle avait commencé à éprouver pour son fils quand elle l'avait pris dans ses bras pour la première fois, et, après s'être occupée de lui pendant seulement trois jours, elle était absolument conquise.

Son moment préféré de la journée était après le déjeuner, quand elle s'asseyait au calme avec lui et qu'elle le berçait doucement jusqu'à ce qu'il s'endorme. Il dormait en ce moment même, et elle fourrait son nez contre sa joue, respirant son parfum de bébé. Elle eut un pincement au cœur tant elle avait hâte de tenir son propre enfant dans ses bras.

Quand elle avait vu le petit signe positif sur le test de grossesse qu'elle avait fait chez elle, elle avait éprouvé un mélange de joie et d'angoisse. Un peu plus tard, quand son médecin lui avait confirmé qu'elle était bien enceinte, elle avait réussi à passer outre ses craintes et à s'abandonner au bonheur d'être bientôt mère. Toutefois, à ce moment-là, le bébé était encore un concept abstrait plus qu'une réalité ; c'était quand elle avait fait sa première échographie que sa grossesse était devenue bien réelle, et elle avait de nouveau un terrible sentiment d'angoisse.

A l'époque, elle avait beaucoup pensé à Gene, avait

espéré qu'il changerait d'avis et reviendrait à Thunder Canyon. Comme cela ne s'était pas produit, elle avait fini par essayer de ne plus penser à lui mais, quand elle avait senti le bébé bouger pour la première fois, sa conscience s'était réveillée. Gene avait été très clair quant à ses intentions en quittant précipitamment Thunder Canyon, mais elle refusait d'abandonner sans avoir fait une dernière tentative.

Ainsi, après des semaines d'hésitation, elle avait fini par l'appeler et lui avait demandé s'ils pouvaient se voir. Il lui avait répondu qu'il était dans le Kentucky, ce qui aurait dû lui suffire. Il avait tourné la page, et elle aurait dû en faire autant.

Elle avait refoulé ses larmes, car elle ne voulait pas qu'il sache à quel point elle était blessée qu'il la repousse, qu'il rejette leur bébé et, dans l'intérêt de leur enfant uniquement, elle s'était forcée à lui demander s'il voulait qu'elle le prévienne à la naissance du bébé.

— C'est toi qui as décidé de garder cet enfant, pas moi, lui avait-il répondu d'un ton brusque. A mes yeux, c'est *ton* enfant, pas le mien.

L'attitude de Gene était horriblement décevante mais, par la suite, elle s'était rendu compte que tout était pour le mieux. Au moins, elle n'aurait pas à craindre que Gene demande un jour la garde de son enfant. A vrai dire, elle aurait été très étonnée qu'il s'aventure de nouveau à Thunder Canyon.

Bennett soupira dans son sommeil. Elle déposa un baiser sur ses cheveux auburn, fins et doux. Elle était bien, détendue, jusqu'à ce qu'elle entende la porte de derrière claquer.

Elle entendit quelqu'un remonter le couloir. Son frère Ace entra dans le salon d'un pas lourd, sans se soucier du bruit qu'il faisait ni des traces de boues qu'il laissait sur son passage.

— Chut ! fit-elle, juste assez fort pour qu'il l'entende.

Il s'arrêta dans l'embrasure de la porte, les sourcils froncés.

— Tu n'as pas assez de choses à faire sans t'occuper en plus de l'enfant de quelqu'un d'autre ?

— Sans doute, répondit-elle d'un ton désinvolte, mais puisque le père de cet enfant fait le travail de Jonah en ce moment même, cela me paraît équitable. En plus, cela me permet de m'entraîner à m'occuper d'un bébé en attendant que le mien vienne au monde.

Le visage d'Ace s'assombrit encore davantage.

— Tu veux vraiment avoir ce bébé toute seule ?

— Je *vais* avoir ce bébé toute seule, lui rappela-t-elle.

— De toute façon, lâcha Hudson, qui venait d'entrer dans la pièce, même si elle le voulait, elle ne pourrait plus changer d'avis maintenant.

— Mais elle pourrait au moins nous dire qui est le père du bébé, dit Ace, d'un ton qui ne laissait aucun doute quant à ce qui se passerait si elle partageait cette information avec lui.

— Tu n'as pas entendu dire que je suis allée dans une clinique à Bozeman ?

Ace lui lança un regard furibond, et Hudson émit un grognement railleur.

— Mme Haverly croit peut-être à cette histoire, dit ce dernier, mais pas moi.

Ce n'était pas la première fois qu'il lui exprimait ses doutes concernant la rumeur qui courait sur son compte, mais elle se moquait de ce que ses frères croyaient. Ce qui comptait, c'était que Mme Haverly s'était emparée du peu d'informations qu'elle lui avait donné et qu'elle avait fabulé à partir de là.

A l'époque, Toni en était à son cinquième mois de grossesse. Porter des vêtements amples ne suffisait plus à cacher la rondeur de son ventre et, de toute façon, elle ne pouvait plus se couvrir autant qu'avant, car on était en plein mois de juillet. Elle avait commencé à sentir les regards inquisiteurs posés sur elle, à entendre des murmures sur son passage.

Bien sûr, Bev Haverly ne voulait pas se contenter d'émettre des hypothèses, elle voulait *savoir*, et un dimanche matin, à la sortie de l'église, elle avait mis Toni au pied du mur.

— Est-ce vrai que vous allez avoir un bébé ? lui avait-elle demandé sans détours.

Toni, qui avait aimé son bébé dès qu'elle avait appris son existence, refusait de se montrer gênée ou d'avoir honte.

— Oui, avait-elle répondu en soutenant son regard.

— Mais vous n'avez même pas de petit ami, avait fait remarquer la veuve.

Toni s'était une nouvelle fois félicitée que Gene et elle aient fait preuve de la plus grande discrétion.

— Grâce aux progrès de la médecine, une femme n'a plus besoin d'un mari ou d'un petit ami pour avoir un enfant, avait-elle rétorqué.

Mme Haverly l'avait regardée d'un air sceptique.

— Vraiment ?

Toni avait acquiescé d'un hochement de tête.

— Oh, oui ! Il y a une clinique très renommée à Bozeman, qui aide de nombreuses femmes à avoir des enfants.

C'était une simple déclaration, elle n'avait dit à aucun moment qu'elle était allée dans cette clinique. Elle ne s'était donc pas sentie spécialement coupable quand

Bev Haverly avait interprété ses paroles et fait circuler la rumeur dans tout Thunder Canyon.

En fait, elle préférait que les gens la croient assez acharnée pour choisir d'avoir un bébé toute seule. Elle ne voulait pas qu'ils sachent que le père de l'enfant les avait abandonnés tous les deux.

Chassant ces pensées de son esprit, elle reporta son attention sur ses frères.

— Que faites-vous ici, au fait ? leur demanda-t-elle. Je croyais que vous deviez réparer des clôtures, aujourd'hui.

— Nous les avons presque toutes réparées, mais nous devons aller en ville acheter du matériel pour pouvoir terminer.

— Alors pourquoi êtes-vous venus ici au lieu d'y aller directement ?

— Parce que nous avons raté le déjeuner, répondit Hudson d'un ton vaguement suppliant.

— Il reste du rôti dans le réfrigérateur, vous pouvez en prendre pour vous faire des sandwichs.

Ace se renfrogna.

— Ce n'est pas *ton* boulot ?

Elle haussa les sourcils, stupéfaite.

— Pardon ?

— Eh bien, tu t'occupes de la maison, et la cuisine est dans la maison.

— Quel homme des cavernes ! s'esclaffa-t-elle. Je comprends pourquoi tu n'as pas de petite amie !

— Tu vas nous faire ces sandwichs, oui ou non ? grommela Ace.

— Je vais m'en charger, assura Hudson. Ils ne seront pas aussi bons que ceux de Toni, mais ils devraient faire l'affaire.

Elle leva les yeux au ciel et s'extirpa du fauteuil.

— Toi, en revanche, tu es un charmeur, mais tu es

bien trop insaisissable pour qu'une femme puisse te mettre le grappin dessus.

Hudson se contenta de sourire. Elle soupira.

— Je vais vous faire des sandwichs.

— Super ! dit Ace en se dirigeant vers la cuisine de son pas lourd.

Hudson, lui, resta en arrière. Il la regarda déposer doucement Bennett dans le parc et le couvrir avec une couverture.

— Tu feras une très bonne mère.

Elle perçut la sincérité de son frère dans sa voix et sentit des larmes lui monter aux yeux.

— Je l'espère.

— Mais un bébé devrait vraiment avoir une mère et un père.

— Hudson…

Il leva les mains en signe de reddition.

— Ce ne sont pas mes affaires, je sais. C'était juste une remarque.

— Eh bien, garde tes remarques pour toi, ou tu feras tes sandwichs tout seul !

Bennett faisait ses dents et se montrait d'humeur grincheuse car il manquait de sommeil. Clay était dans le même état. Il ne voulait pas s'attirer la colère des autres clients en laissant les pleurs de Bennett les réveiller, et avait donc pris l'habitude de promener son fils dans ses bras quand il se réveillait en pleine nuit.

Ce soir, tandis qu'il marchait dans la cour, il vit de la lumière dans les écuries. Dès que Bennett se fut rendormi et qu'il l'eut confié à son oncle, il alla voir ce qui s'y passait.

Il ne s'était pas attendu à y trouver Toni. Elle portait

un jean délavé et un sweat-shirt large, dont les manches étaient retroussées. Avec ses cheveux tressés et sans maquillage, elle avait l'air d'avoir quinze ans plutôt que trente, ce qui rendait la rondeur de son ventre encore plus déroutante.

— Il est 2 heures du matin.

Elle sursauta et se tourna vers lui, une main sur la poitrine.

— Vous m'avez fait une de ces peurs !

Elle paraissait plus fatiguée qu'effrayée, avec ses joues pâles et ses cernes sous les yeux.

— Que faites-vous ici toute seule à une heure pareille ?

Elle fronça les sourcils, visiblement surprise par son ton irrité.

— Daisy Mae n'a pas beaucoup mangé ce soir, alors je me suis dit qu'elle n'allait pas tarder à mettre bas et je suis venue voir comment elle allait.

— A 2 heures du matin ?

— Les juments mettent bas pendant la nuit, en général.

— Je le sais, mais je me demandais ce qui vous a poussée à venir toute seule dans les écuries à 2 heures du matin.

— A vrai dire, je suis arrivée vers minuit.

— Oh ! C'est une heure bien plus raisonnable pour une jeune femme, pour se promener seule dans le noir, dit-il avec ironie.

— J'ai grandi dans ce ranch, je sais me débrouiller et je ne risque pas de me perdre.

— Le problème n'est pas là.

— Alors où est le problème ?

Il ne le savait pas vraiment lui-même. Tout ce qu'il savait, c'était que quand il l'avait vue toute seule, avec cet air vulnérable, il avait ressenti le besoin de la protéger.

— Ce n'est pas prudent pour une jeune femme de se promener toute seule à une heure indue.

Elle esquissa un sourire.

— Nous sommes à Thunder Canyon.

— Oui et, l'année dernière, ma cousine Rose a été kidnappée à Thunder Canyon.

— Sans vouloir minimiser l'épreuve terrifiante que cela a dû être pour elle, Jasper Fowler était fou. Maintenant, il est en prison, et personne n'erre sans but dans le ranch, parce que les visiteurs ne sont pas autorisés à passer la nuit, conclut-elle avec un pétillement malicieux dans les yeux.

— Vous pensez vraiment que le paragraphe huit du règlement va empêcher les vagabonds de s'aventurer dans la propriété ?

— Je crois surtout que vous faites des histoires pour pas grand-chose. Je suis venue ici parce que je sais que Daisy Mae ne va pas tarder à mettre bas et parce que je voulais voir comment elle allait.

— Et si vous aviez constaté qu'elle n'allait pas bien ? demanda-t-il d'un ton de défi. Qu'est-ce que vous auriez fait ?

Il était horrifié à l'idée de l'imaginer dans une stalle avec une jument agitée. Elle le regarda d'un drôle d'air, comme si elle devinait à quoi il pensait.

— J'aurais appelé mes frères.

— Vraiment ?

— Je ne suis pas stupide, je ne mettrais pas mon bébé en danger inutilement.

— Dans ce cas, pourquoi ne retourneriez-vous pas dans la maison pour vous reposer un peu ?

— Parce que je ne veux pas la laisser seule.

S'inquiétait-elle vraiment pour la jument, ou pensait-elle en fait à son propre accouchement imminent ? Y aurait-il quelqu'un pour la soutenir quand elle mettrait son enfant au monde, ou serait-elle toute seule ?

Il soupira.

— Très bien, dans ce cas, je reste avec vous.

— Ce n'est vraiment pas la peine !

— Je sais, mais je reste quand même.

Il fit un signe de tête en direction de son bureau.

— Vous avez du café ?

— Je peux en faire.

— Je m'en charge.

Il revint quelques minutes plus tard avec une tasse de café dans une main et une chaise dans l'autre. Il posa la chaise et fit signe à Toni de s'y asseoir. Il s'attendait plus ou moins à ce qu'elle proteste mais, de toute évidence, les deux heures qu'elle avait déjà passées debout lui avaient suffi, car elle s'assit.

— Alors, que faisiez-vous ici à 2 heures du matin, vous ? lui demanda-t-elle.

— Je me promenais avec Bennett. Il fait ses dents, et il n'en est pas très content.

Elle haussa les sourcils.

— Vous me reprochez d'être ici, et vous laissez votre fils tout seul dans votre chambre ?

— Non ! Il est avec son oncle.

— Ah…

Elle reporta son attention sur la jument.

— Quand le vétérinaire est-il venu pour la dernière fois ?

— Il y a quelques jours. Il a dit que tout allait bien mais, quand je suis arrivée, Daisy Mae m'a paru très mal à l'aise et agitée.

— Un accouchement n'est probablement jamais une partie de plaisir, fit-il remarquer d'un ton pince-sans-rire.

— Bien sûr, mais c'est sa première fois et…

— Vous vous inquiétez pour elle.

— Je pensais rester ici un moment pour garder un œil sur elle, répondit-elle, refusant visiblement d'admettre qu'elle se faisait du souci.

— Vous croyez qu'elle verrait un inconvénient à ce que je m'approche pour voir comment elle va ?

A son grand soulagement, elle secoua la tête.

— Non, elle n'y verra pas d'inconvénient, et je vous en serai reconnaissante. J'ai failli appeler Ace, tout à l'heure, mais il n'apprécierait pas d'être réveillé uniquement pour me rassurer.

— C'est votre jument ?

Elle sourit.

— Je considère tous les chevaux que nous avons comme les miens, mais Daisy Mae est ma préférée. Sa mère l'a rejetée quand elle est née, alors ma mère s'est occupée d'elle, elle est restée avec elle vingt-quatre heures sur vingt-quatre pendant une semaine, et elle l'a nourrie au biberon toutes les deux heures. C'est grâce à elle que Daisy Mae a survécu. S'il lui arrivait quoi que ce soit maintenant…

Elle ne termina pas sa phrase, mais il avait compris où elle voulait en venir. Ce n'était jamais facile de perdre un animal, mais Toni s'était attachée à Daisy Mae en particulier, parce qu'elle lui faisait penser à sa mère. Il était bien décidé à faire tout son possible pour préserver ce lien.

Clayton posa sa tasse vide et entra prudemment dans la stalle. Daisy Mae battit des paupières et hennit nerveusement, comme si elle cherchait à être rassurée.

— Ça va aller, Daisy Mae, dit-il en s'agenouillant près d'elle.

Toni repensa au regard émerveillé qu'il avait eu quand il avait posé une main sur son ventre pour sentir les mouvements de son bébé.

Manifestement, il avait plus d'expérience avec les animaux sur le point de mettre bas qu'avec les femmes enceintes, car il semblait en confiance. Il parlait à la jument d'une voix grave et apaisante, et ses mains bougeaient avec assurance tandis qu'il la caressait.

Comme elle le regardait, elle se surprit à se demander quel effet cela pouvait faire d'avoir quelqu'un à ses côtés pour accoucher. Elle regrettait d'avoir à vivre cela toute seule.

Elle sentit des larmes lui monter aux yeux et s'empressa de les refouler. Chassant ces idées tristes de son esprit, elle décida de ne penser qu'à l'instant présent et à sa jument plutôt que de rêvasser en vain.

— Je crois qu'elle va très bien s'en tirer, dit-il en sortant de la stalle. Nous n'avons qu'à laisser la nature suivre son cours.

Au moment même où il prononçait ces mots, la jument se coucha sur le flanc et commença à mettre bas.

— C'est parti, dit-elle dans un souffle.

Clayton lui prit la main et la serra dans la sienne. Elle se cramponna à lui, rassurée par ce contact et par sa présence. Elle ne voulait pas laisser Daisy Mae toute seule, mais elle n'avait pas non plus envie d'être seule. Elle avait assisté à la naissance de nombreux animaux au ranch, mais Daisy Mae n'était pas un cheval parmi d'autres, et elle était contente de pouvoir partager ce moment avec quelqu'un.

La jument, même si elle mettait bas pour la première fois, se débrouilla à merveille. A chaque contraction, elle poussait un hennissement plaintif, et Toni grimaçait de douleur par empathie. Elle avait l'impression que cela durait une éternité et n'avançait pas, mais, alors même qu'elle commençait à s'inquiéter, des sabots apparurent, puis un museau. Quelques minutes plus tard, le bébé de Daisy Mae était né.

La jument resta là où elle était pendant quelques instants, reprenant son souffle, puis elle se leva et le cordon ombilical se brisa naturellement.

— Pour l'instant, tout va bien, murmura Antonia.

— Elle a mis au monde une jolie petite pouliche, dit Clayton.

— Elle est belle, n'est-ce pas ?

Tout en retenant son souffle, elle regarda Daisy Mae nettoyer la pouliche. Ce ne fut que lorsque celle-ci se leva sur ses pattes grêles pour téter sa mère que Toni poussa un profond soupir de soulagement.

— Tout va bien se passer, dit Clayton, comme s'il comprenait parfaitement son état d'esprit.

Elle hocha la tête et lui déposa un baiser sur la joue.

— Merci.

Il plongea ses yeux dans les siens, et elle perçut dans son regard une lueur qu'elle ne parvint pas vraiment à interpréter. Se pouvait-il qu'il éprouve du *désir* pour elle ?

Elle ne pouvait certainement pas nier le désir qui l'animait, *elle*.

Avec une infinie douceur, il lui posa une main sur la joue. Hélas, presque aussitôt, il laissa retomber son bras et fit un pas en arrière.

— Vous devriez aller dormir un peu.

Maintenant que l'excitation était retombée, elle se sentait épuisée. Malheureusement, ce n'était pas le moment d'aller se coucher.

— C'est presque l'heure pour moi d'aller préparer le petit déjeuner.

— Mettez quelques boîtes de céréales et des bouteilles de lait sur les tables.

— Bien sûr, c'est une excellente idée ! dit-elle avec ironie.

Il secoua la tête.

— Avez-vous toujours été aussi têtue ?

— J'ai un travail à faire, et il y a des gens qui comptent sur moi pour le faire.

— Et vous, sur qui comptez-vous ?

Elle cligna les yeux, prise de court.

— Comment ça ?

— Avez-vous déjà laissé quelqu'un faire quelque chose pour vous ? Ou avez-vous toujours été aussi farouchement indépendante ?

— Je ne trouve pas qu'être indépendant soit un défaut.

— Prouvez-le. Confiez à quelqu'un la tâche de s'occuper du petit déjeuner ce matin.

— Peggy s'occupe déjà de tout le reste, mon père ne sait pas cuisiner, Ace est bien trop entêté pour essayer, Hudson serait prêt à faire l'effort mais le résultat ne serait pas beau à voir, et Jonah a le bras en écharpe.

Apparemment incapable de trouver quelque chose à répondre à cela, il secoua de nouveau la tête.

— Promettez-moi au moins de vous reposer un peu après le petit déjeuner.

— Je vous promets de me reposer un peu après le petit déjeuner.

Elle s'apprêtait à s'en aller, mais se ravisa et se tourna de nouveau vers lui.

— Je suis peut-être indépendante, mais je n'ai pas toujours envie d'être seule, et j'apprécie que vous soyez resté avec moi cette nuit.

Il s'approcha d'elle.

— Je ne veux pas de votre gratitude.

La tête lui tournait tant elle était fatiguée, et tant sa proximité la troublait. Il y avait quelque chose d'énigmatique dans les profondeurs insondables de ses yeux.

— Que voulez-vous ? demanda-t-elle, la gorge serrée.

Il tendit le bras et remit une mèche de cheveux échappée de sa tresse derrière son oreille. Il lui effleura le cou du bout des doigts, et elle frissonna délicieusement. Il esquissa alors un sourire un peu moqueur, et laissa retomber sa main.

— Ne posez jamais une question dont vous n'êtes pas sûre d'être prête à entendre la réponse.

C'était un bon conseil mais, à cet instant précis, elle ne se rappelait même plus la question qu'elle lui avait posée, et la réponse ne l'intéressait même plus tant elle était obnubilée par le désir qu'elle éprouvait pour lui.

Cependant, consciente qu'il était vain de vouloir ce qu'elle ne pourrait jamais obtenir, elle tourna les talons et regagna la maison.

- 7 -

Toni parvint à se tenir éveillée jusqu'au déjeuner et, après une bonne sieste de trois heures, elle se sentit complètement remise. Bien sûr, elle alla plusieurs fois aux écuries dans la journée, pour voir si Daisy Mae et sa pouliche, Maisy Rae, allaient bien. Chaque fois qu'elle les regardait, elle repensait à la nuit que la jument avait passée.

Elle n'en revenait toujours pas d'avoir trouvé un tel réconfort dans la présence de Clayton à ses côtés.

Il lui avait demandé s'il lui arrivait de se reposer sur quelqu'un. En fait, elle essayait de ne compter que sur elle-même : de cette façon, elle risquait moins d'être déçue.

Le vendredi, elle était tout à fait remise de sa nuit blanche, et avait hâte de passer la journée avec Bennett. Le matin, elle l'emmena aux écuries pour lui montrer la petite pouliche, puis jusqu'aux paddocks pour voir les autres chevaux.

Comme son médecin lui avait conseillé de réduire ses activités physiques habituelles, elle essayait de compenser le manque de sport en marchant le plus possible. La promenade avec un bébé de sept kilos dans les bras lui semblait être un bon exercice.

Quand ils retournèrent à la maison à l'heure du déjeuner, ils avaient tous les deux faim et étaient fatigués. Elle donna à Bennett une purée de carottes, puis de la compote de pommes. Elle avait une folle envie de glace à la cerise et au chocolat, mais se força à manger d'abord un sandwich à la dinde.

Quand Bennett s'endormit, à l'heure de la sieste, elle décida de s'occuper des factures qui avaient recommencé à s'accumuler. Au moins, cette fois, elle n'avait pas différé le moment de les payer parce qu'elle n'avait pas d'argent, mais parce qu'elle était trop bien avec Bennett pour s'occuper de tâches aussi banales.

Elle était à l'ordinateur, rentrait des chiffres dans un tableau, quand on frappa à la porte. C'était rare que quelqu'un vienne jusqu'à son bureau en pleine journée, et c'était encore plus rare que quelqu'un frappe avant d'entrer. Cependant, elle fut encore plus surprise lorsqu'elle vit sa visiteuse dans l'embrasure de la porte.

— Madame Traub ! Bonjour.

— Bonjour, Antonia, répondit la mère de Clayton avec un sourire chaleureux.

Ses yeux se posèrent sur les papiers empilés sur son bureau.

— Je vous interromps ?

— Je suis heureuse de faire une pause, même si je présume que c'est Bennett que vous êtes venue voir.

— Bennett est ici ? s'étonna la grand-mère du petit garçon.

Toni se demanda s'il y avait une raison particulière pour que Clayton n'ait pas parlé à sa mère de leur arrangement, ou s'il n'avait simplement pas eu l'occasion de le faire, mais, en tout cas, il ne lui avait pas précisé de ne rien dire, et elle n'avait aucune raison de mentir à Ellie.

— Mon frère Jonah s'est cassé la clavicule, alors Clayton nous aide au ranch le lundi, le mercredi et le vendredi, et pendant ce temps-là, je m'occupe de Bennett.

Ellie sourit.

— Je reconnais bien là Clayton, il a fort à faire avec le petit, mais le travail au ranch lui manque. Il a hésité à venir à Thunder Canyon… Comme si son père ne pouvait pas se débrouiller avec ses quatre autres fils pour l'aider !

Elle aperçut le parc dans le coin de la pièce et s'en approcha.

— Le voilà ! murmura-t-elle. C'est incroyable, cela fait moins d'une semaine que je ne l'avais pas vu, et j'ai l'impression qu'il a encore grandi.

— Il a deux dents, maintenant !

Ellie soupira.

— J'aimerais être là pour chaque événement marquant.

— Nous avons une chambre libre en ce moment.

La mère de Clayton eut un petit rire.

— La proposition est tentante, mais je pense que mes fils n'apprécieraient pas spécialement de m'avoir sur le dos vingt-quatre heures sur vingt-quatre, alors il vaut mieux que je me contente de leur rendre visite de temps en temps.

— Voulez-vous le réveiller ?

— Non, surtout pas ! J'ai eu six enfants, et j'ai appris très tôt qu'il ne fallait jamais réveiller un bébé.

Toni sourit.

— Voulez-vous une tasse de café, dans ce cas ?

— Vous avez du décaféiné ?

— Bien sûr.

Elle alluma le babyphone posé à côté du parc et prit l'autre. La cuisine était tout près, et elle aurait probablement entendu Bennett s'il se réveillait, mais le babyphone la rassurait toujours.

Elle prépara du café et en servit deux tasses, puis elle

sortit une assiette de cookies faits maison et s'assit à la table, en face d'Ellie.

— Vous ne m'avez pas demandé pourquoi j'avais fait tout le trajet depuis Rust Creek Falls aujourd'hui, lui dit alors cette dernière.

— Eh bien, j'ai supposé que Bennett vous manquait, et que vous étiez simplement venue le voir.

Ellie sourit.

— C'est vrai, mais ce n'est pas la seule raison pour laquelle je suis ici. Je voulais vous voir.

— *Moi ?*

Surprise par une telle révélation, Toni se mit sur ses gardes.

— Quand je vous ai rencontrée, la semaine dernière, j'ai tout de suite remarqué que Bennett était très attaché à vous.

— Il vient ici tous les jours à l'heure du petit déjeuner et du dîner, expliqua Toni. Pour lui, je suis un visage familier qu'il associe au plaisir de manger !

Ellie sourit.

— Peut-être en partie, mais pas seulement.

Ne sachant pas quoi répondre, Toni prit un cookie et mordit dedans.

— Clayton vous a-t-il beaucoup parlé de la mère de Bennett ?

— Non, pas vraiment.

A entendre l'hésitation dans la voix d'Antonia lorsqu'elle répondit, Ellie se dit qu'elle faisait bien d'avancer avec précaution.

Elle respectait le désir de la jeune femme de ne pas se laisser aller à des commérages au sujet de l'un de ses pensionnaires, mais elle devait savoir si la première impression qu'elle avait eue d'elle était bonne.

S'il s'avérait qu'elle avait vu juste, elle pourrait retourner à Rust Creek Falls avec un souci de moins.

— Vous en savez probablement autant que moi quand Delia est arrivée chez Clay avec le bébé. Je ne l'avais encore jamais rencontrée. Bien sûr, Clay ne nous avait jamais présenté aucune de ses petites amies, il a toujours dit qu'il ne voulait pas leur donner de faux espoirs.

— Cela me fait penser à mon frère Hudson… C'est un charmeur, il ne veut surtout pas s'engager.

— Clayton était pareil, jusqu'à ce qu'il commence à s'occuper de Bennett.

— C'est sûr que personne ne pourrait douter de son dévouement pour son fils.

Ellie but une gorgée de café, hésitant à révéler des secrets qui n'étaient pas les siens. Cependant, elle estimait qu'Antonia avait le droit de connaître la situation de Clayton et de Bennett.

— Savez-vous qu'il a essayé de la déclarer disparue quand elle est partie ?

Antonia fit non de la tête.

— Il a contacté un de ses amis qui travaille dans la police, à Rust Creek Falls, mais celui-ci lui a dit que ce n'était pas parce qu'il ne savait pas où était Delia qu'elle avait disparu, à proprement parler. Clay a donc engagé un détective privé pour tenter de la retrouver. Elle lui avait laissé une lettre, mais il était persuadé qu'il lui était arrivé quelque chose… Il n'arrivait pas à croire qu'une femme puisse abandonner son propre enfant de son plein gré.

— J'avoue que j'ai du mal à le concevoir, moi aussi.

Avant qu'Ellie n'ait eu le temps d'ajouter quoi que ce soit, un adorable petit gazouillement s'éleva dans le babyphone et elle sentit aussitôt son cœur se gonfler dans sa poitrine.

— Bennett est réveillé !

Antonia hocha la tête.

— Puis-je aller le chercher ? demanda Ellie tout en se levant.

— Bien sûr !

Quand elle arriva dans le bureau, elle vit que Bennett avait roulé sur le côté et attrapé un cube en mousse.

— Eh bien, regardez-moi ça !

Bennett leva les yeux vers elle en entendant sa voix et eut un grand sourire.

— Et regardez-moi ces deux jolies dents !

Elle se pencha au-dessus du parc et le prit dans ses bras.

— Tu vas bientôt pouvoir goûter les célèbres travers de porcs du Rib Shack !

Pour l'heure, Bennett se contenta de mâchouiller le coin de son cube. Elle trouva le paquet de couches à côté du parc et, tout en le changeant, continua à lui parler. Elle se dirigea ensuite vers la cuisine avec lui.

Antonia se tenait devant la cuisinière et mélangeait le contenu d'une grande casserole. Soudain, la porte de derrière s'ouvrit et Clay entra, l'air particulièrement à l'aise, comme s'il était chez lui.

Ellie remarqua que le visage de son fils s'éclaira quand il vit Antonia, tout comme le visage de son petit-fils quand il voyait la jeune femme, et lorsque Antonia leva les yeux vers lui en souriant, l'électricité dans l'air fut presque palpable.

De toute évidence, Antonia était bien plus que quelqu'un qui préparait les repas pour Clay et Bennett. Ce qui était tout aussi clair, c'était que son fils n'en avait pas encore conscience.

Elle n'aimait pas particulièrement s'immiscer dans la vie privée de ses enfants maintenant qu'ils étaient adultes, mais elle ne pouvait pas s'empêcher de penser que Clayton et Antonia avaient besoin d'un petit coup de pouce pour aller dans la bonne direction.

— Ça sent bon, dit Clay.

— J'ai fait un bœuf en daube pour lutter contre la grisaille du jour.

— Mon estomac commence déjà à grogner !

Il prit une pomme dans un bol sur le plan de travail et mordit à pleines dents dedans.

— Bennett dort encore ?

— Non, il…

— Vient de se réveiller, coupa Ellie en entrant dans la pièce.

Visiblement surpris, Clayton haussa les sourcils.

— Que fais-tu ici ? lui demanda-t-il.

Son ton était vaguement méfiant, mais il traversa la pièce pour venir l'embrasser et embrasser son fils.

— Je ne suis pas venue vous surveiller, ton frère et toi.

— Alors pourquoi es-tu venue ? demanda-t-il gentiment.

— En partie parce que Bennett me manquait, et en partie pour voir le nouveau restaurant de Jason et de Joss, puisque nous ne pourrons pas assister à l'ouverture officielle, demain.

Et en partie pour voir la femme qui vient d'entrer dans ta vie, pensa-t-elle, se gardant bien de le dire à haute voix.

— Papa est avec toi ?

— Il m'a déposée en chemin, il est allé voir Frank Cates pour lui demander de nous fabriquer de nouvelles étagères pour le salon.

Elle jeta un coup d'œil à sa montre.

— D'ailleurs, il va venir me chercher, il devrait arriver d'un moment à l'autre. Nous allons vous laisser…

— Vous pouvez rester manger, si vous voulez, dit Antonia, si cela ne vous dérange pas de dîner à la même table que des cow-boys affamés.

— C'est vraiment très gentil de votre part, d'autant plus que nous ne vous avons pas prévenue de notre arrivée, mais j'ai une autre idée… Jason nous a promis de nous faire goûter certains plats du nouveau menu du Hitching Post, ce soir, alors pourquoi ne vous joindriez-vous pas à nous, tous les deux ?

Son fils avait toujours été perspicace, et elle sentit tout de suite son regard perçant se poser sur elle. Antonia, quant à elle, semblait plus décontenancée que soupçonneuse.

— C'est gentil, dit-elle, merci, mais quelqu'un doit rester ici pour servir le dîner.

— Et toi, Clay ?

— Eh bien, puisque je vais découvrir le menu demain soir, je pense que je vais rester ici pour goûter le bœuf en daube d'Antonia.

Ellie n'eut pas besoin de feindre d'être déçue, car elle l'était réellement : elle aurait aimé passer plus de temps avec son fils et son petit-fils.

Cependant, elle devait voir le bon côté des choses. La décision de Clayton confirmait ses soupçons, il y avait bel et bien quelque chose entre lui et Antonia.

Maintenant, il fallait seulement qu'*eux* en prennent conscience.

Le samedi matin, après le petit déjeuner, Antonia faisait une liste de courses quand Clayton entra dans la cuisine. Son apparition la surprit d'autant plus qu'il était venu prendre son petit déjeuner avec Bennett beaucoup plus tôt que d'habitude et ne s'était pas attardé ensuite.

— Où est Bennett ? demanda-t-elle, étonnée de le voir seul.

— Avec Forrest, dans les écuries.

Elle sourit.

— C'est un cow-boy, comme son papa, n'est-ce pas ?

— Il aime bien les chevaux, mais je ne suis pas encore prêt à lui seller un poney !

— Le temps passe tellement vite, il le sellera tout seul avant que vous ayez eu le temps de dire ouf !

— Oui, c'est ce que mon frère Dallas n'arrête pas de me répéter.

— Il a des enfants ?

— Trois garçons, de neuf, sept et cinq ans.

— Eh bien, les Traub vont bientôt envahir tout le Montana !

— C'est sûr que nous ne craignons pas que la lignée s'éteigne... Enfin, je ne suis pas ici pour parler généalogie !

— Pourquoi êtes-vous ici ?

— Pour vous demander si vous avez quelque chose de prévu ce soir.

Elle sentit son cœur faire un bond dans sa poitrine, et se reprocha aussitôt cette réaction. Après tout, ce n'était pas comme s'il s'apprêtait à lui proposer un rendez-vous amoureux.

— Non, répondit-elle d'un ton faussement dégagé, je suis libre. De quoi avez-vous besoin ?

— Eh bien, Forrest a croisé Jason en ville, l'autre jour et, apparemment, il lui a promis que nous irions tous les deux à la réouverture du Hitching Post ce soir.

Elle avait entendu parler de l'événement, bien sûr, même avant qu'Ellie y fasse allusion, la veille. On ne parlait que de cela en ville, et comme le nouveau propriétaire du restaurant était le cousin de Clayton et de Forrest, Jason Traub, il n'y avait rien de surprenant à ce qu'il espère les voir tous les deux à la réouverture.

— Apparemment, ce sera une grosse soirée.

Clayton acquiesça d'un hochement de tête.

— Forrest et moi pensions y aller vers 19 heures.

— Et vous voudriez que je garde Bennett, devina-t-elle.

Il parut étonné.

— A vrai dire, j'espérais que vous accepteriez de vous joindre à nous.

C'était à son tour à elle d'être surprise.

— Vous emmenez Bennett à la soirée ?

Il rit.

— Non, je me suis déjà arrangé pour qu'il reste avec ses cousins sous la surveillance de leur baby-sitter habituelle.

— Alors pourquoi avez-vous besoin de moi ?

— Je n'ai pas *besoin* de vous, je me disais juste que cela vous ferait peut-être plaisir d'y aller, de vous échapper du ranch pendant quelques heures.

— Effectivement, cela me ferait plaisir. J'ai simplement été…

Quel adjectif convenait le mieux pour décrire ce qu'elle ressentait ? Stupéfaite, abasourdie, absolument sidérée !

— … surprise par votre invitation.

— Alors vous viendrez avec nous ? demanda-t-il d'un ton plein d'espoir.

Elle passa mentalement en revue le contenu de sa garde-robe, se demandant si elle avait une tenue appropriée pour l'occasion, et elle se rendit compte que ce n'était pas le cas. En tout cas, elle n'avait rien d'assez grand pour couvrir son ventre rond. Elle devrait donc aller en ville dans l'espoir d'y trouver quelque chose de correct dans le rayon de vêtements de grossesse de la petite boutique d'articles d'occasion.

Comme elle devait aller au magasin de grains et fourrage pour passer une commande pour le ranch, elle avait une excuse toute trouvée pour se rendre au centre-ville. Cependant, elle n'avait rendez-vous avec le gérant du magasin qu'à 16 heures, et quand elle rentrerait, elle aurait à peine le temps de se préparer. Toutefois, si elle se coiffait et se maquillait avant d'aller en ville…

— Toni ? dit Clayton d'un ton interrogateur, l'arrachant à ses pensées.

Elle rougit, s'apercevant qu'il attendait toujours sa réponse.

— Cela vous irait si je vous retrouvais directement au Hitching Post ?

— Oh… Eh bien, comme nous habitons au même endroit, je m'étais dit que nous irions ensemble.

— C'est juste que j'ai un rendez-vous en ville cet après-midi, alors ce serait plus logique que je ne repasse pas par ici après.

— D'accord.

Toni s'efforça de ne pas penser à l'invitation de Clayton pendant le reste de la matinée. Elle avait bien trop à faire pour pouvoir se laisser distraire par un rendez-vous qui n'était même pas un rendez-vous amoureux.

Elle prépara un chili pour le dîner et le laissa cuire à feu doux dans une cocotte pendant plusieurs heures. Enfin, elle alla prendre une douche et se servit de son fer à friser pour se faire quelques grosses boucles souples. A 15 heures, elle commençait à se maquiller, et commençait aussi à se sentir nerveuse.

— Hé, Toni, je voulais juste…

Son frère Jonah s'arrêta net dans l'embrasure de la porte, comme s'il ne l'avait jamais vue se maquiller de sa vie.

— Qu'est-ce que tu veux ? demanda-t-elle avec une politesse calculée.

— Je voulais juste te rappeler que tu devais aller au magasin de grains et fourrage.

— Je ne vais pas tarder à me mettre en route.

— Depuis quand est-ce que tu te maquilles pour aller en ville ?

— Depuis quand est-ce que tu te soucies de mon apparence ?

— Depuis qu'on dirait que tu te prépares pour un rendez-vous amoureux.

— Est-ce à ce point inconcevable ?

Il fronça les sourcils.

— Tu as vraiment un rendez-vous amoureux ?

Elle ne savait pas vraiment comment répondre à cette question. Quand un homme invitait une femme à sortir avec lui, il s'agissait généralement d'un rendez-vous amoureux, mais Clayton l'avait invitée à assister à l'ouverture du restaurant avec lui *et son frère*, ce qui changeait tout.

Elle secoua la tête.

— Non, répondit-elle, mais je vais à la réouverture du Hitching Post.

— Avec qui ?

Elle soupira.

— Avec Clayton et…

— C'est un rendez-vous amoureux, l'interrompit Jonah.

— … et Forrest, ajouta-t-elle.

— Ce n'est pas bien.

Elle posa son mascara.

— Mon maquillage ? demanda-t-elle d'un ton faussement innocent.

S'il n'avait pas eu un bras en écharpe, il aurait certainement croisé les bras sur son torse dans un geste désapprobateur qui lui était familier. Au lieu de cela, il s'appuya au chambranle de la porte et la regarda d'un œil noir.

— Ce n'est pas bien pour une femme enceinte de sortir avec un homme qui n'est même pas le père de son bébé.

— Je sors avec au moins une centaine d'habitants de Thunder Canyon.

— J'ai bien vu comment il te regarde.

Même si son frère avait prononcé ces mots d'un ton menaçant, son cœur se mit à battre la chamade.

Ainsi, leur attirance commençait à être évidente aux yeux de tous ! Clayton flirtait un peu avec elle, et elle en faisait autant. Bien sûr, ils savaient l'un comme l'autre que cela n'irait pas plus loin. Il s'habituait à peine à sa vie de père célibataire, elle allait bientôt être mère, il ne pouvait évidemment rien y avoir entre eux. Néanmoins, chaque fois qu'elle le voyait ou qu'elle pensait à lui, son cœur martelait sa poitrine et ses jambes flageolaient.

— Et j'ai bien vu comment *tu* le regardes, poursuivit Jonah d'un ton accusateur.

— Il n'y a pas de mal à regarder, répliqua-t-elle, ne pouvant démentir.

— Tu es *enceinte*.

Elle regarda son ventre et écarquilla les yeux d'une manière théâtrale.

— Oh, mon Dieu ! Quand est-ce arrivé ?

Jonah lui lança un regard furibond.

— Les gens vont parler.

Elle soupira.

— Les gens parlent depuis des mois.

— Cela ne te dérange pas ?

— Je n'ai aucun contrôle là-dessus.

— Ce n'est pas la peine de jeter de l'huile sur le feu.

— Jonah, je ne suis pas sortie depuis…

Elle repensa au film qu'elle était allée voir avec Clayton le samedi précédent, mais décida qu'il valait mieux ne pas en parler à son frère. De toute évidence, cela l'aurait fait sortir de ses gonds.

— Eh bien, cela fait tellement longtemps que je ne sais plus depuis quand.

— Si tu veux sortir, je peux t'emmener, moi.

Elle se dirigea vers la penderie, y prit une autre chemise de flanelle empruntée à son père, et l'enfila par-dessus son T-shirt.

— Je vais au Hitching Post avec Clayton et Forrest ce soir, dit-elle d'un ton catégorique, mais comme je vais en ville cet après-midi, je prendrai ma propre voiture pour y aller et je pourrai quitter la soirée quand j'en aurai envie.

Cette réponse dut apaiser un peu son frère, car il dit enfin :

— Ne rentre pas trop tard.

Elle prit son sac à main et en passa la bandoulière sur son épaule.

— Ne m'attends pas.

Clay n'avait jamais confié Bennett à quelqu'un qui n'était pas de sa famille, à part Toni, bien sûr. Etrangement, il n'avait eu aucun mal à lui confier son fils, qui l'adorait et était manifestement très à l'aise avec elle.

En revanche, il était un peu inquiet à l'idée de laisser Bennett avec la baby-sitter de Shandie, mais la femme de son cousin lui avait proposé de déposer son fils chez eux, avec leur fille de huit ans, Kayla, et leur fils de quatre ans, Max, pour que leur baby-sitter attitrée s'occupe des trois enfants. Sur le moment, l'idée lui avait paru bonne, et il avait tout de suite pensé à profiter de l'occasion pour suggérer à Toni de quitter le ranch pendant quelques heures.

Il savait qu'elle travaillait dur à Wright's Way. En discutant avec ses frères, il avait été surpris d'apprendre qu'avant de tomber enceinte c'était elle seule qui s'occupait du dressage des chevaux. Ce n'était que quand le médecin lui avait conseillé d'avoir des activités moins fatigantes qu'elle avait entrepris de se charger des tâches administratives et domestiques.

Ace avait reconnu avec une certaine admiration, bien qu'à contrecœur, qu'elle avait accepté ces nouvelles responsabilités avec autant d'énergie et d'enthousiasme qu'elle abordait toute chose.

Clay n'avait pas pu s'empêcher de se demander si elle faisait preuve de la même énergie et du même enthousiasme au lit, mais il s'était aussitôt efforcé de chasser de son esprit cette pensée déplacée.

Il venait de changer la couche de Bennett quand son frère entra dans la pièce.

— Est-ce que je dois mettre une cravate, ce soir ? demanda Forrest.

— Nous allons au Hitching Post, pas à un gala.

— Je prends ça pour un non.

— Tu peux en mettre une si tu veux, mais moi, je n'en mets pas.

— Tu t'es quand même rasé, fit remarquer Forrest.

— Evidemment.

Son frère huma l'air.

— Et tu as mis de l'eau de Cologne.

— C'est de l'après-rasage, répliqua Clay d'un ton lourd de sous-entendus, c'est généralement ce que l'on met après s'être rasé.

— Tu as mis un pantalon de ville.

— C'est un pantalon de lin.

Forrest haussa les épaules négligemment.

— Ce n'est pas un jean.

— Non, j'ai pensé que l'occasion exigeait quelque chose de différent de ma tenue habituelle.

— L'occasion, ou la compagnie ?

— Comme si tu allais apprécier mes efforts ! répondit Clay, faisant exprès de mal interpréter la question.

Forrest eut un grand sourire et se pencha pour ramasser le cube en mousse que Bennett venait de jeter par terre. Le petit garçon le regarda en souriant, et jeta de nouveau le cube.

— Tu l'aimes vraiment bien, hein ? demanda Forrest.

— Bien sûr que je l'aime bien, je ne lui aurais pas proposé de passer la soirée avec nous si je n'aimais pas passer du temps avec elle.

Son frère ramassa de nouveau le cube mais, au lieu de le rendre à Bennett, il le fit passer d'une main à l'autre pour amuser le bébé.

— Pourquoi l'as-tu invitée à venir avec nous ? Est-ce que tu essaies de prétendre que ce n'est pas un rendez-vous amoureux ?

— Ce n'est *pas* un rendez-vous amoureux.

Forrest leva les yeux au ciel.

— Tu sais, vous êtes peut-être faits l'un pour l'autre.

— Comment ça ?

— Tu es un père célibataire, elle sera bientôt une mère célibataire.

Son frère venait de citer deux des nombreuses raisons pour lesquelles Clay ne pouvait pas se permettre de considérer cette soirée comme un rendez-vous amoureux. Oui, Toni lui plaisait, oui, il tenait à elle, mais leurs vies respectives étaient bien trop compliquées pour pouvoir s'accorder, même temporairement.

— Si vous vous mariiez, Bennett aurait une maman et son enfant à *elle* aurait un père.

S'ils se mariaient ? Il faillit s'étrangler en entendant Forrest prononcer ces mots et s'empressa d'ouvrir le premier bouton de sa chemise.

— Je n'ai pas l'intention de me marier.

— Pas avant d'avoir eu un premier rendez-vous, en tout cas, le taquina son frère.

— Tu me connais, Forrest, je ne suis pas fait pour m'engager.

— C'était aussi ce que je croyais, mais les six derniers mois m'ont prouvé le contraire.

— C'est différent.

— Pourquoi ?

— Parce que Bennett est mon fils.

— Sa mère l'a abandonné, lui rappela Forrest, tu aurais très bien pu faire la même chose.

— Certainement pas, répliqua aussitôt Clay avec véhémence.

— Tu apportes de l'eau à mon moulin.

Avec un sourire plein de suffisance, son frère tendit le cube à son neveu.

— Quoi qu'il en soit, insista Clay, ce n'est *pas* un rendez-vous galant.

Bennett lui jeta le cube à la tête.

- 8 -

Après être passée au magasin de grains et fourrage, Toni prit la direction de la boutique de vêtements d'occasion, située près du Real Vintage Cowboy. Si elle avait eu plus de temps devant elle, elle aurait pu aller au centre commercial de Bozeman, mais, malheureusement, elle était pressée. Elle aurait préféré éviter la rue principale et l'interrogatoire qui s'ensuivrait inévitablement si elle tombait sur Catherine, mais son budget modeste l'emporta sur sa lâcheté.

Depuis le début de sa grossesse, elle allait régulièrement à la petite boutique. Elle n'avait pas acheté beaucoup de choses pour son bébé, car elle avait trouvé des cartons de vêtements dans le grenier, au ranch, qui leur avaient appartenu autrefois, à ses frères et à elle. Apparemment, sa mère avait tout gardé, et Antonia avait tout déballé, trié et lavé. Elle avait ensuite repassé les petits vêtements et les avait rangés en piles ordonnées, ceux pour fille d'un côté et ceux pour garçon de l'autre, en fonction de la saison à laquelle ils convenaient. Tout était donc prêt pour l'arrivée du bébé.

Elle n'avait pas non plus dépensé beaucoup d'argent en vêtements de grossesse. Toutefois, quand sa poitrine avait commencé à devenir trop généreuse pour ses soutiens-gorge, elle était allée dans une boutique de lingerie à Billings, refusant que tout Thunder Canyon soit au courant de ce qu'elle portait comme sous-vêtements. Elle avait acheté plusieurs soutiens-gorge, et avait regardé d'un air consterné les larges bandes extensibles des culottes de grossesse. La vendeuse avait ri en voyant son expression, et lui avait dit qu'elle pouvait tout à fait porter un minislip à la place.

Elle portait l'un de ses nouveaux soutiens-gorge en ce moment même, avec la petite culotte assortie, car elle aimait la douceur du tissu contre sa peau. Bien sûr, elle ne s'était pas inquiétée de la couleur de ses sous-vêtements en enfilant son jean et sa chemise de flanelle, mais elle se rendait compte maintenant que la dentelle rouge risquait de limiter son choix de vêtements. Helen Vanderhorst ferait une attaque d'apoplexie si elle apercevait les bretelles rouges d'Antonia sous un haut blanc, mais pas avant d'avoir partagé la nouvelle avec toutes ses amies, bien sûr.

Il n'y avait pas d'autres clients quand elle entra dans la boutique. La vendeuse, qui accrochait des étiquettes à de nouvelles marchandises, la regarda en souriant.

— Bonjour ! Je peux vous aider ?

— Oui, répondit-elle d'un ton un peu trop désespéré, s'il vous plaît.

La vendeuse rit.

— Cherchez-vous quelque chose de précis ?

— Oui, je voudrais quelque chose d'un peu plus chic que ce que j'ai sur moi, mais qui ne soit pas trop habillé quand même.

— C'est votre jour de chance ! Une maman de triplés est passée hier et elle a déposé deux cartons pleins de vêtements de grossesse.

Toni sentit sa gorge se serrer.

— Des *triplés* ?

— Oui, trois petites filles adorables.

— Trois… petites filles, répéta-t-elle faiblement.

— Savez-vous si vous allez avoir une fille ou un garçon ? demanda la vendeuse.

Antonia secoua la tête.

— Non, mais je sais que je ne vais en avoir qu'un.

La vendeuse rit de plus belle.

— Eh bien, vous imaginez que cette dame est bien décidée à ne pas avoir d'autres enfants ! Quoi qu'il en soit, elle a très bon goût, et les vêtements qu'elle a apportés sont plus modernes que la plupart de ceux que nous avons en rayon.

Elle fouilla dans la pile de vêtements qu'elle était en train de ranger, écartant jupes et hauts, et lui tendit enfin une robe en mousseline de soie d'un rouge profond.

— Tenez, essayez ceci !

Toni s'exécuta. La robe lui allait comme un gant, elle était même presque flatteuse.

— Vous êtes magnifique ! s'écria la vendeuse avec enthousiasme.

Toni n'était pas sûre que le mot « magnifique » soit approprié. Après tout, la robe ne cachait quand même pas le fait qu'elle était enceinte de sept mois et demi. Cependant, elle se trouvait assez jolie, car des fronces permettaient au tissu de tomber sur son ventre arrondi sans le mettre en évidence.

— De quelle couleur seront vos chaussures ?

— Les chaussures ! s'écria Antonia en se frappant le front du plat de la main.

La vendeuse sourit.

— Quelle pointure faites-vous ?

— Du trente-huit.

La vendeuse prit l'une des nombreuses boîtes à chaussures empilées sur l'étagère, dans le fond de la boutique, et en sortit une paire d'escarpins à petits talons, qu'elle lui tendit. Toni les essaya.

— Parfait ! décréta la vendeuse.

Toni calcula mentalement le coût de la robe additionné à celui des chaussures et hocha la tête. Le total ne dépassait pas son budget et, de son point de vue, c'était *cela* qui était parfait.

Clay ne pouvait décidément pas lutter contre l'attirance qu'il éprouvait pour Toni. Elle était belle et naturelle, se maquillait peu, et n'avait vraiment pas besoin de grand-chose pour se mettre en valeur. Sa peau était sans défaut, ses lèvres parfaitement dessinées, ses yeux verts pétillants.

Cependant, même s'il appréciait sa beauté naturelle, il apprécia également le soin tout particulier qu'elle avait apporté à sa tenue ce soir-là. Fasciné, il la regarda s'approcher.

Elle avait fait boucler ses cheveux, qui tombaient en cascade sur ses épaules, avait mis un peu d'eye-liner et de fard à paupières en plus de son mascara, pour mettre en valeur ses yeux, du gloss translucide sur ses lèvres, et elle portait une robe.

Il ne l'avait encore jamais vue en robe. Celle-ci était décolletée et lui arrivait juste au-dessus des genoux, révélant ses mollets bien galbés.

— Tu ferais peut-être mieux de fermer la bouche avant d'entrer dans le restaurant, murmura Forrest, l'arrachant à sa contemplation. Tu es vraiment accro, hein ?

— Je ne suis pas accro, nia Clay automatiquement.

Forrest émit un grognement railleur, mais Clay, les yeux rivés sur Antonia, ne prit pas la peine de relever.

— Je suis en retard ? demanda-t-elle en les rejoignant

enfin sous le porche de bois du Hitching Post. Cela fait longtemps que vous m'attendez ?

Forrest donna un coup de coude à Clay, qui parvint tant bien que mal à se ressaisir.

— Euh… non ! balbutia-t-il. Vous êtes pile à l'heure.

— Vous êtes très élégante, ce soir, mademoiselle Wright, dit Forrest, faisant preuve de plus d'à-propos que lui.

Les joues de Toni s'empourprèrent.

— Vous aussi, monsieur Traub…

Elle reporta son attention sur Clay.

— … et vous aussi, monsieur Traub. Merci à vous deux de m'avoir invitée, ce soir.

— La compagnie d'une belle jeune femme rend toujours la soirée plus agréable, dit Forrest en offrant son bras à Antonia.

Forrest, d'habitude peu bavard, et souvent d'humeur maussade, se montrait particulièrement charmant, ce soir. Abasourdi, Clay regarda Toni passer son bras sous le sien et se laisser entraîner dans le restaurant.

La fête battait déjà son plein, une grande partie des habitants de Thunder Canyon étaient venus manifester leur soutien à Joss et Jason. Bien sûr, Toni connaissait bon nombre d'entre eux, et Clay remarqua quelques regards intrigués en direction du trio qu'ils formaient. Cependant, ces regards ne se posaient peut-être que sur Forrest et Antonia, puisque lui-même était entré derrière eux, avec la désagréable sensation d'être la cinquième roue du carrosse.

Toni s'excusa pour aller aux toilettes, et Clay en profita aussitôt pour mettre son frère au pied du mur.

— Qu'est-ce que tu fabriques ?

— J'essaie de passer du bon temps, répondit Forrest avec décontraction.

— Avec Toni ?

— Tu as dit que ce n'était pas un rendez-vous amoureux, pour toi, lui rappela son frère.

— Alors tu en as conclu que tu pouvais la draguer ?

Forrest haussa les épaules négligemment.

— Elle est très séduisante, elle est célibataire, et moi aussi.

La mâchoire contractée, Clay serra les poings. Son frère sourit d'un air entendu.

— Tu as envie de me mettre ton poing dans la figure, n'est-ce pas ?

C'était exactement ce qu'il avait envie de faire, mais il était bien décidé à faire preuve de plus de sang-froid que son cousin Jackson en avait montré par le passé, sans quoi les Traub seraient éternellement connus à Thunder Canyon comme des fauteurs de troubles.

Au prix d'un effort considérable, il desserra les poings et mit les mains dans ses poches.

— Tu essaies de me pousser à te cogner ?

— J'essaie de te pousser à reconnaître que tu as des sentiments pour Antonia.

— Ne joue pas avec elle, Forrest, dit-il d'un ton d'avertissement.

— C'est une grande fille, elle est tout à fait capable de se défendre, répliqua son frère avec aplomb.

Ce n'était pas la réponse rassurante qu'il avait espéré entendre, mais Antonia les rejoignit à ce moment-là, l'empêchant d'ajouter quoi que ce soit, du moins pour l'instant.

— Puis-je aller vous chercher quelque chose à boire, Antonia ? proposa Forrest.

— Avec plaisir ! N'importe quelle boisson sans alcool et sans caféine sera parfaite.

— Je m'en charge, déclara Clay, lançant à son frère un regard furibond.

Toni les regarda tour à tour, comme si elle sentait la tension entre eux. Forrest se contenta de hausser les épaules.

— D'accord. Je veux bien une bière pression…

Clay se rendit compte, mais trop tard, qu'il était tombé dans le piège que lui avait tendu son frère : s'il allait chercher les boissons, il serait obligé de le laisser seul avec Antonia.

Il ne pensait pas *réellement* que Forrest tenterait de la séduire, mais parfois il n'était plus sûr de savoir de quoi son frère était capable.

Tandis qu'il se dirigeait vers le bar, il croisa D.J. et Dax. Après la mort de leur mère, ses cousins avaient été élevés par leur père à Thunder Canyon, et ils avaient tous deux réussi dans leurs domaines respectifs. D.J. était célèbre pour sa chaîne de restaurants, et Dax était propriétaire d'un magasin de motos.

Quand Clay s'arrêta pour leur parler, il eut une curieuse sensation. L'espace d'un instant, leurs voix lui parurent lointaines, et il eut le souvenir confus d'une conversation entre son père et sa mère à leur sujet. Ne sachant pas pourquoi il éprouvait ce sentiment dérangeant, il s'efforça de le réprimer et continua son chemin vers le bar.

Alors qu'il s'apprêtait à rejoindre Toni avec un soda au gingembre, il vit que Forrest et elle s'étaient mêlés à la foule et qu'elle discutait et riait avec un autre homme. A son grand étonnement, il éprouva aussitôt une pointe de jalousie. Cependant, lorsqu'il s'aperçut qu'il s'agissait de son cousin Jason, qui était très heureux en ménage avec Joss, récemment arrivée de Californie, il se sentit passablement ridicule.

Il se joignit au petit groupe. Son cousin leur proposa

de leur faire visiter le restaurant remis à neuf. Antonia ayant grandi à Thunder Canyon, elle connaissait bien l'histoire pittoresque de l'établissement, mais, comme ce n'était pas le cas de Clay et de Forrest, Jason leur raconta une foule d'anecdotes, dont certaines, de son propre aveu, avaient été largement exagérées au fil des ans.

Tout le monde fut impressionné par les rénovations, et par le soin apporté aux détails. Joss et Jason avaient tous les deux tenu à ce que le Hitching Post garde son style western, typique du Montana. Cates Construction, l'entreprise qu'ils avaient engagée pour se charger des rénovations, y avait veillé.

— Le rez-de-chaussée, avec le bar et le restaurant, a été complètement remis à neuf, expliqua Jason en les entraînant vers l'escalier. L'étage où se trouvaient les chambres à louer a été transformé en un grand salon.

L'atmosphère du salon, de style résolument western, était très intime. Il y avait des fauteuils de cuir bien rembourrés, des rocking-chairs de bois sculpté, de petits tapis placés çà et là sur le parquet ciré, des tables pour jouer aux cartes, et des recoins tranquilles pour les clients qui souhaitaient se mettre un peu à l'écart.

Toni se dirigea vers la grande cheminée de pierre en souriant.

— Je me demandais si Lily Divine allait être encore là.

Jason eut un grand sourire.

— Nous ne nous serions jamais débarrassés d'elle !

— Qui ? demanda Forrest.

Jason lui montra le portait accroché au-dessus de la cheminée. C'était une vieille photographie, un peu osée, sur laquelle une dame charmante était nue derrière des voiles vaporeux.

— Lily Divine était la toute première propriétaire du

Hitching Post, expliqua Jason. On raconte qu'à l'époque, dans les années 1890, l'établissement était une maison close, connue sous le nom de Shady Lady Saloon.

— Avec toi à sa tête, il redeviendra peut-être un endroit mal famé, ironisa Clay.

Son cousin rit.

— Je crois que Joss préférerait que l'endroit ait *bonne* réputation !

— Ce que vous avez fait est magnifique, dit Toni.

— Merci, répondit Jason, cela a été un vrai plaisir pour nous de nous lancer dans ce projet. Et maintenant que le Hitching Post a rouvert ses portes, puis-je vous offrir à boire ?

— Avec plaisir, répondirent-ils en chœur.

— Très bien ! Installez-vous, je vais demander à quelqu'un de vous monter des bières, et un autre soda pour Antonia.

— Parfait ! dit Forrest en les menant jusqu'à une table libre, dans un coin de la pièce.

Toni connaissait la serveuse qui leur apporta leurs boissons : elles avaient été au lycée ensemble. Après leur avoir distribué leurs verres, Trina s'attarda quelques minutes, soi-disant pour bavarder avec elle et prendre des nouvelles de Jonah. Cependant, à en juger par les coups d'œil qu'elle lançait tantôt à Clayton et tantôt à Forrest, elle s'intéressait davantage aux Traub qu'à qui que ce soit d'autre.

Toni eut la confirmation de ses soupçons lorsque Trina regarda Clayton droit dans les yeux et déclara :

— Je viendrai voir si vous avez besoin de quoi que ce soit tout à l'heure.

Elle essaya de se persuader qu'elle n'avait pas à

s'offenser de l'attitude de la jeune femme, mais elle ne pouvait s'empêcher de ressentir la même chose que lorsqu'elle était tombée sur Vanessa, au cinéma. Clayton n'était pas son petit ami, les autres femmes pouvaient donc flirter avec lui, même ouvertement, mais cela l'agaçait qu'elles fassent comme si elle était invisible.

— Connaissez-vous tous les habitants de cette ville ? demanda Forrest quand Trina se fut enfin éloignée.

— Probablement tous ceux qui sont allés au lycée les mêmes années que moi.

— Avez-vous déjà eu envie de vivre ailleurs ?

Il paraissait sincèrement intéressé par la réponse qu'elle allait lui donner, et elle se demanda soudain s'il comptait s'installer définitivement à Thunder Canyon.

— Pas jusqu'à tout récemment.

Les deux frères semblèrent comprendre qu'elle faisait allusion, de façon détournée, aux rumeurs qui circulaient sur son compte depuis le début de sa grossesse.

— C'est dur de vivre dans une petite ville, où tout se sait sur tout le monde, fit remarquer Clay.

— Oui, mais cela peut aussi être réconfortant. Quand on est connu de tous, on n'est jamais vraiment seul.

— J'aime ne pas être connu, dit Forrest.

Elle ne put s'empêcher de sourire.

— Vous croyez ne pas être connu ici ? Vous êtes le célèbre héros blessé !

— Je ne suis pas un héros.

De toute évidence, la conversation prenait une tournure qui lui déplaisait. Il se leva.

— J'aperçois Russ Chilton, là-bas… Justement, je voulais lui parler d'un cheval.

— Je ne cherchais pas à le mettre mal à l'aise, dit-elle dès qu'elle fut seule avec Clay.

— Vous ne l'avez pas mis mal à l'aise.

Elle n'en était pas convaincue.

— Je n'aurais pas dû mentionner sa blessure.

— Ce n'est pas sa blessure qui le tourmente. Il n'aime pas parler de la guerre, c'est tout.

— Pas même avec vous ?

— Il n'en parle à personne, ce qui inquiète beaucoup ma mère. C'est la première fois que l'un de ses fils a un problème qu'elle ne peut pas régler.

Du coin de l'œil, Clay vit que Forrest était en grande conversation avec Russ Chilton. Il n'était pas du tout persuadé qu'ils parlaient de chevaux, et soupçonnait son frère de s'être arrangé pour le laisser un peu seul avec Antonia. Cependant, même si c'était bien là ce qu'il avait cherché à faire, Clay ne savait pas *pourquoi*.

Forrest avait compris qu'elle lui plaisait et, même s'il ne pouvait le nier plus longtemps, il n'avait certainement pas l'intention de tenter de la séduire.

Bien sûr, maintenant qu'il était seul avec elle, il ne pouvait s'empêcher de penser aux avances qu'il aurait pu lui faire, s'il en avait bel et bien eu l'intention.

Il n'avait pas à être gêné parce qu'ils étaient seuls, c'était ridicule de sa part. Au cours des quelques dernières semaines, ils avaient passé beaucoup de temps ensemble, même s'il y avait souvent eu quelqu'un d'autre avec eux, par exemple Forrest, Bennett, ou encore l'un des frères d'Antonia.

Maintenant qu'ils se retrouvaient en tête à tête, sans écran de cinéma vers lequel tourner leur attention, ils semblaient aussi perdus l'un que l'autre, ne sachant ni quoi dire ni quoi faire.

A ce moment-là, un serveur passa parmi la foule avec un plateau chargé de petites assiettes de tapas.

L'arrivée du jeune homme à leur table détendit un peu l'atmosphère, du moins pour un temps. Toni prit des crevettes grillées à l'ail, des ailes de poulet épicées, et des nachos au fromage et aux piments.

— Je mange pour deux, dit-elle d'un ton indiquant qu'elle n'éprouvait aucun remords.

Quelques minutes plus tard, il écartait son assiette et prenait sa bière.

— Les plats épicés ne dérangent pas le bébé ?

— Apparemment, rien ne dérange le bébé du moment que je mange !

— Est-ce qu'il vous arrive d'avoir des fringales bizarres ?

— Des fringales de crème glacée.

— Ce n'est pas si bizarre que cela.

— J'en ai envie à n'importe quel moment de la journée, même à 7 heures du matin.

— Ah ! d'accord, *ça*, c'est plus inhabituel. Voulez-vous que j'aille voir si Jason en a en cuisine ?

— Non, merci, répondit-elle en souriant.

— Vous avez l'intention de laisser un seul nacho dans le plat ?

— Vous n'en voulez pas ?

— Non, merci.

Elle prit donc le dernier nacho et, au moment où elle l'amenait vers sa bouche, un peu de sauce tomba sur son pantalon. Elle reposa aussitôt le nacho et s'empressa de prendre sa serviette en papier.

— Je suis désolée, dit-elle en lui tamponnant la cuisse pour enlever la tache de sauce.

Le contact de sa main sur sa jambe le troubla instantanément. Il sentit son cœur s'emballer, ses muscles se contracter.

Elle dut s'en apercevoir, car elle retira vivement sa

main, et, quand leurs regards se croisèrent, le rouge lui monta aux joues.

La réaction de Toni lui laissa à penser que, contrairement à ce qu'il avait cru, l'attirance contre laquelle il luttait depuis des semaines n'était peut-être pas unilatérale, finalement. Aussi, quand elle esquissa un mouvement pour s'écarter, il lui saisit la main et l'attira vers lui.

Visiblement surprise, elle retint son souffle et écarquilla les yeux, mais elle ne protesta pas lorsqu'il se pencha pour poser ses lèvres sur les siennes. En fait, elle lui rendit son baiser.

Il lui lâcha la main, fit glisser ses doigts sur son bras, puis sur la courbe de son épaule, et enfin dans la cascade de boucles qui lui tombaient sur le dos. Ses cheveux étaient doux et sentaient délicieusement bon, comme dans son souvenir. Il lui fit incliner légèrement la tête en arrière pour l'embrasser avec plus d'ardeur, et la sentit frissonner.

Le baiser de Toni était hésitant et fougueux à la fois. Elle avait un goût de sel, d'épices et de passion, qui lui donnait envie de la dévorer.

Il avait passé des semaines à l'observer, à l'admirer, et il la désirait depuis qu'il avait posé les yeux sur elle pour la première fois. Pourtant, il n'aurait jamais imaginé ressentir ce qu'il ressentait en ce moment même. Certes, ce n'était qu'un baiser, mais il portait la promesse de tant de choses !

Il ne s'était pas attendu à une telle réaction de sa part à elle, à une telle ferveur. A vrai dire, il ne s'était attendu à rien du tout, car il n'avait pas eu l'intention de l'embrasser mais, quand elle l'avait touché, sa raison l'avait brusquement abandonné.

Il s'était laissé aller à son désir pour elle et, à en juger par la fougue avec laquelle elle lui rendait son baiser, l'attirance était réciproque.

Il avait l'impression que tout autour d'eux avait disparu, qu'ils étaient seuls dans la pièce, seuls au monde, et que seul le désir qu'ils éprouvaient l'un pour l'autre existait. Il se demandait s'il allait avoir le plaisir de lui enlever sa jolie petite robe quand, soudain, la voix de son frère s'éleva derrière lui, lui rappelant cruellement que Toni et lui *n'étaient pas seuls*.

— Eh bien ! Il faudra que je demande à Jason ce que le cuisinier met dans ces nachos…

Toni sursauta violemment et se leva d'un bond en entendant la voix de Forrest.

Elle n'arrivait pas à croire ce qu'elle avait fait.

Elle avait *embrassé Clayton*, et dans un lieu public, en plus ! Elle l'avait embrassé avec passion, sans se soucier de ce qui les entourait, et avec l'espoir que leur baiser serait un prélude à bien d'autres choses.

Elle n'osait même pas regarder Forrest, ne voulait pas voir sur son visage l'amusement qu'elle percevait dans sa voix.

Cependant, elle savait qu'elle aurait dû lui être reconnaissante d'être arrivé à ce moment précis et de les avoir interrompus, Clayton et elle. Car même si, pour l'instant, elle était profondément embarrassée, il valait mieux que ce soit *lui* qui les ait interrompus plutôt que l'une des commères de Thunder Canyon.

— Je ne voulais pas vous déranger, poursuivit Forrest, et je vais me faire un plaisir de m'éclipser de nouveau dans une seconde, mais je me suis dit que vous aviez peut-être besoin que quelqu'un vous rappelle qu'on ne loue plus de chambres à cet étage de l'établissement.

Elle se sentit rougir encore davantage.

Incapable de regarder Clayton, refusant de lui montrer à quel point le baiser qu'ils avaient échangé l'avait troublée, elle se décida enfin à regarder Forrest.

— Je vous en prie, ne partez pas ! Je dois y aller, de toute façon.

— Pourquoi ? s'étonna Clayton.

— Je ne me sens pas très bien, tout à coup.

Ce n'était pas tout à fait faux : elle était troublée comme elle ne l'avait encore jamais été.

— Je vais te raccompagner au ranch, dit Clayton.

Elle secoua énergiquement la tête.

— J'ai ma voiture.

— Mais si tu te sens mal…

— Je me sens assez bien pour conduire, l'interrompit-elle.

— C'est vrai que vous êtes un peu rouge, fit remarquer Forrest.

Il avait un accent rieur dans la voix et un pétillement malicieux dans les yeux. Bien sûr, cela devait l'amuser au plus haut point de les avoir trouvés en train de s'embrasser, son frère et elle.

Elle avait peine à croire que Clayton l'ait embrassée, mais elle ne pouvait nier qu'elle lui avait rendu son baiser avec fougue. En fait, elle ne s'était pas contentée de se laisser faire, elle s'était pratiquement jetée à sa tête. Pourtant, elle savait pertinemment qu'il n'y avait aucune chance pour que cela puisse aller plus loin.

En dépit de son embarras, elle se força à soutenir le regard de Forrest.

— J'ai simplement besoin de prendre un peu l'air.

— Tu es sûre que ça va ? lui demanda Clayton, qui semblait réellement inquiet pour elle.

— Oui, répondit-elle en s'écartant avant qu'il n'ait eu

le temps de la toucher, mais merci encore à vous deux de m'avoir invitée ce soir.

— Tout le plaisir a été pour nous... à moins que tout le plaisir n'ait été pour Clay ! dit Forrest avec un clin d'œil.

Elle ne put se résoudre à regarder Clayton droit dans les yeux, mais elle le vit tout de même donner un coup de coude à son frère.

— Eh bien, merci, répéta-t-elle.

Là-dessus, elle tourna les talons et s'enfuit le plus vite possible, craignant de mourir de honte si elle restait un instant de plus.

- 9 -

Pourquoi l'avait-il embrassée ?

Pourquoi lui avait-elle rendu son baiser ?

Et, surtout, pourquoi s'était-elle enfuie, au moment où les choses devenaient vraiment intéressantes ?

Clay voulait des réponses à ces questions, et à toutes celles qui tournaient dans sa tête. Le seul moyen d'obtenir des réponses était de s'élancer à la poursuite de Toni.

C'était exactement ce qu'il s'apprêtait à faire quand il prit conscience qu'il avait envie de la suivre non seulement pour avoir des réponses, mais aussi pour finir ce qu'ils avaient commencé, et ce fut justement la violence de son désir pour elle qui le retint.

Pour de nombreuses raisons, il valait mieux qu'il ne la poursuive pas. Il se laissa aller en arrière dans son fauteuil de cuir et prit sa bière.

Forrest s'assit à côté de lui.

— Tu es vraiment un imbécile.

— Tu me l'as déjà dit plus d'une fois.

— Tu vas vraiment la laisser partir ?

— Manifestement, elle voulait partir.

— Si tu as envie d'elle, et cela ne fait pas l'ombre d'un doute, tu devrais la rattraper.

— Et ensuite ?

Son frère haussa les sourcils.

— Etant donné que tu as déjà un enfant, j'aurais cru que tu connaissais les détails pratiques du sexe.

— S'il ne s'agissait pas de Toni, je serais déjà dehors.

— Mais tu ne veux pas d'une autre femme.

Forrest avait raison. Depuis que Clay avait posé les yeux sur Toni, il éprouvait pour elle une attirance aussi forte qu'indéniable.

Au début, il avait cru que son désir ne s'expliquait que parce qu'il s'était imposé près d'un an de célibat, mais aucune autre femme ne l'avait jamais troublé de cette façon.

Il avait essayé de regarder autour de lui, avait vaguement flirté avec la serveuse du Daily Grind et les vendeuses du supermarché, et avait même failli accepter quand ses cousins lui avaient proposé de lui présenter leurs amies célibataires. Cependant, aucune femme ne l'intéressait autant que Toni, et la seule chose qui l'avait jusque-là empêché de succomber à la tentation était le fait qu'elle était enceinte.

Il s'était dit qu'elle n'éprouvait pas de désir sexuel, étant dans les dernières semaines de sa grossesse, mais la fougue avec laquelle elle lui avait rendu son baiser l'avait amené à penser qu'il s'était trompé.

Quoi qu'il en soit, il lui semblait nécessaire de rappeler à son frère une réalité importante.

— Elle est enceinte, Forrest.

— Eh bien, au moins, tu n'auras pas à t'inquiéter de ce point de vue-là !

— Au lieu de cela, je devrais m'inquiéter de la voir s'attendre à ce que cela mène à quelque chose de plus sérieux.

Il secoua la tête.

— Non, ajouta-t-il, avoir une relation avec Toni,

même temporairement, serait bien trop compliqué, pour elle comme pour moi.

Son frère ne chercha pas à le persuader du contraire. Il l'observa attentivement pendant un long moment, puis haussa les épaules négligemment.

— C'est toi qui vois.

Clay avait pris sa décision. Il ne suivrait pas Toni. Il ne repenserait pas à la douceur de ses lèvres, à la façon dont elle avait frissonné entre ses bras…

Il laissa échapper un juron et, reposant son verre sur la table, se leva.

— Ne t'en fais pas pour moi, dit Forrest, je me débrouillerai pour rentrer.

Clay le prit au mot.

Maintenant qu'il était bien décidé à se lancer à la poursuite de Toni, rien ni personne n'aurait pu l'en empêcher. Si elle était déjà dans la maison quand il arrivait, il tambourinerait à la porte jusqu'à ce qu'elle vienne lui ouvrir.

Bien sûr, l'ennui, c'était que si elle refusait d'ouvrir, il risquait de se trouver nez à nez avec son père ou l'un de ses frères.

Il appuya sur l'accélérateur dans l'espoir de la rattraper, pour éviter de voir ce scénario se réaliser. Par chance, la route était déserte. Cependant, il finit par arriver derrière une voiture. Il jura tout bas, et s'apprêtait à la doubler quand il se rendit compte que c'était la voiture de Toni. Il continua donc à la suivre, et s'arrêta dans l'allée du ranch Wright juste derrière elle.

A son grand étonnement, elle descendit de voiture, claqua violemment la portière et se dirigea vers lui à grandes enjambées, les mains sur les hanches.

— Tu es complètement fou ?

Ne comprenant pas vraiment pourquoi elle s'emportait de la sorte, il ne répondit pas.

— Tu fonçais comme un bolide, juste derrière moi !

— J'étais pressé de rentrer, pour être sûr que tu allais bien.

— Et combien d'infractions au code de la route as-tu faites en chemin ?

— Ce n'est pas interdit par la loi de veiller sur une amie. D'ailleurs, pourquoi es-tu partie aussi précipitamment ?

Ce fut au tour de Toni de rester silencieuse, ce qui le conforta dans l'idée que son excuse pour quitter la soirée n'était rien d'autre que cela : une excuse.

Il fit un pas vers elle et remarqua qu'elle retenait son souffle. Toutefois, elle ne détourna pas les yeux.

Il lui caressa la joue.

— Que cherchais-tu à fuir ?

Elle ne répondit pas mais, quand il lui effleura la bouche du bout des doigts, il vit ses lèvres trembler.

— Si tu n'es pas intéressée, reprit-il, dis-le-moi, mais dis-le vite, parce que j'ai très envie de t'embrasser.

Toni aurait bien voulu ne pas être intéressée, mais même si le problème n'était pas un manque d'intérêt de sa part, il y avait d'autres problèmes. Il y en avait bien trop pour que Clayton et elle puissent aller plus loin.

— Le moment est mal choisi, se contenta-t-elle de dire.

— Ce n'était vraiment pas dans mes projets quand je suis venu à Thunder Canyon.

— Tu as un enfant, et je suis bien placée pour comprendre qu'il est ta priorité. En attendant, je suis enceinte, et je n'imagine pas qu'un homme puisse me trouver attirante alors que je suis dans mon dernier trimestre de grossesse et que mon ventre est énorme. Tu pourrais peut-être me trouver attirante si tu étais mon mari, ou le père de l'enfant, mais tu n'es ni l'un ni l'autre…

Elle savait qu'elle parlait pour ne rien dire, mais comment pouvait-elle tenir des propos cohérents alors qu'il la troublait tant ?

Même en temps normal, elle n'avait pas les idées claires quand il était près d'elle, alors après le baiser passionné qu'ils avaient échangé au Hitching Post, c'était bien évidemment encore pire.

— Je sais très bien que tu ne peux pas me trouver attirante, poursuivit-elle, mais ce que je ne comprends pas, c'est *pourquoi* tu m'as embrassée, et pourquoi tu…

Pour toute réponse, il se contenta de poser ses lèvres sur les siennes, interrompant son monologue.

Il l'embrassa avec un mélange de tendresse et de passion, qui raviva la flamme qui la consumait depuis qu'elle avait quitté le Hitching Post ou, peut-être, depuis bien plus longtemps.

Rien de tout cela n'avait de sens, mais elle s'en moquait éperdument. Tout ce qui lui importait, c'était qu'il l'embrasse comme il le faisait en ce moment même, comme personne ne l'avait encore embrassée.

Quand il fit glisser une main de sa hanche à son sein, elle eut l'impression que ses jambes allaient se dérober sous elle, et quand il lui caressa le téton à travers le tissu de sa robe, elle ne put réprimer un petit gémissement.

Il retira aussitôt sa main.

— Je t'ai fait mal !

— Non, dit-elle en lui prenant la main pour la reposer sur son sein. C'est juste que c'est… tellement bon ! murmura-t-elle dans un soupir.

Il recommença à lui caresser le téton du bout des

doigts, et l'embrassa de plus belle. Elle percevait dans son baiser toute la violence de sa passion.

Elle n'avait jamais ressenti ce qu'elle ressentait en ce moment même, n'avait jamais eu envie d'aucun homme comme elle avait envie de Clayton.

Quand il la plaqua contre la portière de la voiture, elle sentit son sexe en érection contre son ventre, preuve tangible de son désir pour elle, peut-être aussi intense que le désir qu'elle éprouvait pour lui.

Il fit glisser ses mains sur son corps, sur ses hanches, puis sous sa robe, lui caressa les cuisses. Elle fut parcourue d'un frisson. Ils étaient encore habillés, et elle se sentait déjà sur le point d'être submergée de plaisir.

Elle posa une main sur son sexe, lui arrachant un gémissement viril, et chercha à tâtons la fermeture Eclair de son pantalon. Ils étaient tous deux sur le point de non-retour, mais elle s'en moquait.

Cependant, ce n'était apparemment pas le cas de Clayton, car il s'écarta brusquement.

— C'est insensé, lâcha-t-il, haletant.

Il avait raison, bien sûr, c'était insensé, mais le caractère inexplicable de l'attirance qu'ils éprouvaient l'un pour l'autre n'affaiblissait en rien son désir pour lui.

— C'est toi qui as commencé, dit-elle, consciente que son ton était un peu abrupt.

Elle était vexée qu'il se soit écarté d'elle aussi soudainement, contrariée d'avoir succombé à son pouvoir de séduction, et furieuse d'avoir toujours autant envie de lui.

Elle n'avait jamais rien ressenti de tel, n'avait jamais éprouvé un désir aussi violent, et elle n'avait jamais autant souffert d'être repoussée. Même quand Gene l'avait abandonnée en apprenant qu'elle attendait un enfant, elle avait été plus déçue que blessée.

Peut-être étaient-ce de nouveau ses hormones qui lui

jouaient des tours, car elle ne pouvait pas être tombée amoureuse de Clayton alors qu'elle ne le connaissait que depuis quelques semaines. C'était tout simplement impossible.

De plus, pour l'instant, elle ne songeait pas à avoir une relation durable avec lui, elle avait seulement envie de lui.

— Tu n'aurais pas dû commencer si tu n'avais pas l'intention de terminer, ajouta-t-elle.

— Il n'y a rien dont j'ai plus envie que de faire l'amour avec toi.

— Alors pourquoi sommes-nous encore tous les deux habillés ?

— Parce que nous sommes dehors, devant la maison où ton père et tes frères sont en train de dormir.

Il jeta un coup d'œil aux fenêtres de l'étage.

— Du moins, j'espère qu'ils sont en train de dormir…

Elle regarda par terre pour qu'il ne voie pas ses larmes qui lui montaient aux yeux. Se sentir rejetée était suffisamment humiliant comme cela, elle n'allait pas en plus lui permettre de voir qu'elle avait envie de pleurer.

— Pardonne-moi de ne pas avoir pensé à mon père et à mes frères pendant que tu m'embrassais, se contenta-t-elle de dire.

Il lui caressa la joue.

— Je ne pensais pas à eux non plus ! Je ne pensais qu'à t'enlever cette petite robe sexy pour pouvoir admirer la beauté de ton corps…

— Arrête, dit-elle en le repoussant.

— Que j'arrête quoi ?

Il semblait véritablement perplexe.

— Ne me mens pas. Tu t'es laissé emporter, tu es allé plus loin que prévu et, maintenant, faire machine arrière. J'ai compris. Je sais très bien à quoi je ressemble en ce moment, je ne me fais aucune illusion, et je n'ai certainement pas besoin qu'on me débite des phrases toutes faites pour me sentir mieux.

— Apparemment, tu n'as pas la moindre idée de *ce à quoi tu ressembles*.

— Je suis enceinte de près de huit mois.

Il s'approcha d'elle.

— Tu es sensuelle, féminine, magnifique.

Il avait l'air sincère, ce qui ne fit que la déconcerter encore davantage.

— Cela explique que tu n'aies pas envie de moi, dit-elle avec ironie.

— J'ai *très* envie de toi, mais je ne veux pas te faire mal ou faire mal au bébé.

Disait-il la vérité ? Il n'y avait qu'une seule façon d'en avoir le cœur net.

— Mon médecin m'a assuré que je pouvais avoir des rapports sexuels pendant ma grossesse.

— Vraiment ?

— Vraiment.

A l'époque, elle n'avait pas vraiment prêté attention à ce que le médecin lui avait dit, car Gene venait à peine de la quitter et elle était alors persuadée qu'elle n'aurait plus jamais envie de faire l'amour.

— Alors si c'est la seule raison pour laquelle tu as arrêté de m'embrasser…

— C'est la seule raison, assura-t-il en entrelaçant ses doigts aux siens.

Elle regarda leurs mains jointes.

— J'espérais que tu me le prouverais en recommençant à m'embrasser.

Il l'entraîna vers les chambres d'hôtes.

— Oh ! Mais j'ai bien l'intention de recommencer à t'embrasser. Je vais t'emmener dans ma chambre, fermer la porte à clé, te déshabiller, et embrasser chaque parcelle de ton corps.

La lueur ardente qui brillait dans son regard et son ton chargé de promesses la laissèrent sans voix.

— Oh…

— Ensuite, dit-il en ouvrant la porte de la maison, je te ferai toutes sortes de choses, des choses que j'ai envie de te faire depuis des semaines, depuis que j'ai commencé à fantasmer sur toi.

— Tu as… fantasmé sur moi ?

— Tu hantes chacun de mes rêves, répondit-il, tu viens me tourmenter dans mon sommeil.

Elle avait été persuadée que l'attirance contre laquelle elle luttait était unilatérale, et les aveux de Clayton lui faisaient d'autant plus plaisir.

— C'est vrai ?

— C'est vrai.

Il l'entraîna à l'étage, puis dans le couloir, ouvrit la porte de sa chambre et s'écarta pour la laisser passer.

Evidemment, elle connaissait bien l'agencement de la pièce. La plupart des chambres étaient meublées de la même façon. Il y avait un lit, une table de chevet, une commode, un petit bureau et une chaise. Cependant, il y avait un peu moins de place dans la chambre de Clayton que dans les autres, car il avait calé le berceau de son fils entre le lit et le bureau.

Ce ne fut qu'en le voyant qu'elle pensa à Bennett, et elle se sentit un peu coupable en s'apercevant que l'adorable petit garçon lui était sorti de l'esprit jusque-là.

— Quand dois-tu aller chercher Bennett ?

— Demain matin…

Il lui passa un bras autour de la taille et l'attira vers lui.

— Ce qui signifie que nous avons toute la nuit devant nous, ajouta-t-il. Ou, du moins, nous aurions toute la nuit devant nous si ma propriétaire n'interdisait pas à ses hôtes d'avoir des visiteurs !

Elle sourit.

— Je ferai attention à ce qu'elle ne me voie pas sortir d'ici, demain matin.

Clayton n'avait pas allumé la lumière, mais les rideaux étaient ouverts et le croissant de lune éclairait la pièce d'une lueur argentée.

Elle lui laissa prendre les initiatives, et fut heureuse de constater qu'il était aussi pressé qu'elle de faire l'amour. Dès qu'il eut fermé la porte à clé, il lui enleva sa robe et la jeta de côté. Il admira alors son soutien-gorge rouge et la petite culotte assortie.

— C'est pour moi que tu as mis cet ensemble ?

— Je suis désolée de te décevoir, répondit-elle, mais je n'avais aucune raison de penser que tu verrais mes sous-vêtements ce soir.

Du bout du doigt, il suivit la bordure festonnée du soutien-gorge. Elle frissonna.

— Est-ce que tu es en train de me dire que tu portes ça tous les jours ?

Elle s'éclaircit la voix et s'efforça de prendre un ton dégagé, alors même qu'elle se consumait de désir.

— Pas cet ensemble en particulier, mais j'ai un faible pour les matières soyeuses.

Il referma une main sur son sein avec douceur.

— Moi aussi.

Elle déboutonna sa chemise.

— Je veux sentir ta peau contre la mienne.

Il se mit torse nu, et ce fut à son tour d'admirer ce qu'elle avait sous les yeux. Elle posa les mains à plat sur ses pectoraux, caressa la peau lisse et ferme de ses muscles parfaitement dessinés.

Enfin, elle ouvrit la fermeture Eclair de son pantalon, glissa une main sous la ceinture de son boxer et la referma sur son sexe en érection.

Avec un gémissement rauque, il lui écarta doucement la main et l'entraîna sur le lit. Là, il dégrafa son soutien-gorge et le lui retira lentement, puis il fit glisser sa petite culotte sur ses jambes.

— Tu es incroyablement belle, murmura-t-il dans un souffle.

En cet instant précis, tandis qu'il la regardait avec une telle intensité et la touchait avec tant de douceur, elle *se sentait* vraiment belle.

Il fit glisser ses mains sur son corps et, soudain, le bébé donna un coup de pied, dans son ventre. Elle s'immobilisa, se demandant si cela freinerait le désir de Clayton, mais il ne se laissa pas décontenancer. Ses lèvres suivirent ses mains, sur ses seins, sur la rondeur de son ventre, puis plus bas encore.

— Clay…

Il dut percevoir son impatience, car il remonta vers elle et lui déposa un baiser sur les lèvres.

— Nous avons toute la nuit, lui rappela-t-il.

— Je sais, mais j'espérais que la nuit commencerait maintenant !

Il rit.

— Voyons si je peux t'aider à te détendre un peu…

Il alla se placer entre ses cuisses et se mit à la caresser avec sa langue. Le souffle coupé, elle se cambra instinctivement, submergée par une écrasante vague de plaisir.

— Ça va mieux ? demanda-t-il d'un ton légèrement suffisant.

— Oui… Non, se reprit-elle en secouant la tête.

— Encore ?

Sans lui laisser le temps de répondre, il recommença à la caresser. Elle venait de jouir et, pourtant, elle éprouvait un sentiment de frustration : elle le voulait, *lui*, elle voulait le sentir en elle.

— Je, euh… Je n'ai pas fait l'amour depuis longtemps, avoua-t-elle, je ne sais pas trop comment cela va se passer…

— Nous allons le découvrir ensemble.

— Tu as… un préservatif ?

Elle sentit ses joues s'empourprer tant elle était gênée, non pas d'avoir à lui poser cette question, mais parce qu'elle avait laissé les choses aller jusque-là sans y penser.

— Bon sang !

Il se passa une main sur le visage, visiblement contrarié.

— Tu n'en as pas ?

— Je ne sais pas. Je ne m'attendais pas à ce qui est en train de se passer… Crois-moi, si je m'étais douté un seul instant qu'il y avait la moindre chance pour que cela se produise, j'en aurais acheté !

La remarque était flatteuse mais, malheureusement, cela ne réglait pas leur problème.

Il fronça les sourcils et, brusquement, se leva et se dirigea vers la salle de bains attenante. Quelques secondes plus tard, il réapparut avec deux préservatifs, l'air profondément soulagé.

— *Deux ?* s'étonna-t-elle.

— J'irai en acheter d'autres demain.

Elle n'avait pas songé au lendemain, ne s'y était pas autorisée. Elle n'avait pas osé espérer quoi que ce soit au-delà de cette nuit, mais la réponse naturelle de Clayton lui fit espérer qu'il ne s'agissait pas pour lui d'une aventure d'un soir.

— Tu crois que nous allons utiliser les deux cette nuit ?

— Je *sais* que nous allons les utiliser. J'ai tellement envie de toi, je ne suis pas sûr que la première fois sera parfaite pour toi, mais je te promets que je me rattraperai la deuxième fois.

Elle ne serait pas déçue, elle le savait. Comment aurait-elle pu l'être, alors qu'il lui avait déjà donné bien plus que ce qu'elle avait espéré ?

Brûlant d'impatience, elle le poussa en arrière sur le lit et se mit à califourchon sur lui. Il haussa les sourcils, mais se laissa faire.

Elle prit l'un des préservatifs sur la table de chevet et le lui enfila lentement, très lentement.

— Tu essaies de me torturer ? demanda-t-il dans un gémissement.

— Peut-être… un peu.

En fait, elle essayait surtout de lui rendre un peu du plaisir qu'il lui avait donné, mais elle devait bien admettre qu'elle était un peu gênée. Elle n'avait pas beaucoup d'expérience en matière de séduction et de sexe, et la dernière fois qu'elle avait fait l'amour avec un homme, elle n'était pas enceinte de sept mois et demi.

Elle décida donc de se laisser guider par son instinct. Elle se souleva légèrement et se frotta contre lui. Cette fois encore, il poussa un gémissement viril qui l'encouragea à continuer. Elle se plaça de sorte à sentir son sexe en érection entre ses cuisses, et se laissa pénétrer un peu, puis un peu plus.

A ce moment, il lui empoigna les hanches. Elle vit ses abdominaux se contracter, mais il parvint à se maîtriser, visiblement bien décidé à la laisser mener les choses.

Enfin, avec une douceur infinie, il fit glisser ses mains sur son ventre, les referma sur ses seins et lui caressa les tétons. Elle se cambra, l'accueillant plus profondément en elle. Le souffle coupé, elle s'immobilisa un instant, avant de se mettre à onduler du bassin, lentement d'abord, puis plus vite, jusqu'à ce qu'ils soient tous deux entraînés dans un tourbillon de plaisir.

Clay était encore sous l'effet de l'orgasme quand Toni s'allongea paresseusement à côté de lui, au creux de son bras. Ses cheveux s'étalèrent sur son torse et il passa les doigts dans ses boucles soyeuses pour les démêler. Elle poussa un soupir de contentement.

— Ça va ?

Ce n'était pas une question qu'il avait l'habitude de poser après avoir fait l'amour, mais c'était la première fois qu'il faisait l'amour avec une femme enceinte.

— Je crois que je ne me suis jamais sentie aussi bien, répondit-elle avec un nouveau soupir.

Il ne put s'empêcher de sourire.

— C'est vrai ?

Elle leva légèrement la tête pour le regarder, et il vit qu'elle souriait, elle aussi.

— C'est vrai.

Il resserra son étreinte autour d'elle.

— Tu as été épatante.

— *Nous* avons été épatants !

— Assez pour que tu aies envie de recommencer ?

— Eh bien, nous avons encore un préservatif, alors si tu es partant…

Il se serra contre elle pour lui montrer qu'il était *tout à fait* partant.

*
* *

Clay n'aurait pas su dire quelle heure il était quand Toni et lui s'endormirent enfin. Une seule chose était sûre : il n'avait pas du tout envie de la laisser partir lorsqu'elle se glissa hors du lit, à l'aube.

— Il fait encore nuit, se plaignit-il.

— Le jour ne va pas tarder à se lever, il faut que je retourne à la maison avant que mon père se lève.

Il n'avait aucun argument à lui opposer, mais regrettait qu'elle soit obligée de s'en aller.

Il avait eu sa part d'aventures, mais n'avait jamais fait l'amour avec une femme qui osait dire ce qu'elle aimait et ce qu'elle voulait aussi honnêtement que Toni. Il devait bien reconnaître qu'il s'était demandé comment ce serait d'avoir des rapports intimes avec une femme enceinte, mais la nuit qu'il venait de passer ensemble avait dissipé toutes ses craintes.

Elle s'était montrée enthousiaste, espiègle et passionnée à la fois, et quand elle l'avait accueilli en elle, il avait éprouvé un sentiment de plénitude tel qu'il n'en avait encore jamais éprouvé. Il s'était dit que, peut-être, faire l'amour une fois avec elle suffirait à assouvir son désir, mais il s'était trompé.

Il eut une nouvelle bouffée de désir en la regardant se trémousser pour enfiler sa petite culotte. La voir remettre les vêtements qu'il lui avait enlevés la veille au soir était à la fois une torture et un plaisir.

Enfin, elle lissa le devant de sa robe et enfila ses chaussures, puis elle lui déposa un baiser sur les lèvres.

— On se voit à l'heure du petit déjeuner ?

— En fait, je vais sûrement passer à la Mountain Bluebell Bakery pour prendre un café et un muffin en allant chercher Bennett.

— D'accord.

— A moins que tu veuilles que je vienne à l'heure du petit déjeuner.

— C'est comme tu veux, les deux me vont.

Il la regarda avec méfiance.

— Vraiment ?

— Vraiment.

Elle s'assit sur le bord du lit.

— Je t'assure, je sais très bien qu'il ne s'agissait que de sexe, cette nuit. Je ne m'attends pas à un quelconque engagement de ta part, ou à ce que nous ayons une relation, uniquement parce que nous avons couché ensemble.

Il fronça les sourcils, ne sachant pas lui-même s'il devait être contrarié ou soulagé. Il n'était peut-être pas prêt à avoir une relation sérieuse *tout de suite*, mais il se plaisait à croire que ce qu'ils avaient partagé allait au-delà de la simple satisfaction de leur désir sexuel.

— Essaies-tu de me dire que tu ne veux plus entendre parler de moi ?

— Je dis simplement que je n'attends rien de plus que ce que nous avons partagé cette nuit, mais je ne serai pas opposée à l'idée de recommencer !

Cette réflexion le rassura un peu.

— Je passerai à la pharmacie, tout à l'heure.

— Bonne idée !

— Antonia ?

Elle s'immobilisa, la main sur la poignée de la porte.

— Maintenant que j'ai vu ta lingerie, je vais y penser chaque fois que je te regarderai.

Il était stupéfait de voir que, en dépit de tout ce qu'ils avaient partagé pendant la nuit, une remarque comme celle-là la faisait rougir.

— Je te l'ai déjà dit, répondit-elle d'un ton badin, tu as de grandes chances de me revoir de nouveau toute nue !

— Autre chose…
— Oui ?
— Méfie-toi de ma propriétaire.
Elle sortit, le sourire aux lèvres.

- 10 -

Toni souriait encore lorsqu'elle entra dans la cuisine une demi-heure plus tard pour préparer le petit déjeuner. Elle avait pris une douche et s'était changée, mais tout son corps vibrait encore de la nuit d'amour que Clayton et elle avaient partagée.

La nuit de sexe que nous avons partagée, se reprit-elle aussitôt.

La nuit avait été merveilleuse, mais elle ne voulait y voir plus que ce dont il s'agissait. Elle n'allait pas se bercer d'illusions et se persuader qu'elle avait de profonds sentiments pour Clayton afin de justifier leur aventure. Elle avait trente ans, elle n'avait besoin de la permission de personne pour coucher avec un homme et n'avait pas l'intention de se sentir coupable parce qu'elle y prenait du plaisir. D'ailleurs, elle avait même l'intention de coucher de nouveau avec lui le plus rapidement possible.

Elle se rembrunit quand elle vit Jonah, déjà installé à la table de la cuisine.

— Tu as oublié de programmer la cafetière, hier soir, grommela-t-il sans préambule.

— Et malgré cela, tu as réussi à faire du café tout seul ! répondit-elle avec ironie.

Il fronça les sourcils.

— J'ai rendez-vous à l'hôpital ce matin.

De toute évidence, c'était pour cette raison qu'il était de mauvaise humeur. Ce n'était pas seulement la douleur physique qui le contrariait, mais le risque de devoir se faire opérer. Les médecins lui avaient d'abord dit que c'était peu probable, mais, comme la fracture initiale était déplacée, ils lui avaient donné rendez-vous afin de réexaminer la situation.

Cependant, même si elle comprenait sa frustration et son inquiétude, elle n'allait pas le laisser passer sa mauvaise humeur sur elle.

— Supprime-moi un jour de solde, suggéra-t-elle d'un ton ironique.

Le visage de son frère s'assombrit encore davantage.

— Qu'y a-t-il pour le petit déjeuner ?

Elle fut tentée de lui répondre qu'il pouvait manger tout ce qu'il arriverait à préparer avec un seul bras, mais elle se retint.

— Qu'est-ce qui te ferait envie ?

— Du pain perdu, répondit-il d'un ton plein d'espoir.

Elle lui servit un café, puis sortit une poêle du placard en dessous du four.

— Merci, dit-il d'un air bougon.

— Je t'en prie, répondit-elle aimablement, bien décidée à ne pas laisser son attitude désagréable entacher sa bonne humeur.

— J'ai entendu dire que tu étais allée au Hitching Post, hier soir, dit-il en la regardant battre les œufs.

Elle hocha la tête.

— Alors, c'est comment ?

— Très bien, répondit-elle en trempant une tranche de pain dans le jaune d'œuf battu avant de la poser dans la poêle chaude. Joss et Jason Traub savaient vraiment ce qu'ils voulaient, et Cates Construction a parfaitement réalisé les travaux.

— Avec un peu de chance, la réouverture du Hitching Post va encourager d'autres gens à investir dans le centre-ville.

— C'est bien possible ! Le lieu a toujours attiré beaucoup de clients, les affaires des commerçants du quartier devraient prospérer.

— J'ai aussi entendu dire que tu avais vu Trina.

— Eh bien, décidément, tu as de bonnes oreilles, marmonna-t-elle.

Comment son frère avait-il appris tout cela depuis la veille au soir ?

— Elle m'a dit que tu étais partie assez tôt, mais tu n'as pas dû revenir ici directement, parce que je ne t'ai même pas entendue rentrer.

Imperturbable, Toni retourna les tranches de pain dans la poêle.

— J'ai fait la connaissance d'un cow-boy charmant, je suis rentrée avec lui, et nous avons passé une nuit torride ensemble.

Jonah émit un grognement railleur. De toute évidence, l'idée lui paraissait invraisemblable.

— Est-ce ta façon de me dire de me mêler de mes affaires ?

— Est-ce que tu en serais seulement capable ?

— C'est normal de la part d'un frère de veiller sur sa petite sœur, même si elle va bientôt avoir un bébé elle-même.

— Je me débrouille très bien toute seule.

— Oui, tu as toujours été très indépendante.

— J'ai été bien obligée de l'être pour tenir ma place dans la fratrie.

— Tu n'as jamais eu de mal à tenir ta place. A vrai dire, tu n'as jamais eu de mal à faire quoi que ce soit, dès que tu décides de faire quelque chose, tu y arrives.

C'est justement pour cette raison que je ne comprends pas cette histoire de bébé…

— Quand tu dis « cette histoire de bébé », tu fais allusion à ma grossesse ?

— Il y a plein d'hommes bien et respectables à Thunder Canyon qui auraient été ravis de t'épouser et d'avoir des enfants avec toi.

Elle n'était pas convaincue qu'il y en ait tant que cela mais, apparemment, Jonah croyait à l'histoire de la clinique de Bozeman aussi dur que Bev Haverly.

Effectivement, il y avait des hommes bien à Thunder Canyon. Elle en avait fréquenté quelques-uns, mais n'était pas tombée amoureuse d'eux. Elle ne savait pas vraiment elle-même pourquoi elle était tombée amoureuse de Gene, si c'était une question de proximité, de timing ou des deux à la fois, mais, quoi qu'il en soit, sa relation avec lui lui avait montré les dangers qu'il y avait à suivre son cœur. Quand il l'avait quittée, elle s'était juré de ne plus jamais tomber amoureuse.

C'était l'une des raisons pour lesquelles elle avait hésité à avoir une aventure avec Clayton. Cependant, la situation était tout à fait différente. Cette fois, elle n'éprouvait que du désir, pas de l'amour. Du moment qu'elle ne s'impliquait pas sur le plan affectif, elle n'avait aucune raison de ne pas savourer ce qu'il y avait entre eux.

Au cours des quelques jours qui suivirent, Clay et Toni prirent une sorte de rythme de croisière. Le dimanche soir, pendant le dîner, elle dit au détour de la conversation qu'elle irait voir Daisy Mae et sa pouliche, un peu plus tard. Il s'arrangea pour la croiser, et ils remontèrent ensemble dans sa chambre.

Il ne s'était pas attendu à retrouver la même fougue que lorsqu'ils avaient fait l'amour la première fois. Pour lui, il était inévitable que les choses se calment et, d'une certaine façon, c'était aussi souhaitable : c'était plus facile pour tout le monde de mettre un terme à une relation quand la flamme s'était éteinte.

Bien sûr, ce qu'il y avait entre eux n'était pas une *relation*, du moins, pas pour Toni. D'après elle, ils avaient simplement une aventure, pour le plaisir uniquement.

Sa vision des choses aurait dû le rassurer, et pourtant, après chaque nuit passée avec elle, il se disait que ces quelques instants volés n'étaient pas suffisants.

Il n'était pas certain de savoir *exactement* ce qu'il voulait, mais une chose était sûre : il voulait *plus*.

Cela étant, quand il décida d'aller faire un tour en voiture avec Bennett, le jeudi matin, il invita Toni à se joindre à eux.

— Nous devons aller au centre commercial de Bozeman, dit-il d'un ton faussement dégagé tandis qu'il l'aidait à débarrasser, après le dîner. Presque tous les vêtements de Bennett sont trop petits pour lui, et il n'y a pas grand-chose à Thunder Canyon.

— Oh ! Il y a une boutique géniale à Bozeman, Toddlers & Tots ! Tu devrais y passer.

— Tu veux venir avec nous ? demanda-t-il, encouragé par sa réponse enthousiaste.

— J'aurais bien aimé, dit-elle, l'air sincère, mais malheureusement j'ai rendez-vous chez le médecin cet après-midi.

Machinalement, il regarda son ventre.

— Pourquoi ? Qu'est-ce qui ne va pas ?

Elle lui posa une main sur le bras.

— Rien, j'ai une visite de contrôle tous les mois.

Enfin, maintenant, j'ai un rendez-vous tous les quinze jours, mais il n'y a aucun problème.

— Tu en es sûre ?

— Oui, répondit-elle avec patience, j'en suis sûre.

Il ne pouvait s'empêcher de s'inquiéter. Leurs ébats étaient-ils *trop* passionnés ?

— Le médecin te dira si tu as toujours le droit de… ?

Elle sourit.

— Oui.

— Tu veux que je t'accompagne ? se surprit-il à lui demander.

Elle sembla aussi étonnée que lui par sa question. Le fait d'accompagner une femme enceinte chez le médecin n'était pas anodin. Cela impliquait toutes sortes de choses qui ne s'appliquaient pas à eux.

Elle fit non de la tête.

— C'est très gentil de me le proposer, mais je crois que ce serait gênant pour nous deux.

Elle avait raison, bien sûr. Il aurait dû en rester là.

— Je n'avais pas envie que tu sois obligée d'y aller toute seule.

— Je suis toute seule, lui rappela-t-elle.

Cette fois encore, elle avait raison. Il repensa à la remarque que son frère lui avait faite, au sujet du transfert d'émotions. Peut-être essayait-il bel et bien de faire pour Toni ce qu'il n'avait pas eu l'occasion de faire pour Delia, mais dans quel but ?

Toni et lui savaient tous deux qu'il n'avait pas l'intention de rester à Thunder Canyon à long terme. A vrai dire, il y était déjà resté plus longtemps que prévu. Pourtant, il ne savait pas encore quand il retournerait à Rust Creek Falls.

— Bon, eh bien, nous nous verrons quand Bennett et moi serons revenus de Bozeman.

— J'espère bien.

Le pétillement malicieux dans ses yeux et sa voix pleine de promesses lui firent oublier que, l'espace d'un instant, il avait espéré davantage.

Plus tard, ce soir-là, il ferait l'amour avec une femme merveilleuse, et c'était suffisant.

Le Dr Aberline vérifia le poids de Toni, prit sa tension, et lui posa les questions habituelles au sujet de ses activités et des mouvements du bébé.

— Est-ce que tu rayonnes parce que tu attends un bébé, ou grâce au séduisant cow-boy qui loge à Wright's Way en ce moment ?

Toni leva les yeux au ciel.

— Est-il possible de garder le moindre secret dans cette ville ?

— Tu ne devrais pas avoir de secrets pour ton médecin !

Louise Aberline était son médecin depuis des années, et cela faisait longtemps qu'elles étaient devenues amies. Louise était aussi amie avec Catherine et, à n'en pas douter, c'était cette dernière qui lui avait parlé de Clayton.

— Je n'ai rien à cacher. J'allais te parler de lui, je ne m'attendais pas à ce que quelqu'un d'autre le fasse avant moi.

— On ne m'a donné aucun détail croustillant, dit Louise, en supposant qu'il y *ait* des détails croustillants.

— Oui, nous avons couché ensemble !

— Tout s'est bien passé ?

Toni ne put s'empêcher de sourire.

— C'était merveilleux !

Louise éclata de rire.

— Je suis ravie de l'apprendre, mais ce que je voulais

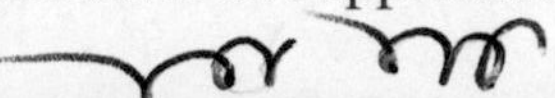

savoir, c'était si tu avais éprouvé la moindre gêne pendant les rapports ?

— Aucune.

— Aucune douleur, aucun saignement après coup ?

— Non.

— Vous avez une relation suivie ?

— Nous continuons à nous voir, répondit Toni, réticente à parler de *relation*.

Louise sembla deviner tout ce qu'elle ne disait pas. C'était l'une des très rares personnes qui connaissait sa véritable histoire et elle savait qu'elle avait été bouleversée quand le père de l'enfant l'avait abandonnée.

— Je m'inquiète pour ton état émotionnel autant que pour ta santé physique.

— Je vais bien, dit Toni avec sincérité.

C'était vrai : elle allait bien parce qu'elle n'était pas amoureuse de Clayton, elle passait du bon temps avec lui, tout simplement.

Louise n'avait pas l'air convaincue, mais elle hocha la tête.

— Très bien. Dans ce cas, je te vois dans deux semaines !

C'était l'heure de déjeuner quand Antonia quitta le cabinet médical, et comme elle était près du centre-ville, elle décida de demander à Catherine si elle était libre pour aller manger au Tottering Teapot avec elle.

— Justement, lui dit son amie lorsqu'elle décrocha, je pensais à toi ! Il faut que tu passes à la boutique.

— Pourquoi ?

— Je viens de recevoir des meubles que j'ai achetés lors d'une vente aux enchères, et j'ai un berceau ancien absolument magnifique.

— Il faut vraiment que tu arrêtes de me faire ça !

— Qu'est-ce que je te fais ?

— Tu m'incites à dépenser de l'argent que je n'ai pas.

— Viens juste le voir, dit Catherine, et s'il te plaît, ce sera mon cadeau pour la naissance de ton bébé.

— Tu sais très bien qu'il va me plaire, sinon, tu ne m'en aurais même pas parlé.

— Quand peux-tu venir ?

Toni soupira.

— Je serai là dans une dizaine de minutes.

Lorsqu'elle arriva au Real Vintage Cowboy, elle fut obligée de reconnaître que Catherine avait vu juste. Le berceau en merisier était de toute beauté, et il serait allé à merveille avec le rocking-chair qu'elle avait acheté à son amie quelques semaines plus tôt.

Elle passa une main sur le bois brillant, mais secoua la tête.

Catherine fronça les sourcils, visiblement perplexe.

— Tu ne l'aimes pas ?

— Je l'adore, mais je n'en ai pas vraiment besoin. J'ai déjà un berceau…

— Je ne t'ai pas demandé si tu en avais besoin, je t'ai demandé s'il te plaisait.

— Je n'ai pas les moyens de me l'offrir.

— Je t'ai dit que ce serait mon cadeau pour la naissance du bébé.

— Tu m'as déjà vendu un rocking-chair deux fois moins cher que si tu l'avais vendu à quelqu'un d'autre.

— Il aurait aussi pu rester là pendant des années à amasser de la poussière. Presque plus personne n'achète de fauteuils à bascule à l'ancienne.

— Que dirais-tu d'aller déjeuner au Tottering Teapot ?

— Quelle transition subtile ! dit Catherine d'un ton pince-sans-rire.

— Sérieusement, je meurs de faim.

Catherine prit le berceau et l'emporta dans l'arrière-boutique.

— Je le mets de côté pendant une semaine, dit-elle lorsqu'elle réapparut. Tout ce que tu as à faire, c'est me dire que tu en veux.

— Tu es adorable… Je vais y réfléchir.

Le Tottering Teapot était sur Main Street, à quelques minutes à pied du Real Vintage Cowboy. Les tables y étaient couvertes de nappes en dentelle, la nourriture était servie dans de la porcelaine dépareillée, et la clientèle était presque exclusivement féminine. L'endroit était célèbre pour son grand choix de thés et de sandwichs végétariens, mais il y avait aussi du poulet et du bœuf au menu.

Antonia commanda un sandwich au poulet et aux poivrons grillés, accompagné d'une salade verte et d'un thé au citron, tandis que Catherine opta pour un hamburger aux champignons et une salade de pâtes.

— Alors, quoi de neuf ? demanda Catherine quand la serveuse se fut éloignée après leur avoir apporté leur thé.

Toni en but une gorgée.

— Pas grand-chose, à part le fait que j'ai découvert que je pouvais atteindre l'orgasme plusieurs fois de suite.

Catherine faillit s'étrangler avec son thé.

— Eh bien, je ne sais pas quoi dire ! Félicitations ?

Toni rit.

— Merci.

— Alors, depuis combien de temps est-ce que tu couches avec ton cow-boy ?

— Depuis samedi, tous les soirs.

Son amie haussa les sourcils.

— Tous les soirs ? Où trouves-tu toute cette énergie ?

— Crois-moi, je suis aussi surprise que toi ! Non

seulement d'en avoir le désir et l'énergie, mais surtout de voir que *lui* me désire dans de telles circonstances.

— La grossesse ne va pas à toutes les femmes, mais toi, tu es rayonnante et, manifestement, c'est aussi l'avis de Clayton Traub.

En dépit de cette remarque, Toni voyait bien que Catherine s'inquiétait pour elle, et elle était persuadée de savoir pourquoi.

— Je me suis lancée dans cette histoire en toute connaissance de cause, je ne m'attends pas à une relation à long terme. Je veux simplement profiter de ce que Clayton et moi partageons tant que cela durera.

— Es-tu amoureuse de lui ?

— Non, répondit-elle aussitôt, avec véhémence.

Catherine fronça les sourcils.

— Tu me crois vraiment capable de faire la même erreur deux fois de suite ?

— Je crois que nous ne pouvons pas toujours contrôler de qui nous tombons amoureux, répondit Catherine avec douceur.

— Je ne suis pas amoureuse de lui, insista Toni.

Son amie leva les mains en signe de reddition.

— C'est bon, tu m'as convaincue !

Toni but une autre gorgée de thé, soulagée que Catherine ne fasse pas toute une histoire de quelque chose de très simple.

Comme Antonia avait décliné son invitation, Clay décida d'aller au centre commercial de Thunder Canyon plutôt qu'à celui de Bozeman. Il y avait un grand magasin avec un rayon bébé convenable, où il trouva deux ou trois choses pour Bennett.

Il rejoignit ensuite Forrest pour déjeuner. Il ne savait

pas si l'humeur de son frère s'était améliorée simplement parce qu'il était à Thunder Canyon, parce qu'il était aux bons soins du Dr North, ou parce qu'il suivait une thérapie de groupe. Peut-être était-ce l'association de ces trois facteurs qui lui avait été bénéfique. En tout cas, Forrest était de nouveau de bonne compagnie.

Du moins, c'était la réflexion qu'il s'était faite avant que son frère ne lui fasse remarquer qu'il voyait souvent Toni.

— Nous aimons bien passer du temps ensemble, c'est tout.

— Oui, mais seulement dans ta chambre, après la tombée de la nuit, quand vous pensez que personne ne risque de vous voir ensemble.

— Décidément, les rumeurs vont bon train, à Thunder Canyon !

— Qui essaies-tu de protéger ? demanda Forrest. Toni ou toi ?

— Ni elle ni moi n'avons envie de faire l'objet de commérages.

Son frère mordit dans son hamburger.

— De quoi as-tu *réellement* peur ?

— J'ai peur qu'elle commence à attendre des choses que je ne suis pas en mesure de lui donner, répondit Clay en prenant une pomme de terre.

— Je n'ai pas l'impression qu'elle attende de toi quoi que ce soit de particulier.

Son frère avait raison, Toni ne lui avait jamais rien demandé. Elle ne lui avait certainement pas demandé de promesses ou de garanties quant à leur relation. A vrai dire, elle semblait trouver tout naturel que leur relation soit uniquement temporaire, qu'il retourne un jour ou l'autre à Rust Creek Falls, qu'elle reste à Thunder Canyon et qu'ils continuent à vivre leur vie comme si la semaine qui venait de s'écouler, la plus belle semaine de sa vie à *lui*, n'avait jamais eu lieu.

— Alors peut-être que ce dont tu as *réellement* peur, reprit Forrest, c'est d'avoir envie de lui donner plus que ce qu'elle attend.

Clay fronça les sourcils.

— Je ne suis même pas sûr de comprendre ce que c'est censé vouloir dire.

— Et dire que les gens pensent que c'est *moi* qui souffre de troubles affectifs !

Clay ne releva pas.

— Ce que cela veut dire, expliqua Forrest, c'est que Toni est une femme forte et indépendante, et que tu n'as pas l'habitude d'être avec quelqu'un qui ne dépend pas de toi pour la moindre petite chose. Tu veux qu'on ait besoin de toi, et elle n'a pas *besoin* de toi. En revanche, pour une raison qui m'échappe, elle a *envie* de toi. La question que tu dois te poser maintenant, c'est : est-ce que tu es prêt à admettre que tu veux d'elle dans ta vie, pas seulement pour quelques nuits, mais pour toujours ?

Clay prit le verre de son frère et fit mine d'en renifler le contenu.

— Tu es sûr qu'il n'y a que du soda, là-dedans ? Parce que tu dois être soûl si tu as bien dit « pour toujours ».

Forrest haussa les épaules négligemment.

— Tu ne tiens peut-être pas autant à elle que je le croyais.

— Je tiens à elle, mais je viens à peine de trouver mon rythme avec Bennett, je ne saurais pas comment me débrouiller avec *deux* enfants.

Son frère secoua la tête.

— Et moi qui pensais que tu étais bon en maths !

— Comme tu l'as dit toi-même il y a quelque temps, deux fois plus d'enfants, c'est deux fois plus de couches.

— Il me semble que j'ai dit : « Deux fois plus de couches, c'est peut-être deux fois plus drôle ».

— C'est le « deux fois plus » qui compte.

— Peut-être, mais si tu avais une relation sérieuse avec Toni, tu n'aurais pas seulement un deuxième enfant, tu aurais aussi une mère pour ces deux enfants. Une mère, un père et deux bébés forment une *famille*.

Forrest avait fait mouche. Clay ne pouvait nier qu'il était terriblement tenté par l'idée de donner à Bennett une famille. Il avait fait de son mieux en tant que père célibataire, mais il avait toujours estimé qu'un enfant méritait d'avoir deux parents aimants, dans un foyer stable.

A vrai dire, quand Delia était arrivée chez lui avec Bennett et qu'il avait fini par accepter l'idée qu'il était papa, il s'était tout de suite dit qu'ils devaient se marier. Par bonheur, il avait presque aussitôt chassé de son esprit cette idée insensée. Car, même s'il pensait que chacun devait prendre ses responsabilités et qu'un enfant devait avoir deux parents, il savait que se marier avec Delia était une très mauvaise idée.

Même quand ils sortaient ensemble, ils n'étaient pas capables de passer un long moment en compagnie l'un de l'autre sans se rendre fous. A fortiori, ils n'auraient jamais pu passer toute leur vie ensemble.

En revanche, l'idée de passer sa vie avec Toni était loin de lui déplaire, et l'idée de bâtir quelque chose, de fonder une famille avec elle, de passer toutes ses nuits avec elle, était incroyablement tentante.

Cependant, il ne pouvait s'empêcher de se demander dans quelle mesure ce qu'il ressentait avait à voir avec l'affection de son fils pour Toni.

Oui, il aimait passer du temps avec elle, même quand ils ne faisaient pas l'amour, il aimait discuter avec elle.

Il aimait aussi la regarder s'occuper de Bennett, qui l'adorait et souriait chaque fois qu'il la voyait.

Maintenant qu'il pensait à elle, il se rendait compte qu'il se pouvait tout à fait qu'il tombe amoureux d'elle. Même si ce qu'il éprouvait n'était pas de l'*amour*, il ne pouvait nier son affection sincère pour elle ou l'intensité de l'alchimie qui existait entre eux. Un mariage fondé sur de telles bases ne pouvait être qu'une réussite.

Malheureusement, Toni ne lui avait pas fait part de ses propres sentiments. Bien sûr, il ne lui avait posé aucune question à ce sujet. Les hommes ne posaient pas ce genre de questions. D'ailleurs, d'après son expérience, ils n'avaient généralement pas *besoin* de le faire : les femmes aimaient parler de leurs sentiments, poser des questions sur la direction que prenaient leurs relations. Pourtant, Toni n'était pas comme cela.

Comme son frère venait de le lui faire remarquer, elle semblait ne rien attendre de plus que ce qu'ils partageaient déjà.

En fin de compte, éprouvait-elle seulement des sentiments pour lui ?

- 11 -

Quand Antonia se rendit aux écuries ce soir-là, Clayton était déjà là, et Bennett était avec lui.

— Il s'est endormi après le dîner, dit Clayton pour expliquer pourquoi son fils était encore éveillé à 22 heures.

— Et, maintenant, il déborde d'énergie, devina-t-elle. Bennett la conforta dans cette idée en tendant les bras vers elle avec un grand sourire. Clayton soupira et lui confia le bébé.

— De toute évidence, tu le gâtes trop !

— Il me trouve peut-être simplement plus jolie que toi, le taquina-t-elle.

— Eh bien, sur ce point, je suis d'accord avec lui.

— Tout le temps que je passe avec Bennett me rend encore plus impatiente de tenir mon bébé dans mes bras.

— Les nouveau-nés sont plus difficiles à amadouer... Ils ne communiquent que par des pleurs, et c'est à toi de deviner s'ils pleurent parce qu'ils ont faim, parce qu'il faut changer leur couche, ou juste *parce que* !

— Si tu essaies de me dissuader d'avoir ce bébé, dit-elle d'un ton pince-sans-rire, tu t'y prends un peu tard.

— Je veux juste que tu saches à quoi t'attendre... et que tu te prépares à ne pas dormir beaucoup.

— Je ne dors déjà pas beaucoup ces derniers temps, fit-elle remarquer avec un sourire plein de sous-entendus, mais je ne m'en plains pas.

— Tu auras des raisons de te plaindre quand tu devras te lever à minuit, à 2 heures, puis à 4 heures et encore à 6 heures pour nourrir ton bébé ! Crois-moi, ajouta-t-il en secouant la tête, cela ne me manque pas.

Elle comprit sans difficulté ce à quoi il faisait allusion : il s'était déjà occupé d'un nouveau-né, et n'avait pas du tout envie de recommencer. Si elle avait été assez naïve pour espérer que leur aventure mènerait à une relation plus sérieuse, cette dernière remarque lui ôta toute illusion. Il était père célibataire, elle allait bientôt être mère célibataire, mais ils ne formeraient jamais une famille.

C'était important qu'elle ne l'oublie pas, et qu'elle sache apprécier le temps précieux qu'elle passait avec lui, car il serait bientôt écoulé. La naissance de son bébé mettrait un terme à leur relation, *si* elle durait jusque-là.

Consciente que chaque nuit les rapprochait de la fin de leur relation, elle n'avait pas envie de gâcher la soirée avec des considérations triviales.

Ils se promenèrent un moment dans le ranch, jusqu'à ce que Bennett s'endorme enfin. Ils regagnèrent la chambre de Clayton. Après avoir couché le bébé, elle prit une couverture et la tendit devant le berceau.

Il secoua la tête avec un sourire indulgent, l'air amusé. Il savait qu'elle veillait à ce que Bennett ne puisse pas les voir dans le lit s'il venait à se réveiller.

— Tu me trouves idiote, n'est-ce pas ?

— Je te trouve superbe…

Il l'attira vers lui et lui déposa un baiser sur les lèvres.

— … séduisante…

Il l'entraîna sur le lit.

— … et complètement folle !

Folle de toi, pensa-t-elle, mais elle n'osa pas prononcer ces mots à haute voix.

Elle pouvait bien être folle de lui, du moment qu'elle ne tombait pas amoureuse. Il n'y avait rien de mal à ce qu'elle soit submergée de désir, et c'était tout à fait compréhensible face à un homme comme Clayton. Avoir pour lui une affection sincère ne posait aucun problème non plus. En revanche, elle ne pouvait accepter de tomber amoureuse de lui.

Mais, pour l'instant, elle n'avait pas l'intention de s'inquiéter de cela, car il avait retiré tous ses vêtements et l'avait déshabillée entièrement. Allongé tout contre elle, dans son dos, il lui caressait les seins et l'embrassait dans le cou. La sensation de sa peau contre la sienne était exquise. Enfin, il glissa une main entre ses cuisses. Elle ne put réprimer un petit gémissement et, lorsqu'il la pénétra, elle ne pensait plus à rien d'autre qu'au plaisir qu'il lui donnait.

— Il faut que je retourne à Rust Creek Falls demain.

Clayton avait prononcé ces paroles d'un ton détaché et Toni eut l'impression d'avoir reçu un coup de poignard en plein cœur. Ils venaient de faire l'amour et étaient encore enlacés, et, pourtant, il était déjà ailleurs.

Elle savait depuis le début qu'il finirait par repartir, mais elle ne s'était pas attendue à ce qu'il lui annonce son départ aussi abruptement, à ce que cela se passe de cette façon, alors qu'elle était en train de tomber amoureuse de lui. Elle pouvait nier cette réalité tant qu'elle le voulait, et c'était exactement ce qu'elle avait fait jusque-là, mais elle en avait maintenant douloureusement conscience.

Elle n'aurait pas eu l'impression que son cœur se brisait s'il n'appartenait pas déjà à Clayton. Peu importait qu'elle ait eu l'intention de ne pas s'attacher à lui, qu'elle ait tout fait pour maîtriser ses émotions. De toute évidence, ses belles injonctions n'avaient rien changé et, en dépit de tous ses efforts, elle avait laissé Clayton Traub gagner son cœur.

Mais elle avait sa fierté, et se devait au moins d'essayer d'adopter, comme lui, une attitude désinvolte.

— Cela fait longtemps que tu es parti, dit-elle d'un ton faussement dégagé. Tu dois avoir hâte de rentrer.

— Un peu, mais seulement parce que mon avocat m'a prévenu que rien n'était encore gagné.

Elle fronça les sourcils, perplexe.

— Ton avocat ?

— L'audience a lieu demain.

— L'audience ? répéta-t-elle encore.

A son tour, il eut l'air déconcerté.

— Je ne t'en ai pas parlé ?

Elle fit non de la tête.

— Je suis allé voir un avocat avant de quitter Rust Creek Falls, pour demander la garde exclusive de Bennett. Delia a été prévenue de la date de l'audience et a envoyé une lettre pour dire qu'elle ne contesterait pas, mais mon avocat m'a dit qu'il valait mieux que je sois présent, avec Bennett, au cas où elle changerait d'avis, ou si jamais le juge avait des questions à me poser.

— Bien sûr, se contenta-t-elle de répondre.

Elle n'était pas sûre de comprendre où il voulait en venir. Il devait retourner à Rust Creek Falls pour l'audience, mais elle n'avait pas la moindre idée de ce qu'il projetait de faire *ensuite*. Resterait-il là-bas ? Ou reviendrait-il à Thunder Canyon ?

— Je ne sais pas combien de temps cela prendra, et vers quelle heure je serai revenu ici…

Vers quelle heure je serai revenu ici. Elle souffla, profondément soulagée par ces mots.

— … alors il vaut peut-être mieux ne rien prévoir pour demain soir, mais je me disais que nous pourrions peut-être aller au restaurant samedi soir.

— Clayton Traub, seriez-vous en train de me proposer un rendez-vous amoureux ? demanda-t-elle, stupéfaite.

— Oui, Antonia Wright, c'est exactement ce que je fais !

Malgré son ton léger, il paraissait sérieux, et elle avait très envie d'accepter, mais elle devait rester sur ses gardes.

— Je ne suis pas sûre que ce soit une bonne idée.

— Tu as honte que l'on te voie avec moi ?

— Je n'aurais pas dit ça comme ça, mais oui, si tu veux.

Il sourit. Manifestement, l'air désinvolte qu'elle avait pris ne le trompait pas une seule seconde.

— Aurais-tu peur des commérages, par hasard ?

— Eh bien, j'en ai déjà fait l'objet, reconnut-elle, et je n'ai pas trouvé cela particulièrement agréable.

Récemment, c'était la nouvelle de sa grossesse et le mystère qui entourait l'identité du père de son bébé qui avaient fait marcher les langues, mais la plupart des colporteurs de ragots avaient accepté l'histoire de la clinique de Bozeman, et reporté leur attention sur des affaires plus croustillantes. Malheureusement, elle était persuadée qu'elle serait de nouveau leur sujet de conversation favori si on la voyait au restaurant en tête à tête avec un homme séduisant qui logeait à Wright's Way, alors qu'elle était enceinte et célibataire.

Il lui semblait déjà entendre les mauvaises langues. « Vous imaginez une chose pareille ? Dans son état ? Que peut-il bien lui trouver ? Dort-il vraiment dans l'une de ses chambres d'hôtes, ou partage-t-il son lit ? »

Bien sûr, l'histoire deviendrait encore plus intéressante quand Clayton retournerait à Rust Creek Falls définitivement.

« Pauvre Antonia ! Elle était déjà seule, enceinte, et, maintenant, cet homme qui la quitte ! Enfin… A quoi s'attendait-elle ? Croyait-elle vraiment qu'il s'intéressait à elle ? Il se servait probablement d'elle pour faire garder son fils. »

— Tu ne me donnes pas l'impression d'une femme qui se décourage au premier obstacle.

Il lui écarta une mèche de cheveux du visage et lui caressa la joue du bout des doigts. Ce simple contact la troubla profondément.

— Je ne suis pas non plus le genre de femme à laisser un homme la convaincre de sortir avec lui à force de cajoleries.

— Est-ce un *non* à mon invitation ?

— Non, c'est un *oui*, mais je réponds oui parce que j'ai *envie* de sortir avec toi, pas parce que tu m'y as contrainte ou parce que je relève un défi.

— Tout ce qui m'importe, c'est que tu dises oui.

Il posa ses lèvres sur les siennes et l'embrassa avec un mélange de tendresse et de passion. Quand il l'embrassait comme cela, elle ne se sentait plus capable de lui refuser quoi que ce soit.

Le greffier du tribunal se tenait face à la tribune, dans l'élégante salle d'audience lambrissée.

— Veuillez vous lever, dit-il d'une voix autoritaire.

Les six personnes présentes, dont Ellie et Bob Traub, se levèrent.

— L'audience est ouverte.

Quand le juge, William T. Vaughn, se fut installé, tout le monde se rassit.

Ellie essuya ses paumes moites sur le côté de sa jupe. Bob, percevant manifestement son anxiété, lui prit la main et la serra tendrement dans la sienne.

L'avocat de Clay s'adressait au juge, mais Ellie parvenait à peine à se concentrer sur ce qu'il disait. Elle ne pouvait s'empêcher de jeter des coups d'œil inquiets en direction des portes, au fond de la salle, s'attendant à voir Delia faire irruption et interrompre la séance.

Elle l'espérait presque, par amour pour Bennett, mais Delia avait été très claire : être mère ne l'intéressait absolument pas. Elle n'avait montré aucun instinct maternel.

Ellie savait très bien que Bennett recevrait tout l'amour et toute l'affection imaginables de la part de son père, mais elle était également intimement persuadée qu'un enfant avait besoin d'une mère, surtout un enfant aussi jeune que son petit-fils.

Etant donné les circonstances, Bennett n'avait pas nécessairement besoin de sa mère biologique, mais il avait besoin d'une femme qui l'aimerait et l'élèverait comme son propre enfant.

Ellie avait fait part de son point de vue à Clayton, car elle savait qu'il voulait ce qu'il y avait de mieux pour Bennett, mais son fils lui avait répondu qu'une grand-mère pouvait jouer ce rôle tout aussi bien, voire mieux. Elle devait reconnaître qu'elle s'était laissé distraire par cette remarque flatteuse, et Clay en avait profité pour partir à Thunder Canyon, où elle ne savait ni ce qu'il faisait ni qui il fréquentait.

Pendant les quelques premières semaines, elle n'avait espéré qu'une chose : le voir revenir. Puis elle avait rencontré Antonia Wright et s'était dit que le départ de Clay pour Thunder Canyon s'avérerait probablement être une très bonne chose pour lui comme pour son fils.

Elle avait d'abord eu quelques doutes en voyant

qu'Antonia était enceinte. Elle n'avait aucune inquiétude quant à l'instinct maternel de la jeune femme : elle l'avait observée avec Bennett et avait tout de suite vu qu'elle aimait le petit garçon autant que Bennett l'aimait.

Ce qui l'inquiétait, c'était que Clayton n'ait pas envie de jouer le rôle de père pour l'enfant d'un autre homme, car elle savait que ceux qui étaient prêts à accepter cela étaient peu nombreux. Elle espérait que son fils en faisait partie.

— Après examen des témoignages apportés lors de cette audience, dit le juge, l'arrachant à ses pensées et la rappelant à la réalité, j'accorde la garde exclusive de Bennett Alexander Traub à son père.

Alors même que les yeux d'Ellie s'emplissaient de larmes, Bob lui glissa dans la main un mouchoir en papier. Elle lui sourit à travers ses larmes, émue d'avoir à ses côtés depuis quarante ans quelqu'un qui la connaissait si bien et qui la soutenait contre vents et marées.

Elle espérait de tout cœur que ses fils auraient la même chance qu'elle en amour. Ce n'était sans doute le cas d'aucun d'entre eux pour l'instant, mais elle était sûre qu'aujourd'hui Clayton en prenait la voie.

Clayton revint à Thunder Canyon très tard le vendredi soir. Toni sut qu'il était revenu, car elle vit sa voiture dans la cour du ranch lorsqu'elle se leva en pleine nuit pour aller aux toilettes.

Elle n'avait pas vérifié qu'il était bien rentré, elle avait simplement jeté un coup d'œil à travers la fenêtre pour voir s'il pleuvait. Du moins, c'est ce dont elle se persuada.

Elle commença à s'inquiéter le lendemain matin, car il ne vint pas prendre le petit déjeuner avec Bennett comme il en avait d'habitude. Elle craignait que l'audience ne se soit pas passée aussi bien qu'il l'avait espéré.

Peut-être aussi que le fait de retourner à Rust Creek Falls, même pendant un court moment, l'avait poussé à remettre en cause les raisons de sa présence à Thunder Canyon, et leur relation.

Vers 14 heures, cependant, elle reçut un texto sur son téléphone portable :

Dîner à 19 heures ?

« OK », répondit-elle.

Afin d'éviter de revivre la scène qu'elle avait eue avec Jonah quand elle lui avait fait part de son projet d'aller au Hitching Post avec Clayton et Forrest, elle sortit assez tôt, pendant que ses frères dînaient.

Clayton vint à sa rencontre, entre la maison et les chambres d'hôtes. La joie qui se lisait sur son visage la rassura un peu.

— Alors, on fête quelque chose ? demanda-t-elle prudemment.

— Oui, mais je n'en dirai pas plus pour l'instant ! Ce soir, il ne s'agit pas de Bennett, il s'agit de toi et moi.

Son cœur se mit à battre la chamade. Elle s'était demandé s'il y avait un « toi et moi », du moins jusqu'à ce qu'il l'invite au restaurant.

— Juste une dernière question… Où est Bennett ce soir ?

— Avec mon frère, répondit-il en lui déposant un baiser sur les lèvres. J'ai même mis son berceau dans la chambre de Forrest pour la nuit.

Elle frissonna d'un plaisir anticipé, mais s'efforça de rester concentrée sur la conversation.

— Ton frère sait vraiment s'y prendre, avec Bennett, n'est-ce pas ?

— Oui… Pourquoi as-tu l'air aussi étonnée ?

— Eh bien, avec ses larges épaules de militaire et le regard d'acier qui va avec, il en dit le moins possible mais, quand il est avec son neveu, on dirait qu'il n'est plus du tout le même homme.

— C'est vrai que Bennett fait ressortir ce qu'il y a de meilleur en lui.

— C'est un bon petit garçon.

— Forrest n'est pas un mauvais bougre non plus.

— Je sais. En fait, il peut être assez charmant quand il en a envie.

— Ne lui dis jamais que c'est ce que tu penses.

Elle sourit.

— Il s'est montré très charmant le soir où nous sommes allés au Hitching Post.

— J'ai failli lui mettre mon poing dans la figure parce qu'il te draguait.

— Il ne me draguait pas.

— Il s'y apprêtait, jusqu'à ce que je le mette en garde. Enfin ! Plus sérieusement, je pense que son séjour à Thunder Canyon lui a vraiment fait du bien. D'ailleurs, je crois que cela nous a fait du bien à tous les deux.

Le moment était tout indiqué pour lui demander combien de temps il avait l'intention de rester.

Elle repensa au jour où il était arrivé, quand il lui avait dit qu'il pensait rester quelques semaines. Près de deux mois s'étaient écoulés depuis, et ni lui ni son frère n'avaient manifesté le désir de s'en aller.

Forrest suivait toujours sa thérapie de groupe, il était donc logique qu'il s'attarde. En revanche, elle ne savait pas exactement pourquoi Clayton était venu à Thunder

Canyon en premier lieu, et ignorait quels étaient ses projets d'avenir.

A vrai dire, elle ne savait même pas où ils allaient dîner le soir même.

— J'ai une dernière question, dit-elle. Où allons-nous ?

— Au Gallatin.

En entendant cela, elle regretta de ne pas lui avoir posé la question plus tôt, *beaucoup* plus tôt. Depuis quelques mois, elle n'avait plus grand-chose à se mettre, et sa seule tenue vraiment élégante était la robe rouge en mousseline de soie qu'elle avait achetée le jour de la réouverture du Hitching Post.

Comme Clayton lui avait fait comprendre qu'elle lui plaisait beaucoup, elle avait décidé de la remettre pour aller au restaurant. Cette fois, elle s'était attaché les cheveux et avait mis des boucles d'oreilles qu'elle avait dénichées au Real Vintage Cowboy quand la boutique avait ouvert. Mais l'effet d'ensemble n'était pas digne du Gallatin.

Il perçut tout de suite son désarroi.

— Qu'y a-t-il ?

Elle ne parvint qu'à secouer la tête.

— Tu n'aimes pas ce que l'on sert au Gallatin ? demanda-t-il. Tu es sortie avec le chef ? Tu as perdu ta virginité dans les cuisines ?

Elle aurait presque préféré qu'il s'agisse de quelque chose d'aussi simple, mais la vérité, c'était que le Gallatin était le restaurant le plus chic de Thunder Canyon, et que même si elle avait eu le temps de rentrer se changer, elle n'aurait rien trouvé d'approprié dans sa garde-robe.

— Je ne peux pas y aller dans cette tenue, dit-elle enfin.

Il la regarda lentement de la tête aux pieds, avec une

telle intensité qu'elle eut l'impression que son regard brûlant laissait une marque sur sa peau.

— Tu es magnifique.

Il paraissait tellement sincère qu'elle ne put s'empêcher de sourire.

— Ma tenue irait peut-être si nous allions au cinéma, ou au Hitching post, mais le Gallatin, c'est un autre monde.

— Ce n'est pas si loin que ça, répondit-il pour la taquiner, c'est au Thunder Canyon Resort.

— Tu vois très bien ce que je veux dire !

— Non, pas du tout.

— C'est un endroit où les gens, les couples, vont fêter des occasions spéciales.

Cette explication sembla le déconcerter plus qu'autre chose.

— Je crois que tu ne vois pas toi-même ce que tu veux dire. Nous sommes bel et bien ici pour fêter quelque chose de spécial.

— La garde de Bennett ?

— Notre premier rendez-vous amoureux !

Même si les mots « premier rendez-vous » impliquaient un ou plusieurs autres rendez-vous, elle n'avait pas l'intention d'attendre quoi que ce soit de plus que cette soirée.

L'intérieur du Gallatin était de toute beauté. Il y avait des nappes en lin blanc sur les tables, les couverts en argent étincelaient, et un vase de cristal contenant des fleurs fraîches était posé au centre de chaque table. La lumière tamisée et la musique douce conféraient au lieu une atmosphère très romantique.

Toni dut faire un effort pour ne pas rester bouche

bée, et ne put s'empêcher de tourner sur elle-même pour admirer le décor.

— Ouah ! C'est… absolument magnifique !

— Tu n'étais encore jamais venue ? lui demanda Clayton.

— Non.

— Alors pourquoi étais-tu persuadée de ne pas être habillée en conséquence ?

— Justement parce que je n'étais encore jamais venue !

Gene ne l'aurait jamais emmenée dans un endroit comme celui-ci. D'ailleurs, il ne l'avait jamais emmenée nulle part. C'était vraiment navrant ! Sur le coup, elle ne s'en était pas inquiétée, car elle avait ses propres raisons de ne pas vouloir s'afficher avec lui. Elle ne s'était jamais rendu compte qu'il préférait rester discret parce qu'il ne voulait pas d'une véritable petite amie, mais seulement de quelqu'un avec qui passer ses nuits.

Elle était furieuse qu'il se soit servi d'elle comme il l'avait fait, mais elle était encore plus en colère contre elle-même, parce qu'elle l'avait laissé faire. Il ne s'était pas donné beaucoup de mal pour la séduire. Il lui avait simplement manifesté un peu d'attention, l'avait embrassée plusieurs fois, et l'avait attirée dans son lit.

Elle s'apercevait maintenant que Clayton, *lui*, n'avait pas *besoin* de faire d'efforts : elle était tout à fait disposée à faire l'amour avec lui si c'était ce qui l'intéressait. Pourtant, il avait réservé une table pour deux dans un restaurant chic, tout simplement parce que c'était un homme galant.

Pour la énième fois, elle se surprit à souhaiter que son bébé ait un père comme lui. Bien sûr, elle ne pouvait se permettre de prendre ses désirs pour des réalités, et elle n'avait pas envie de gâcher la soirée en espérant des choses qui ne se réaliseraient jamais.

La serveuse leur indiqua une table à côté de la fenêtre, puis elle s'éloigna. Jetant un coup d'œil autour d'elle, Toni remarqua que certains clients étaient déjà servis, tandis que d'autres prenaient l'apéritif ou consultaient encore le menu.

— Pourquoi la serveuse ne nous a-t-elle pas donné de menus ?

— Parce que j'ai déjà commandé, quand j'ai téléphoné pour réserver une table.

Elle prit son verre de cristal, qui coûtait probablement aussi cher que tout le service qu'elle avait au ranch, et s'efforça de maîtriser le tremblement de sa main. Elle était nerveuse, un peu gênée, pas du tout dans son élément.

Elle but une gorgée d'eau et demanda d'un ton faussement désinvolte :

— N'était-ce pas un peu présomptueux de ta part ?

— Très, reconnut-il avec un grand sourire, mais je crois que tu approuveras mon choix.

— Qu'as-tu commandé ?

— Un peu de tout ce qu'il y a au menu.

— Je ne suis pas plus avancée, puisque je n'ai pas *vu* le menu.

A ce moment-là, un serveur s'approcha de leur table pour leur apporter un panier de petits pains chauds.

— Mlle Wright aimerait savoir ce qu'il y a au menu ce soir, lui dit Clayton.

Le jeune homme se tourna vers elle et s'inclina légèrement.

— Au menu, ce soir, figurent des médaillons de filet de porc sauce porto, servis avec une purée de pommes de terre, du rôti de bœuf accompagné de ses petits légumes et d'un Yorkshire pudding, du poulet à la toscane avec des épinards et des mini-carottes, du saumon nappé d'un glaçage au sirop d'érable servi avec du riz sauvage, et des coquilles Saint-Jacques grillées sur un lit de linguine à la crème.

— Merci, tout a l'air… délicieux ! s'exclama-t-elle.

Le serveur s'inclina de nouveau, puis s'éloigna. Elle reporta son attention sur Clayton.

— Tu n'as pas *réellement* commandé de tout ?

— Tout avait l'air trop bon pour que nous puissions nous décider.

— J'espère que tu plaisantes…

— Je t'ai déjà vue manger ! lui rappela-t-il.

— Dans ce cas, tu aurais dû commander de la glace.

Il eut un grand sourire.

— C'est prévu, pour le dessert.

En fin de compte, Clayton ne plaisantait pas. Quand le serveur leur apporta sur un chariot roulant ce qu'il avait commandé, elle fut stupéfiée par la quantité de petits plats que cela représentait.

— Si les gens ne nous regardaient pas jusque-là, fit-elle remarquer, ils nous regardent certainement maintenant !

— Ne t'inquiète pas, personne ne nous regarde.

— Le poulet a l'air fameux, lâcha-t-elle.

Le serveur, qui s'était tenu un peu à l'écart, par discrétion, s'approcha et la servit aussitôt. Clayton, lui, décida de commencer par le rôti de bœuf.

— J'espère que tu ne t'attends pas à un service de cette qualité demain matin, au ranch, dit-elle d'un ton pince-sans-rire.

— Du moment que j'ai un sourire avec mon café, je ne me plaindrai pas !

— Cela ne devrait pas poser de problème.

Elle prit un morceau de poulet.

— Oh ! C'est délicieux, *vraiment* délicieux !

— Tu devrais goûter le bœuf.

Elle goûta un peu de tout, incapable de résister à la tentation de prendre au moins une ou deux bouchées de chaque plat. Même si elle avait souvent remarqué qu'elle mangeait pour deux, elle n'avait réellement jamais mangé autant.

— Je comprends mieux pourquoi Shane Roarke, le nouveau chef, est la coqueluche de la ville, dit-elle lorsqu'elle replia enfin sa serviette, rassasiée.

— Sais-tu d'où il est ?

— De Seattle, je crois. Apparemment, Grant Clifton l'a repéré alors qu'il était en déplacement là-bas. Il paraît qu'il a été tellement impressionné par son talent qu'il s'est donné pour mission de le faire venir au Thunder Canyon Resort.

— Eh bien, c'est une grande perte pour Seattle, mais tant mieux pour nous ! Enfin, il nous reste à voir ce qu'il sait faire comme desserts…

Elle secoua la tête et se passa une main sur le ventre.

— Je ne peux plus rien avaler.

— Pas même un peu de glace ?

— Tu es diabolique !

Il rit.

— Nous brûlerons les calories tout à l'heure.

— Je ne suis pas sûre de pouvoir bouger.

— Je ferai preuve de créativité.

Elle sentit ses joues s'empourprer. Elle savait qu'il en était tout à fait capable, et lui en était reconnaissante. Elle se réjouissait aussi de voir que son intérêt pour elle ne diminuait pas.

Bien sûr, elle savait que leur relation ne pourrait pas

durer éternellement. Tout changerait une fois que son bébé serait né.

C'était précisément pour cela qu'elle allait savourer le temps qui leur était imparti.

- 12 -

Le jeudi, après le déjeuner, Toni était dans son bureau quand Clayton lui envoya un message dans lequel il lui demandait de le rejoindre dans sa chambre. Elle ne s'attendait pas qu'il espère faire l'amour avec elle en plein après-midi, mais tout de même, elle se brossa rapidement les cheveux et mit un peu de rouge à lèvres avant de sortir.

Quand elle arriva, elle vit que Bennett dormait dans son berceau et se demanda si elle s'était trompée sur les intentions de Clayton. Elle se posa encore plus de questions lorsqu'il l'embrassa passionnément. Elle se rendit soudain compte qu'elle ne pouvait plus se passer de ses baisers. Cette prise de conscience l'aurait inquiétée si elle y avait réfléchi un peu plus mais, pour l'instant, ce qui l'intriguait était la mystérieuse bosse recouverte d'une couverture au milieu du lit.

— J'avais quelques courses à faire en ville aujourd'hui, et je t'ai acheté quelque chose.

— Tu m'as acheté un cadeau ?

— Eh bien, en fait, c'est plutôt un cadeau pour le bébé, mais j'espère qu'il te plaira aussi.

Avec un grand geste du bras, il retira la couverture, découvrant un magnifique berceau en merisier, qu'elle ne voyait pas pour la première fois.

— Tu es allé au Real Vintage Cowboy…

— Je passais devant quand je l'ai aperçu dans la vitrine. Il te plaît ?

Elle se contenta de hocher la tête, craignant qu'il se rende compte qu'elle avait des larmes dans la voix si elle tentait de parler.

— Au début, ton amie Catherine ne voulait pas me le vendre. Elle m'a dit qu'elle l'avait mis de côté pour une cliente.

— Qu'est-ce…

Elle s'éclaircit la voix.

— Qu'est-ce qui l'a fait changer d'avis ?

— Je lui ai dit qu'aucune cliente n'en prendrait autant soin que toi, et elle a fini par accepter de me le vendre.

— J'en aurais pris grand soin, mais je ne peux pas accepter.

— Pourquoi ?

— Parce que je sais ce qu'il vaut.

— J'ai eu une réduction de dix pour cent, Catherine a appelé cela « la ristourne des amis d'amis ».

Elle devinait aisément ce que Catherine avait imaginé quand Clayton lui avait dit qu'il avait l'intention de lui offrir le berceau. D'ailleurs, elle devait faire attention, ou *elle-même* commencerait à s'imaginer des choses.

— Peut-être, répondit-elle, mais c'est tout de même un cadeau d'une trop grande valeur.

Il lui prit la main avec tendresse.

— J'aimerais vraiment que tu l'acceptes.

Elle n'avait pas la volonté de refuser quelque chose dont elle avait vraiment envie. Elle se retrouvait face au même dilemme tous les soirs, quand elle rejoignait Clayton dans sa chambre.

Elle avait conscience d'aller trop loin, d'être déjà en train de tomber amoureuse de lui et dangereusement près de l'être complètement. Comme si un dîner en tête à tête au Gallatin Room ne suffisait pas, maintenant, il lui offrait des cadeaux pour son bébé ! Comment une femme était-elle censée résister à un homme aussi gentil et attentionné ? Pourquoi aurait-elle *voulu* lui résister ?

Elle ne connaissait que trop bien la réponse. Parce que, la dernière fois qu'elle avait donné son cœur à un homme, on le lui avait rendu en pièces, et elle n'avait pas envie que cela se reproduise. Elle savait très bien que Clayton n'était pas comme Gene, il le lui avait prouvé de bien des façons. Cependant, elle savait aussi qu'il ne resterait pas éternellement à Thunder Canyon, ce qui signifiait qu'ils n'avaient aucun avenir ensemble.

Penser au départ inévitable de Clayton lui rappela son récent voyage à Rust Creek Falls.

— Tu m'as dit que tu avais obtenu la garde de Bennett, mais tu ne m'as jamais raconté comment cela s'était passé le jour de l'audience, la semaine dernière.

— Delia ne s'est pas opposée à ma requête.

— Je ne sais pas si je dois me réjouir ou exprimer mes regrets.

— Sur le coup, j'étais partagé, moi aussi. D'un côté, c'est un soulagement de savoir qu'elle n'a pas l'intention d'essayer de m'enlever Bennett, et qu'elle n'y parviendrait pas, même si elle essayait, mais, d'un autre côté, c'est triste de voir qu'elle ne s'intéresse vraiment pas à l'enfant qu'elle a mis au monde.

Elle lui posa une main sur le bras avec tendresse.

— Tu dois te demander comment tu expliqueras cela à Bennett quand il te posera des questions sur sa mère.

Il acquiesça d'un hochement de tête.

— Le mieux que tu aies à faire, et que tu fais déjà, c'est de veiller à ce qu'il sache que tu l'aimes, reprit-elle. Ce n'est pas à toi de gérer sa relation avec sa mère, tu ne peux pas, et tu *n'as pas* à trouver des excuses pour justifier son comportement.

— Je sais que tu as raison. En fait, je n'arrive pas à concevoir qu'elle ait choisi de me le confier et de s'en aller sans se retourner.

— Mon bébé n'est pas encore né, et je sais déjà que je ne pourrais jamais l'abandonner ou le confier à qui que ce soit.

— Pas même à son père ?

Clayton avait posé la question sans réfléchir et, apparemment, Toni répondit avec la même spontanéité.

— *Surtout pas* à son père.

A en juger par son ton catégorique et par l'éclat de colère dans ses yeux, il y avait beaucoup de choses qu'elle ne lui avait pas dites au sujet de sa grossesse.

— Je ne veux vraiment pas être indiscret…

— Alors ne le sois pas, l'interrompit-elle, visiblement plus méfiante que contrariée.

Il savait pertinemment qu'il aurait dû changer de sujet, mais c'était trop tard. Il se demandait si le père du bébé était au courant qu'il allait avoir un enfant ou s'il ignorait qu'il allait être père, comme *lui* l'avait ignoré avant le retour de Delia.

— Tu m'as dit que tu étais allée dans une clinique.

Elle secoua la tête.

— Non, *tu* m'as dit que tu avais *entendu dire* que j'étais allée dans une clinique, et je n'ai pas démenti.

— Alors c'est faux.

— Peu importe, cela ne regarde que moi.

— Et le père du bébé, lui fit-il remarquer.

— Je ne suis peut-être pas allée dans une clinique,

mais le père de mon enfant n'en est pas moins qu'un donneur de sperme.

Il perçut dans sa voix un mélange de peine, de colère et de détermination, et cela lui en dit plus long que tous les mots qu'elle aurait pu prononcer.

— Il ne voulait pas du bébé, devina-t-il.

— Quand il a appris que j'attendais un enfant, il s'est enfui le plus loin possible.

— Je suis désolé pour toi, Toni.

Elle haussa les épaules avec une désinvolture feinte.

— Il a fait son choix en partant, j'ai fait le mien en décidant d'avoir ce bébé.

— As-tu eu des nouvelles de lui depuis ?

Elle secoua la tête.

— Je l'ai appelé deux ou trois fois, pour essayer de ne pas rompre le dialogue, mais Gene m'a bien fait comprendre que cela ne l'intéressait pas.

— Peu importe que cela l'intéresse ou non, tu n'es pas tombée enceinte toute seule et, légalement, il est tenu de…

— Je ne veux rien de lui.

— Tu comptes le laisser s'en tirer comme ça ? Tu devrais l'obliger à assumer ses responsabilités.

— Mon enfant mérite mieux qu'un père qui ne veut même pas de lui.

Il ne pouvait pas dire le contraire. En fait, c'était pour une raison tout à fait comparable qu'il n'avait pas rejoint Delia en Californie : si elle se moquait éperdument de son propre fils, il valait sans doute mieux pour celui-ci qu'elle ne fasse pas partie de sa vie.

— Tu as raison, dit-il enfin. S'il n'a pas eu le courage de rester pour se comporter correctement, tant pis pour lui !

— Ce n'était pas ce que j'avais prévu. Bien sûr, j'ai

toujours rêvé de me marier et d'avoir des enfants un jour, mais je n'avais jamais imaginé élever un enfant toute seule. Je pensais que, quand j'aurais un bébé, j'aurais aussi un mari avec lequel prendre toutes les décisions importantes, partager les joies et les responsabilités.

Elle appuya sa tête contre son épaule.

— Je veux vraiment que mon enfant ait un père…

Presque aussitôt, elle s'écarta de lui, les yeux écarquillés.

— Oh, non ! je ne voulais pas… Je ne parlais pas de *toi*.

Il n'eut même pas le temps d'être pris de panique. En fait, Toni avait fait machine arrière si vite et avec une telle véhémence qu'il se sentit même un peu blessé. Il ne tenait pas à prendre en charge l'enfant de quelqu'un d'autre, il était déjà très occupé avec Bennett, mais elle n'avait pas besoin de faire une croix sur lui aussi brusquement.

— Enfin, je veux dire, tu es un excellent père pour Bennett, mais c'est *ton* fils. C'est à *moi* de m'occuper de mon bébé, et je ferai tout mon possible pour être une bonne mère, une bonne mère *célibataire*. Je n'ai jamais eu *besoin* d'avoir un homme dans ma vie jusqu'à présent, je ne vais pas commencer maintenant à en chercher un.

Il fronça les sourcils.

— Alors tu partages mon lit, mais je ne suis pas dans ta vie ?

— Bon ! Je vais y aller avant de faire une autre gaffe, assura-t-elle.

Elle prit le volumineux berceau maladroitement.

— Merci beaucoup, dit-elle. J'en prendrai grand soin.

— Ne t'en va pas, pas avant que nous ayons discuté.

— Il n'y a vraiment rien à dire…

Elle lui déposa un baiser sur les lèvres.

— … mais nous nous verrons ce soir, si tu en as toujours envie.

Il lui passa un bras autour de la taille et l'embrassa avec plus de fougue.

— Oui, j'en ai toujours envie.

Justement, le problème était là : son désir pour elle semblait intarissable.

Il n'avait aucune raison de se sentir responsable de son bébé, et, pourtant, l'imaginer seule avec son enfant, non parce qu'elle avait choisi de l'être mais parce que le sale type qui lui avait fait cet enfant n'avait aucun sens de l'honneur, éveillait en lui un instinct protecteur très fort, dont il n'avait pas eu conscience avant de la rencontrer.

Il avait cru ne pas être prêt à avoir un enfant, et, pourtant, six mois avec Bennett lui avaient prouvé le contraire. Maintenant, il savait qu'il aurait fait n'importe quoi pour son fils. Il savait aussi que, s'il restait à Thunder Canyon après la naissance du bébé de Toni, il risquait fort de s'attacher à l'enfant et à la mère.

Il n'aurait jamais imaginé ce scénario auparavant. Pour un homme qui n'avait jamais pris la vie très au sérieux, l'idée de s'engager envers une femme et de fonder une famille était *très* sérieuse.

Peut-être était-il temps pour lui de se pencher sur la question.

Tous les soirs, quand Toni rejoignait Clayton dans sa chambre, elle se demandait s'ils s'apprêtaient à passer leur dernière nuit ensemble.

Tous les soirs, il lui donnait le sentiment d'être non seulement désirée, mais aussi chérie, et tous les matins, lorsqu'elle quittait son lit, elle laissait derrière elle un petit morceau supplémentaire de son cœur.

Elle n'aurait jamais dû se laisser aller à avoir une aventure avec lui, n'aurait jamais dû répéter les erreurs qu'elle avait commises avec Gene.

Quand elle s'était lancée dans cette histoire, elle était persuadée de savoir ce qu'elle faisait cette fois. Elle se croyait vraiment capable d'avoir une relation purement physique avec un homme, sans rien espérer de plus.

Hélas, son cœur l'avait trahie ; son cœur, mais aussi sa meilleure amie ! Comme elle ne pouvait rien faire contre la faiblesse de son cœur, elle alla voir Catherine à la place.

— Je n'arrive pas à croire que tu l'aies laissé acheter ce berceau, grommela-t-elle, assise à la table en chêne, chez son amie.

— Tu m'as dit de le vendre, fit remarquer Catherine en lui tendant une tasse de tisane.

— Oui, mais pas à Clayton, et pas pour mon bébé !

— Pourquoi pas ?

— Parce que cela m'a bouleversée.

Catherine s'assit en face d'elle avec sa propre tasse.

— Comment ça ?

Toni la regarda d'un air menaçant.

— A cause de toi, je suis tombée amoureuse de lui !

Son amie eut un grand sourire.

— Ma chérie, tu étais amoureuse bien avant que Clayton ne me donne sa Carte bleue !

— C'est faux.

Cependant, si elle était parfaitement honnête avec elle-même, elle devait bien admettre qu'elle ne savait pas exactement quand ni comment c'était arrivé, mais elle était bel et bien amoureuse de Clayton Traub.

Rétrospectivement, elle se rendait compte qu'il n'aurait pas pu en être autrement.

Quelle femme aurait pu rester insensible au charme d'un homme qui aimait à ce point son fils ? Quelle femme aurait pu rester indifférente à un homme qui était non seulement gentil et attentionné, mais aussi toujours prêt à rendre service et à participer aux tâches ménagères ? Quelle femme aurait pu ne pas s'attacher à un homme sachant apprécier une comédie romantique en sa compagnie ? Quelle femme aurait pu résister à un homme capable de passer toute la nuit dans une écurie pour veiller sur une jument qui mettait bas pour la première fois ? Enfin, quelle femme aurait pu ne pas tomber amoureuse d'un homme qui avait acheté un berceau pour l'enfant qu'elle portait ?

— Tu n'avais pas encore mangé la moitié des Milk Duds que tu étais déjà amoureuse de lui ! dit Catherine en riant, l'arrachant à ses pensées.

— Je n'aurais jamais dû te parler des Milk Duds, marmonna Toni.

— Je ne comprends pas pourquoi cela ne te rend pas heureuse.

— Parce que je ne veux pas avoir le cœur brisé une deuxième fois.

— L'homme qui a acheté ce berceau pour toi n'a pas l'intention de te briser le cœur.

— Evidemment qu'il n'en a pas l'*intention*. Il ne sait probablement même pas qu'il en a les moyens, je lui ai dit dès le début que je n'attendais aucun engagement de sa part.

Catherine fronça les sourcils.

— Tu lui as dit *ça* ?

— Sur le moment, je le pensais.

— De toute évidence, les choses ont changé.

— Pas pour lui, dit Toni d'un ton catégorique.

— Comment peux-tu en être sûre ?

— Il m'a bien fait comprendre qu'il n'avait pas du tout envie d'avoir de nouveau un nourrisson dans sa vie.

Catherine semblait sincèrement déconcertée.

— Mais… il t'a acheté un berceau !

Justement, toute l'ironie de la situation était là : il avait choisi le cadeau idéal pour le bébé qu'elle allait mettre au monde, alors qu'il n'avait absolument pas l'intention de s'attarder après sa naissance.

Elle ne pouvait pas le lui reprocher, après tout, il devait déjà s'occuper de son enfant à *lui*.

Elle aurait aimé que le père de son bébé ait manifesté autant d'intérêt pour son enfant que Clay en manifestait pour Bennett. Pourtant, au fond, elle savait que son bébé et elle seraient mieux sans Gene. Elle ne voulait certainement pas d'un homme qui ne voulait pas d'elle, et puisqu'il n'avait aucune envie d'être père, il valait mieux qu'il ne fasse pas partie de la vie de son enfant.

— Je suis sûre que tu te trompes, dit Catherine, la rappelant une fois de plus à la réalité. Les sentiments de Clayton ont probablement évolué aussi, et d'ici quelques semaines…

— Je ne peux pas continuer comme ça pendant des semaines. Je ne peux pas continuer comme ça pendant des *jours*. Il faut que je sois réaliste : je n'ai aucune perspective d'avenir avec Clayton.

Son amie soupira.

— Ça va aller ?

— Ça va aller, répondit résolument Toni.

Tout allait bien avant l'arrivée de Clayton, tout irait bien après son départ. Elle aurait peut-être le cœur gros, mais la douleur finirait par s'apaiser.

Gene l'avait blessée dans son orgueil plus que toute

autre chose. Il lui faudrait plus de temps pour se remettre du départ de Clayton, car ses sentiments pour lui étaient bien plus forts et bien plus profonds que tout ce qu'elle avait pu éprouver pour Gene, mais elle était sûre qu'elle finirait par aller de l'avant. Le temps guérissait toutes les blessures.

Elle n'avait rien à reprocher à Clayton. Ils ne s'étaient fait aucune promesse, n'en avaient *voulu* aucune. Du moins, c'était ce qu'elle avait cru au tout début de leur relation, mais, après tout ce temps passé en sa compagnie, elle avait envie de plus : d'un mari, d'un père pour son bébé, d'une famille. Elle savait qu'il ne pouvait pas lui offrir ce dont elle avait envie, mais n'était pas prête à renoncer à ses rêves.

Elle préférait être seule plutôt qu'avec quelqu'un qui n'avait pas les mêmes attentes qu'elle, et elle se débrouillerait très bien toute seule, comme elle l'avait toujours fait.

Le lendemain matin, à l'heure du petit déjeuner, Clay fut soulagé de voir que Toni était aussi radieuse et souriante que d'habitude. Elle ne l'avait pas retrouvé dans les écuries, la veille au soir, et il s'était inquiété. Il lui avait envoyé un texto, auquel elle avait mis longtemps à répondre. Elle avait fini par lui envoyer un message étonnamment bref :

J'ai un empêchement, on se voit demain.

Le caractère vague de ce message lui avait laissé penser que quelque chose n'allait pas, et elle le conforta dans cette idée en ne s'attardant pas à leur table, pas même pour s'occuper de Bennett. Malheureusement, il ne pouvait pas décemment la questionner devant les autres clients attablés pour prendre leur petit déjeuner. Il attendit donc que tout le monde soit parti pour lui parler.

— Tu m'as manqué, hier soir.

Ce n'était pas ce qu'il avait eu l'intention de dire, mais c'était la vérité. Ce n'était pas seulement faire l'amour avec elle qui lui avait manqué, c'était aussi sa compagnie et sa conversation.

— J'avais des courses à faire en ville hier, j'étais épuisée quand je suis rentrée.

C'était une explication tout à fait plausible, mais elle avait soigneusement évité de croiser son regard en prononçant ces mots, et il ne put s'empêcher de soupçonner qu'elle ne lui avait pas tout dit.

— Tu viendras me voir ce soir ?

Elle garda les yeux rivés sur les assiettes qu'elle était en train d'empiler.

— Je crois que ce ne serait pas une bonne idée.

— Pourquoi ?

— Parce que je ne m'étais pas attendue à ce que…

Elle s'interrompit un instant, puis fit un geste vague les englobant tous les deux.

— … *cela* dure aussi longtemps.

Il fronça les sourcils, perplexe.

— Est-ce que tu essaies de me dire que tu as l'habitude des aventures d'un soir ?

Elle rougit.

— Non, bien sûr que non, mais ni toi ni moi ne voulons d'une relation en ce moment.

— Et, pourtant, c'est exactement ce que nous avons.

— Non, dit-elle en secouant énergiquement la tête.

— Tu es en train de me quitter ?

Elle prit une profonde inspiration et le regarda enfin.

— Je mets un terme à notre relation avant d'être trop attachée à toi.

Il écarquilla les yeux, stupéfait. Elle le quittait bel et bien ! Il ne savait pas vraiment à quoi il s'était attendu en lui posant cette question, mais certainement pas à ce qu'elle acquiesce.

— Et moi ? Comment sais-tu que je ne suis pas attaché à toi ?

— Tu ne t'attaches jamais, répondit-elle. Tu me l'as bien fait comprendre dès le début, et j'apprécie que tu aies été honnête avec moi. Je me suis lancée dans cette histoire avec toi, uniquement parce que je pensais pouvoir me contenter d'une aventure sans lendemain, mais je me trompais. Plus je passe de temps avec toi et avec Bennett, plus j'ai envie d'en passer.

Il haussa les sourcils, incrédule.

— Tu me quittes parce que tu as envie d'être avec moi ?

— Si tu mettais de côté ton orgueil blessé pendant une seconde, tu t'apercevrais que la meilleure chose à faire, pour toi comme pour moi, est de tout arrêter maintenant, avant que je commence à espérer des choses.

— Et si je ne suis pas d'accord ?

Elle s'essuya les doigts sur une serviette en papier.

— Tu ne te rappelles pas m'avoir dit que les premières semaines avec Bennett avaient été éprouvantes, qu'il pleurait tellement que tu avais envie de t'arracher les cheveux ?

Encore maintenant, il ne put s'empêcher de faire la grimace en y repensant et, manifestement, Toni s'en aperçut.

— Eh bien, dans un mois, je vais avoir un bébé qui va pleurer à longueur de temps, lui rappela-t-elle avec douceur.

— Tu ne me crois pas capable de le supporter ? demanda-t-il d'un ton de défi.

— Je ne crois pas que tu aies *envie* de le supporter.

— Je ne veux pas te perdre.

A son grand désarroi, il vit ses yeux s'emplir de larmes.

— Nous n'avions pas l'intention de vivre plus qu'une brève aventure, ensemble.

Il aurait voulu pouvoir prétendre le contraire, mais elle avait raison. Au début, il avait envisagé une relation éphémère. Pourtant, au fur et à mesure, les choses avaient évolué, du moins, à ses yeux à *lui*.

— J'ai peut-être changé d'avis.

— Vraiment ? demanda-t-elle d'un air provocant. Tu veux te marier et fonder une famille ?

Instinctivement, il fit un pas en arrière. Elle eut un sourire narquois.

— Ne t'inquiète pas, ce n'était pas une demande en mariage, juste une question.

— Ce n'est pas parce que je n'ai pas envisagé ces possibilités que je ne voudrai jamais de ces choses.

— Mais tu n'en veux pas pour l'instant, et moi, *oui*. Je veux un mari, un père pour mon bébé, quelqu'un qui nous aimera tous les deux et qui voudra passer toute sa vie avec nous.

— Tu ne me laisses même pas ma chance !

— Je viens de le faire, répliqua-t-elle avec un sourire sans joie.

Il ne la suivit pas quand elle emporta les assiettes sales dans la cuisine. Il ne savait pas quoi ajouter pour l'instant. Il ne savait même pas s'il pouvait dire quoi que ce soit pour la faire changer d'avis.

Peut-être avait-elle raison. Ils étaient à des étapes différentes de leurs vies, et n'avaient pas les mêmes attentes.

Il n'avait certainement pas cherché à avoir une relation sérieuse en venant à Thunder Canyon, et même quand Toni et lui avaient commencé à passer leurs nuits ensemble, il ne s'était pas attendu à s'attacher à elle à ce point, en si peu de temps.

Même si ses sentiments étaient plus profonds qu'il n'avait d'abord voulu l'admettre, il ne souhaitait toujours pas tomber amoureux. Cela étant, mettre un terme à leur relation était peut-être *réellement* ce qu'il y avait de mieux à faire.

Cependant, si c'était ce qu'il y avait de mieux à faire, pourquoi était-il aussi malheureux ?

- 13 -

Clay avait appris à écouter son instinct. Ainsi, quand Toni ne décrocha pas son téléphone portable et qu'il eut un mauvais pressentiment, il sut tout de suite que quelque chose n'allait pas.

Il pensa d'abord qu'elle filtrait simplement ses appels et ne voulait pas lui parler, mais cela lui paraissait très peu probable. Elle ne jouait jamais à ce genre de petits jeux. Même au cours des quatre jours qui s'étaient écoulés depuis qu'elle avait mis un terme à leur relation, elle avait continué à être agréable et polie. Elle s'était montrée un peu plus distante que d'habitude, mais ne l'avait pas ignoré. Quand elle avait quelque chose à dire, elle le disait, et si elle n'avait pas eu envie de lui parler, elle aurait décroché son téléphone pour le lui faire savoir.

Pourquoi ne répondait-elle pas ? Où pouvait-elle bien être ? Elle n'avait pas dû s'aventurer bien loin. Bien sûr, s'il y avait eu un problème à régler à l'autre bout du ranch, elle n'aurait pas hésité à y aller. « Mlle Indépendante », comme ses propres frères l'avaient surnommée, ne demandait jamais d'aide à personne. Elle ne demandait jamais *rien* à personne.

Il ouvrit la porte des écuries et perçut tout de suite l'agitation des chevaux dans leurs stalles. Un gémissement plaintif lui parvint. Pris de panique, il se précipita aussitôt dans la direction d'où il provenait.

— Toni ?

— Je… suis là.

Il se dirigea au son de sa voix. Quand il la trouva enfin, elle s'était effondrée contre la porte de la stalle de Daisy Mae. Il s'agenouilla à côté d'elle. Elle était haletante, ses traits semblaient contractés par la douleur.

— Que s'est-il passé ? Tu es blessée ?

Elle fit non de la tête.

— Je crois que… je vais… accoucher !

Il posa une main sur son ventre, tendu comme la peau d'un tambour.

— Quand as-tu commencé à avoir des contractions ?

— Je ne sais pas. Je suis venue voir… Maisy Rae… après le déjeuner.

— Pourquoi n'as-tu appelé personne ?

— Je n'avais pas… mon portable. J'essayais d'atteindre… le téléphone du bureau, répondit-elle en faisant un geste vague dans la direction du fond de la grange.

Elle leva vers lui ses beaux yeux verts, et il vit dans son regard encore plus de peur que de souffrance.

— C'est trop tôt…

— Ma mère a eu six enfants, et elle a toujours dit que les bébés arrivaient quand ils étaient prêts. Apparemment, Antonia Junior est prête !

Elle esquissa un sourire.

— Je n'appellerai pas ma fille Antonia.

— Pourquoi pas ? C'est un beau prénom.

— Si c'est une fille, je l'appellerai Lucinda, dit-elle d'un ton décidé, comme ma mère.

— Lucinda est aussi un très beau prénom.

Il se doutait que c'était normal pour une femme sur le point de mettre au monde son premier enfant de penser à sa mère, et Toni devait d'autant plus penser à la sienne qu'elle l'avait perdue deux ans plus tôt.

— J'ai peur…

— Tout va très bien se passer, promit-il d'un ton rassurant. Essaie de te détendre…

Elle le regarda d'un air incrédule.

— De me détendre ?

— Je suis désolé, je ne sais pas vraiment ce que je suis censé dire ou faire. Respire ?

Elle parvint à esquisser un autre sourire.

— Je vais essayer ça.

Tout en lui parlant, il composa le numéro des urgences sur son téléphone.

Dès qu'il eut quelqu'un en ligne, il s'efforça de parler clairement et calmement, conscient qu'il ne serait d'aucun secours à Toni s'il cédait lui aussi à la panique.

— Je suis avec une jeune femme sur le point d'accoucher prématurément.

— S'agit-il de sa première grossesse ?

— Oui.

— Quand devait-elle accoucher ?

Il posa la question à Toni et répéta sa réponse.

— Dans deux semaines.

— A-t-elle des contractions ?

Il n'eut pas besoin de consulter la future maman pour répondre à cette question-là.

— Oui.

— Quand les contractions ont-elles commencé ?

— Il y a moins d'une heure.

— De combien de minutes sont-elles espacées ?

Il jeta un coup d'œil à sa montre alors que Toni lui prenait la main et s'y cramponnait.

— De trois minutes environ.

— Nous vous avons envoyé une ambulance, les secours devraient être chez vous dans moins de dix minutes.

Il transmit l'information à Toni, qui hocha la tête.

— L'accouchement ne semble pas imminent, dit la standardiste, au grand soulagement de Clay, mais je vais rester en ligne jusqu'à l'arrivée des secours, pour que vous puissiez me tenir au courant si la situation évolue.

— D'accord, merci ! Tout va bien se passer, ajouta-t-il en regardant Toni.

Elle hocha la tête. Il savait qu'elle voulait *vraiment* le croire, mais la peur se lisait dans ses yeux.

L'ambulance arriva dix minutes plus tard, comme prévu. Les ambulanciers déposèrent Toni sur une civière avec rapidité et efficacité, puis ils l'installèrent à l'arrière du véhicule.

Clay s'aperçut qu'ils le prenaient sans doute pour le père du bébé, et il ne fit rien pour les détromper, de crainte qu'ils ne le laissent pas monter dans l'ambulance. Il n'aurait quitté Toni pour rien au monde. De toute façon, à en juger par la force avec laquelle elle serrait sa main dans la sienne, elle n'avait pas du tout envie d'être seule.

Il remercia la standardiste pour son aide, raccrocha, et appela son frère pour lui expliquer brièvement la situation. Forrest lui promit de bien s'occuper de Bennett pendant qu'il serait à l'hôpital.

— Prends bien soin d'elle, ajouta-t-il au moment où Clay s'apprêtait à raccrocher.

Forrest avait pris un ton un peu bourru, mais Clay perçut son inquiétude. De toute évidence, depuis son arrivée à Wright's Way, son frère aussi s'était pris d'affection pour Toni.

— C'est promis, répondit Clay.

Après avoir raccroché, il remit son téléphone dans sa poche et reporta toute son attention sur Toni.

L'urgentiste posa son stéthoscope.

— Les battements du cœur de votre bébé sont forts et réguliers, et vos contractions sont assez rapprochées. C'est votre première grossesse ?

— Oui.

— Quand avez-vous vu votre médecin pour la dernière fois ?

— Il y a…

Elle retint son souffle et ferma les yeux quelques instants.

— … quatre jours.

— Et il ne vous a pas dit que vous risquiez d'accoucher plus tôt que prévu ?

Elle ouvrit de nouveau les yeux, et Clay vit qu'ils étaient emplis de larmes.

— Est-ce que… ça va aller… pour mon bébé ?

— Il n'y a absolument aucune raison de croire le contraire. Je n'ai jamais vu un premier-né si pressé de venir au monde, c'est tout.

— Ce doit être une fille, dit Clay d'un ton taquin, les femmes n'ont aucune patience !

— Je dirais plutôt que c'est un garçon, dit l'urgentiste, les femmes sont rarement à l'heure, et certainement jamais en avance…

— Sommes-nous… encore loin… de l'hôpital ? demanda Antonia.

— Nous y serons dans moins de cinq minutes.

— Tiens bon, dit Clay d'un ton suppliant.

— Je ne peux pas…

— Vous vous en sortez très bien.

Le médecin se plaça au pied de la civière et souleva légèrement le drap.

— Vous êtes dilatée au maximum.

— Je peux pousser ?

Non, pensa Clay, *non, par pitié !*

— A la prochaine contraction.

— Mais nous ne sommes pas encore à l'hôpital ! protesta Clay.

— Nous y sommes presque.

Toni commença à pousser.

— Très bien ! l'encouragea le médecin. Poussez pendant la contraction et inspirez quand ça se calme !

Elle prit une profonde inspiration.

— Ça va se calmer ?

Le médecin sourit.

— C'est difficile à croire pour l'instant, je sais… Oh ! Je vois la tête du bébé. Très bien, ajouta-t-il quand toute la tête du bébé eut apparu, soufflez pendant une minute… et poussez !

Enfin, tandis que le conducteur se garait juste devant l'hôpital, Toni poussa une dernière fois et mit au monde sa petite fille.

— Eh bien, ça alors ! dit l'urgentiste en riant. C'est bel et bien une fille !

Des larmes coulaient sur les joues de Toni.

— Elle va bien ? demanda-t-elle d'une voix tremblante.

En guise de réponse, le nouveau-né poussa un cri d'indignation.

— Très bien !

— Elle a dix doigts, dix orteils, et elle est absolument magnifique, murmura Clay.

Une équipe médicale attendait la jeune maman et son bébé à l'entrée de l'hôpital. Clay n'avait pas envie de quitter Toni, mais il avait peur de gêner le personnel médical et décida donc de se mettre un peu à l'écart pour appeler son frère.

Au moment où il raccrochait, après avoir raconté à Forrest les détails de la naissance du bébé et s'être assuré que Bennett allait bien, il vit le père de Toni sortir de l'ascenseur en trombe.

A en juger par son aspect, on aurait dit que John Wright était venu jusqu'à l'hôpital en courant. Il était échevelé, son visage était tout rouge, et il jetait autour de lui des regards affolés.

Il aperçut enfin Clay et se précipita vers lui.

— Forrest m'a prévenu ! Toni ?... balbutia-t-il.

— Antonia va bien.

— Elle... elle va bien ?

— Très bien. Elle est là-bas, répondit Clay en indiquant une porte à l'autre bout du couloir, avec votre petite-fille.

John sourit faiblement.

— Ma petite-fille... Je peux aller les voir ?

— Je suis sûr que Toni vous attend avec impatience.

John tendit la main, et Clay la serra dans la sienne.

— Merci, dit John, merci d'avoir été là... pour elles deux.

De fait, ce qu'il désirait le plus au monde était bel et bien d'être avec Toni et son bébé.

La question que tu dois te poser maintenant, c'est : es-tu prêt à admettre que tu veux d'elle dans ta vie, pas seulement pour quelques nuits, mais pour toujours ?

Il s'était moqué de son frère quand ce dernier lui avait fait cette remarque mais, maintenant, il avait envie de répondre à cette question cruciale par un oui catégorique.

Cependant, il pressentait qu'il allait devoir faire preuve de ténacité s'il voulait convaincre Toni.

Quand Toni entendit des pas dans le couloir, derrière la porte de sa chambre, elle se redressa et s'arma de courage. Clay avait été absolument parfait tout au long de son accouchement, mais elle ne pouvait pas se permettre de croire que les choses avaient changé. Ils avaient passé quelques semaines merveilleuses ensemble, mais leur relation était maintenant terminée.

Maintenant, elle allait s'occuper de son bébé et de son avenir. Clay ferait la même chose de son côté, avec un peu de chance à Rust Creek Falls, car, malgré la détermination dont elle avait l'intention de faire preuve, cela lui serait très douloureux de le voir et de voir Bennett tous les jours sans pouvoir être avec eux.

Son père entra, interrompant le fil de ses pensées.

— Voici ma petite fille, s'écria-t-il d'un ton profondément soulagé, et *sa* petite fille !

Il regarda le bébé en souriant.

— Bonjour, papa !

Il lui déposa un baiser sur le front.

— Comment te sens-tu ?

— Bien mieux, maintenant ! Au début, j'étais complètement affolée.

— Tu t'en es très bien sortie, dit-il fièrement. Elle est très belle, comme toi quand tu es née.

— C'est vrai ? demanda-t-elle, heureuse de savoir que sa fille lui ressemblait.

— Oui, répondit son père, et tu ressemblais beaucoup à ta maman quand elle était bébé.

Elle sentit des larmes lui monter aux yeux.

— Dans ce cas, j'ai bien fait de lui donner son prénom.

— Tu… tu l'as appelée Lucinda ?

Elle hocha la tête.

— Lucinda Margaret.

Ce fut au tour de son père d'avoir les larmes aux yeux.

— Je m'inquiétais pour toi, il y a quelques mois, mais maintenant tu as une adorable petite fille, et un homme à tes côtés qui sera un très bon père pour elle.

— Si tu parles de Clayton…

— Bien sûr que je parle de Clayton !

— Je ne le connais que depuis deux mois, lui rappela-t-elle, et ce n'est pas le père de mon bébé.

— Etre un bon père n'est pas forcément une question de biologie, et ce n'est pas parce qu'on est le père biologique d'un enfant que l'on est un bon père, j'en suis la preuve vivante.

— Qu'est-ce que tu racontes ?

— Je raconte que j'ai été un très mauvais père depuis la mort de ta mère.

— Tu souffrais, dit-elle d'une voix douce.

— Ce n'est pas une excuse. J'ai perdu mon épouse, mais toi et tes frères avez perdu votre mère, et j'étais trop pris dans ma propre souffrance pour vous aider.

— Nous savons tous que tu l'aimais de tout ton cœur.

— Je l'aime toujours, et elle me manque toujours, à chaque instant.

— Elle me manque, à moi aussi, admit-elle.

— Je vais faire tout mon possible pour être un meilleur père, et un bon grand-père pour ma petite-fille.

— J'en suis persuadée.

Ses yeux s'emplirent de nouveau de larmes. Apparemment, ses hormones étaient encore plus instables maintenant que pendant sa grossesse. Un rien l'émouvait !

Maintenant qu'elle pouvait enfin prendre son enfant dans ses bras, elle était au comble du bonheur. Elle avait d'abord eu peur que son bébé soit né prématurément mais, en fin de compte, sa fille était en parfaite santé. Elle n'était sans doute pas objective, mais elle n'avait jamais vu de plus beau bébé.

Cependant, une pointe de chagrin se mêlait à sa joie car, même si la naissance de Lucinda Margaret indiquait le début d'un nouveau chapitre de sa vie, elle confirmait également la fin de sa relation avec Clayton, et ce chapitre-là avait été bien trop court à son goût.

Certes, c'était *elle* qui avait rompu, mais elle l'avait fait uniquement parce qu'elle savait leur relation vouée à l'échec. Elle s'était dit qu'en y mettant un terme d'elle-même elle garderait un certain contrôle sur ses émotions, mais bien sûr elle s'était illusionnée : qu'elle passe ses nuits aux côtés de Clayton ou seule dans son propre lit, son cœur était avec lui.

Si elle avait eu des doutes quant à la profondeur de ses sentiments pour lui, ils avaient été complètement dissipés après qu'elle eut mis au monde son enfant à ses côtés. Elle ignorait s'il avait été blessé ou simplement vexé quand elle l'avait quitté mais, dans les tous les cas, il avait été là pour elle quand elle avait eu besoin de lui. Elle lui en serait éternellement reconnaissante, ainsi que du temps qu'ils avaient passé ensemble.

Son aventure avec Gene lui avait laissé de tristes souvenirs ; un bébé qu'elle aimait de tout son cœur, certes, mais aussi de tristes souvenirs. Quand il l'avait quittée, elle avait eu l'impression d'avoir fait quelque chose de mal, l'impression que tout était sa faute. Elle s'était même demandé si quelque chose clochait chez elle, s'il y avait quelque chose en elle qui expliquait qu'il ne se soit pas attaché.

Clayton, lui, avait été gentil et attentionné, prévenant et affectueux. Plus important encore : il avait été parfaitement honnête quant à ses intentions. Elle savait depuis le début que leur relation serait éphémère, mais elle avait apprécié chaque instant passé en sa compagnie et en chérirait le souvenir toute sa vie.

*
* *

Clay était heureux de laisser John seul avec sa fille et sa petite-fille, car il savait que c'était un moment important pour tout le monde, mais il avait hâte de retourner au chevet de Toni. Maintenant qu'il avait conscience de la profondeur de ses sentiments pour elle, il voulait lui en faire part le plus vite possible. Avec un peu de chance, si elle éprouvait la même chose, ils commenceraient à faire des projets d'avenir ensemble.

Cependant, les frères de Toni arrivèrent avant qu'il n'ait eu le temps de se déclarer. De toute évidence, les trois hommes ne savaient absolument pas comment tenir un nouveau-né dans leurs bras car, quand leur sœur leur tendit le petit bébé emmailloté dans sa couverture rose, ils eurent tous un mouvement de recul instinctif.

Clay en éprouva de la sympathie pour eux. Il avait connu la même inquiétude quand Delia lui avait mis Bennett dans les bras pour la première fois, mais la peur avait rapidement laissé place à l'affection, puis à un amour assez grand pour emplir tout son cœur.

Il aurait cru ne pouvoir aimer personne comme il aimait son fils, mais il avait récemment découvert que plus l'on aimait, plus l'on était capable d'amour. Son amour pour Bennett ne s'était absolument pas amoindri et, pourtant, Clay était tombé amoureux de Toni et aimait aussi sa fille, maintenant.

— L'un de vous pourrait-il appeler Peggy et lui demander de s'occuper du petit déjeuner pour moi ? demanda Toni à ses frères.

— C'est déjà fait, répondit Hudson.

— Et Nora nous a promis d'arriver à 6 heures pour faire le service, ajouta Jonah, même si elle nous a bien fait comprendre qu'elle espérait avoir une prime.

Toni sourit.

— Je veillerai à ce qu'elle en ait une.

— Combien de temps les médecins pensent-ils te garder ici ? demanda John.

— Quelques jours seulement, pour s'assurer qu'il n'y a aucune complication.

— Tant mieux, dit le père de Toni, le plus important, c'est que Lucinda et toi soyez en bonne santé.

Ses frères étaient contents qu'elle ait donné à sa fille le prénom de leur mère. Seul Ace se montra assez peu délicat pour lui demander quel nom de famille serait inscrit sur l'extrait de naissance.

— Wright, répondit Toni sans sourciller.

Ace se renfrogna. Leur père lui lança un regard d'avertissement.

— Lucinda Wright… Ça sonne bien, dit-il d'un ton indiquant que le chapitre était clos.

Clay était d'accord, cela sonnait bien. Toutefois, il trouvait que « Lucinda Traub » sonnait encore mieux, aussi bien qu'« Antonia Traub ». Il avait envie de demander à Toni ce qu'elle en pensait, mais ne pouvait décemment pas le faire tant que son père et ses frères étaient dans la chambre.

Quand une infirmière entra pour voir comment allait Toni et lui proposer d'essayer de nouveau de nourrir le bébé, son père et ses frères s'empressèrent de sortir, mais Clay s'attarda.

— Ma présence ne te met pas mal à l'aise ? demanda-t-il.

Toni donna le sein à son bébé et sourit.

— Tu étais là quand j'ai accouché, je me vois mal jouer la carte de la pudeur maintenant. D'un autre côté, Bennett doit se demander où tu es.

— Bennett est avec son oncle préféré, je suis sûr que je ne lui manque pas.

— Peut-être, mais ce n'est pas la peine que tu restes ici.

— Et si j'ai *envie* de rester ?

Elle baissa les yeux.

— J'apprécie tout ce que tu as fait aujourd'hui, mais je vais bien, maintenant.

— Tu es toujours décidée à tout faire toute seule, n'est-ce pas ?

Elle fronça les sourcils.

— Je pensais que tu serais soulagé que je te laisse enfin partir.

— Peut-être que j'*aime* être là pour toi, savoir que tu as eu besoin de moi.

— J'ai eu besoin de toi, c'est vrai. Je ne sais pas ce que j'aurais fait sans toi aujourd'hui.

— Alors pourquoi me repousses-tu maintenant ?

— Je ne te repousse pas, je te laisse partir.

— Oui, tu m'as tenu le même laïus il y a quelques jours, lui rappela-t-il. Et si je n'ai pas *envie* de partir ?

Elle se passa une main sur le front dans un geste trahissant sa lassitude.

— Tu as déjà un enfant, et ta vie est à Rust Creek Falls. Tu n'as pas à t'occuper de moi et de mon bébé.

— Nous pourrions peut-être en discuter ?

— Pas maintenant.

— Dans ce cas, peux-tu au moins me dire pourquoi tu ne veux pas que je reste ?

Elle fit non de la tête.

Frustré, en colère, il soupira et se dirigea vers la porte. Cependant, au moment même où il posait la main sur la poignée, il l'entendit murmurer :

— Parce que tu ne resteras pas éternellement, et que je souffrirai encore plus quand tu partiras bel et bien.

- 14 -

Antonia parvint à retenir ses larmes jusqu'à ce que Clayton ait refermé la porte derrière lui. Elle pleura sans vraiment savoir pourquoi : elle ne pouvait pas être triste qu'il soit parti alors que c'était *elle* qui lui avait demandé de s'en aller.

— Nous allons très bien nous en sortir, promit-elle à sa fille dans un murmure.

Cependant, ces mots ne l'apaisèrent pas. Elle ne voulait pas seulement « s'en sortir », elle voulait que Clayton fasse partie de sa vie, de *leur* vie.

Hélas, il était parti, comme Gene. Bien sûr, la comparaison était injuste, elle s'en rendait compte. Gene s'était enfui, tandis que Clayton avait fini par s'en aller parce qu'elle le lui avait demandé à plusieurs reprises.

En fait, il respectait simplement le souhait qu'elle avait exprimé, mais elle aurait préféré qu'il tienne autant à elle qu'elle tenait à lui ou, du moins, suffisamment pour se battre pour elle.

Cependant, elle avait conscience d'être complètement déraisonnable. Si elle aimait Clayton au point de se battre pour lui, pourquoi l'avait-elle chassé ? Pourquoi ne pas lui avoir avoué ses sentiments et demandé de rester ?

— S'il revient demain, murmura-t-elle en essuyant les larmes qui coulaient sur ses joues, je lui dirai la vérité.

Elle savait qu'elle prendrait un risque, si elle le faisait, mais si jamais sa déclaration ne l'effrayait pas, sa vie serait considérablement plus belle.

Clay ne partit pas. Après avoir été congédié par Toni, il fit les cent pas dans le couloir pendant un bon moment, plongé dans ses pensées.

Que devait-il faire ? Respecter sa requête et retourner au ranch ? Ou écouter son cœur et rester près d'elle ?

Indécis, il alla à la cafétéria prendre un café qu'il n'avait même pas envie de boire. Quand il remonta au service de maternité, il vit que Lucinda était dans la pouponnière, probablement pour que sa maman puisse se reposer un peu. Catherine admirait le bébé à travers la vitre.

— Elle est magnifique, n'est-ce pas ?

— Presque aussi belle que sa maman, répondit-il.

Comme si elle avait conscience qu'on parlait d'elle, Lucinda ouvrit ses grands yeux bleus, pleins d'innocence. L'espace d'un instant, il eut l'impression qu'elle le regardait. Profondément ému, il se jura de faire tout son possible pour protéger cette petite fille et sa mère, car il les aimait toutes deux follement.

— Vous êtes vraiment amoureux, hein, cow-boy ? lui demanda Catherine, visiblement amusée.

— Oui.

Elle haussa les sourcils, apparemment surprise par sa franchise.

— Est-ce que cela signifie que vous allez vous attarder à Thunder Canyon ?

— Cela signifie que je vais rester aussi longtemps que le voudra Toni… voire un peu plus longtemps même, ajouta-t-il avec ironie.

— Si jamais vous avez l'intention de l'épouser, sachez

que j'ai de très belles bagues, à la boutique. D'ailleurs, Toni en a repéré une qu'elle aime particulièrement.

— Je m'en souviendrai.

Pendant que Catherine allait voir son amie, Clay continua à observer Lucinda. La petite avait vraiment de la chance d'avoir une mère qui l'aimait de tout son cœur.

Une fois de plus, il pensa à la façon dont Delia avait rejeté Bennett. Bien sûr, il n'avait pas été à ses côtés pendant sa grossesse ou pendant l'accouchement, et peut-être que cette période avait été dure pour elle.

Soudain, la conversation dont il n'arrivait pas à se souvenir, mais qui le tracassait confusément depuis la réouverture du Hitching Post, lui revint à la mémoire avec une grande clarté.

« Je ne comprends pas comment Grace a pu abandonner son fils et continuer à faire sa vie comme s'il n'était jamais venu au monde, disait Ellie.

« Je crois qu'elle n'a pas vraiment eu le choix, répondait Bob. Doug n'aurait jamais accepté d'élever l'enfant d'un autre homme. »

A l'époque où il avait surpris cette conversation, il était encore enfant. Il était trop jeune pour comprendre exactement ce que ses parents disaient, ou mesurer toute la portée de leurs paroles. Maintenant, en revanche, il s'apercevait que, si sa mémoire était bonne, sa tante avait donné naissance à un enfant dont le père n'était pas le père de D.J. et de Dax. Ses cousins devaient donc avoir un demi-frère, quelque part.

Il allait en parler avec ses parents mais, pour le moment, il avait d'autres préoccupations.

Il fallait qu'il trouve le moyen de convaincre Toni

qu'il désirait sincèrement jouer le rôle de père pour sa petite fille.

Toni se réveilla à l'aube, comme tous les jours. Tandis que ses yeux s'habituaient à la pénombre de la pièce, elle prit conscience que tout était différent. La veille, quand elle s'était réveillée, elle était enceinte. Aujourd'hui, elle était mère.

On lui avait ramené Lucinda dans la nuit pour qu'elle la nourrisse, et elle avait demandé que sa fille reste à ses côtés, dans son berceau.

Elle se pencha vers Lucinda et caressa du bout du doigt la petite joue toute douce du bébé. La petite, emmaillotée dans une couverture rose, resta profondément endormie.

Elle jeta alors un coup d'œil en direction de la fenêtre, et s'aperçut que sa fille n'était pas la seule à dormir : Clayton était affalé dans un fauteuil, dans un coin de la pièce. Quand elle le vit, son cœur fit un bond dans sa poitrine. A en juger par sa barbe naissante et ses vêtements froissés, il avait passé une bonne partie de la nuit dans la chambre.

L'espace d'un instant, elle se laissa aller à imaginer ce que ce serait de s'éveiller tous les matins à côté de lui, mais, en dépit de tout ce qu'ils avaient vécu ensemble au cours des dernières semaines, elle n'avait pas lieu de croire qu'il aurait envie de rester à Thunder Canyon pour partager sa vie et celle de sa fille. Au contraire, il devait avoir hâte de partir.

Il était un très bon père pour Bennett, mais elle pouvait douter qu'il ait envie de s'occuper de l'enfant d'un autre homme.

Oui, elle comprenait toutes les raisons pour lesquelles

il partirait. Ce qu'elle ne comprenait pas, c'était pourquoi il était resté avec elle aussi longtemps, pourquoi il avait passé la nuit dans un fauteuil, mais le simple fait de le voir là lui donnait de l'espoir.

Lucinda commença à s'agiter, et Toni reporta tout de suite son attention sur elle. Elle lui sourit, voyant que la petite avait maintenant les yeux grands ouverts.

— Regardez qui est réveillée ! murmura-t-elle en prenant de quoi la changer. Je suis sûre que tu as faim…

Dès que Lucinda fut enveloppée dans une couverture propre, Toni se recoucha avec elle et lui donna le sein.

Quand elle leva de nouveau les yeux, elle s'aperçut que Clayton était réveillé et qu'il la regardait.

— Bonjour, dit-il d'une voix douce, comme pour ne pas effrayer la petite.

Sans vraiment savoir pourquoi, elle se sentit soudain terriblement timide.

— Bonjour…

— Tu as bien dormi ?

— Sans doute mieux que toi.

Il haussa les épaules négligemment.

— J'ai dormi dans de bien pires conditions.

— Pourquoi n'es-tu pas retourné au ranch, hier soir ?

— Je n'avais pas envie de te laisser, pas même quelques heures.

— Je n'ai pas besoin qu'on veille sur moi, tu sais ?

— Je le sais, répondit-il avec un petit sourire. Crois-moi, je sais à quel point tu tiens à ton indépendance, et je sais aussi que tu es prête à élever ton enfant toute seule et que tu feras tout pour être une bonne mère.

Elle ne voyait pas où il voulait en venir et se contenta donc de hocher la tête.

— Au cours de ces dernières semaines, reprit-il, j'ai compris que tu n'avais pas besoin d'un homme dans ta vie, et surtout pas d'un homme qui a déjà un enfant mais, en même temps, j'ai aussi compris que *moi*, j'avais terriblement besoin de toi.

Son cœur se mit à marteler sa poitrine, mais elle avait peur d'espérer trop, n'osait croire à l'avenir dont elle avait tant envie.

— Hier, quand tu as commencé à accoucher, je me suis senti complètement inutile. J'aurais fait n'importe quoi pour te rassurer et faire en sorte que tu souffres moins, mais je ne pouvais rien faire.

— Tu m'as beaucoup aidée, simplement en étant là.

— Je n'aurais voulu être ailleurs pour rien au monde, car l'autre chose dont j'ai enfin pris conscience, c'est que je suis amoureux de toi.

Clay prononça ces mots sans regarder Toni. Il garda les yeux rivés sur la fenêtre et lui ouvrit son cœur. C'était peut-être lâche de sa part, mais il avait peur de la regarder, peur qu'elle ne ressente pas la même chose que lui, ne veuille pas les mêmes choses.

— Je suis venu à Thunder Canyon parce que j'avais besoin d'échapper à Rust Creek Falls pendant quelque temps et de réfléchir à mon avenir. Je ne cherchais pas à rencontrer quelqu'un, et je ne m'attendais certainement pas à tomber amoureux, mais plus je réfléchissais à ce que je voulais *vraiment*, plus je prenais conscience de vouloir faire ma vie avec toi, avec ton bébé, avec Bennett, et avec les autres enfants que nous pourrions avoir. Je sais que je prends des risques en te disant tout cela, et que je vais probablement trop vite en besogne. Tu ne veux probablement pas la même chose, mais je ne peux plus garder mes sentiments pour moi, et je ne peux plus imaginer ma vie sans toi.

Il se tut, prit une profonde inspiration pour se donner du courage, et la regarda enfin. Il eut l'impression de sentir son cœur se briser en voyant des larmes couler sur ses joues.

— Dis quelque chose, je t'en prie…

Elle sourit et hocha la tête, essuyant ses larmes du revers de la main.

— Je ne pense pas être capable de faire une aussi belle déclaration que la tienne, alors je me contenterai de te dire que je veux exactement la même chose que toi ! Je veux partager ma vie avec toi, fonder une famille avec toi, mais…

— Mais quoi ?

Il s'assit au bord du lit et lui prit tendrement la main.

— Et ta vie à Rust Creek Falls ? Et ta famille ? Je sais combien travailler avec ton père et tes frères t'a manqué.

— J'ai déjà parlé à mon père, et non seulement il me comprend, mais, en plus, il n'est pas du tout surpris par ma décision. Apparemment, ma mère savait que j'étais amoureux de toi avant même que je m'en aperçoive moi-même !

— Ta *mère* ? s'étonna-t-elle.

— Bien sûr, elle n'est pas *enchantée* à l'idée que je m'installe définitivement à Thunder Canyon, et elle m'a tout de suite prévenu qu'elle viendrait le plus souvent possible, mais elle est très heureuse que j'aie enfin trouvé la femme de ma vie.

Toni sourit.

— J'ai aussi parlé à ton père, poursuivit-il. Je lui ai demandé s'il voulait bien de moi comme employé au ranch et comme beau-fils… Il m'a répondu qu'il n'accepterait pas l'un sans l'autre !

— Tu es sûr que c'est ce que tu veux ?

— Oui, j'en suis sûr. Je te veux, *toi*, plus que tout au monde.

Il se pencha et lui déposa un baiser sur les lèvres.

— Je t'aime, Antonia Wright.

— Je t'aime aussi, Clayton Traub.

— Je veux me marier avec toi le plus tôt possible.

— Pourquoi es-tu si pressé ?

— Parce que je ne veux plus que tu sortes furtivement de ma chambre à l'aube, et je ne veux pas que ton père me poursuive avec un fusil s'il me voit sortir de *ta* chambre.

Elle rit.

— Que dirais-tu d'un mariage le jour de Thanksgiving ?

— Ce serait parfait… C'est le jour d'action de grâces, et j'ai justement toutes les raisons d'être reconnaissant.

Trois jours plus tard, le 31 octobre, Lucinda et Toni quittèrent la maternité. Toni avait complètement oublié que c'était Halloween, du moins jusqu'à ce que Clayton arrive avec Bennett déguisé en cow-boy. Le petit garçon portait un jean et une chemise à carreaux, et avait un mini-Stetson sur la tête.

— Eh bien, ça alors ! s'écria-t-elle en riant. Regardez-moi ce beau cow-boy !

Le visage de Bennett s'éclaira, et il tendit tout de suite les bras vers elle. Quand il s'aperçut qu'elle tenait déjà un bébé tout contre elle, il fronça les sourcils.

Elle déposa Lucinda dans son berceau pour le câliner, et il sembla un peu rassuré.

— Je crois que mon fils va avoir besoin d'un peu de temps pour accepter de ne plus être systématiquement le centre d'attention, fit remarquer Clayton.

— Il va devoir partager l'attention, mais nous avons assez d'amour pour tout le monde !

Clayton se pencha au-dessus de Lucinda.

— J'ai un costume pour toi aussi, lui dit-il en sortant de son sac à dos une petite grenouillère orange et un bonnet assorti.

Bennett regarda son papa s'occuper de Lucinda et fronça de nouveau les sourcils. De toute évidence, il n'était pas content de voir qu'il y avait un autre bébé.

— Regarde, lui dit Toni d'une voix douce. Tu es déguisé en cow-boy et Lucinda en citrouille !

Bennett sourit, révélant non seulement ses deux petites dents du bas, mais aussi les deux qui commençaient à apparaître en haut. Il ne comprenait probablement pas les mots « cow-boy » et « citrouille », mais semblait ravi qu'elle lui parle.

— Est-ce que j'aurais dû t'apporter un costume, à toi aussi ? demanda Clayton avec un sourire.

Elle secoua la tête.

— Je suis contente d'abandonner ma robe de nuit et de retrouver mes vêtements habituels, mais c'est vraiment gentil d'en avoir acheté un pour Lucinda. Je ne m'attendais pas à fêter son premier Halloween avant l'année prochaine !

— Justement, comme c'est son premier Halloween et le premier Halloween de Bennett, que dirais-tu d'aller faire un petit tour en ville avant de retourner au ranch ? Les vitrines sont toutes décorées pour l'occasion, j'ai pensé que ce serait amusant d'emmener les enfants les voir.

— C'est une excellente idée !

Elle ne prit pas la peine de lui faire remarquer qu'étant donné son âge Lucinda n'allait pas regarder grand-chose car, après trois jours passés à la maternité, elle avait envie de se dégourdir les jambes et de prendre un peu l'air, main dans la main avec l'homme qu'elle aimait.

Clayton se gara dans la rue principale et l'aida à descendre de voiture. Elle se rendit compte que les sorties en famille allaient représenter un défi, car ils allaient chaque fois devoir attacher les deux bébés dans leurs petits sièges, puis transférer les sièges sur la poussette en arrivant à destination, et répéter le procédé dans l'autre sens pour pouvoir rentrer. Cependant, c'était un défi qu'elle relèverait avec plaisir, surtout avec Clayton à ses côtés.

Ils remontèrent la rue en flânant, virent des épouvantails sur des balles de foin devant la boutique de vêtements d'occasion, des bottes d'épis de maïs accrochés aux poteaux devant le supermarché, des fantômes suspendus au porche du Hitching Post, des paniers pleins de calebasses aux couleurs vives à l'entrée de l'hôtel, des citrouilles creusées et ornées de bougies dans la vitrine du Real Vintage Cowboy.

— Tiens ! dit Clay en s'arrêtant devant la boutique. Cela me rappelle que j'avais quelque chose à demander à Catherine. Tu veux bien m'attendre ici avec les enfants ? J'en ai pour une minute.

Toni accepta. Elle montra à Bennett une citrouille qui avait deux dents en bas et deux en haut, comme lui. Il sourit, affichant de plus belle ses quenottes d'un blanc éclatant.

Mme Haverly s'arrêta pour s'extasier sur les bébés, puis Haley Cates et sa sœur, Angie Anderson, traversèrent la rue pour venir lui dire bonjour. D'autres habitants de Thunder Canyon ne tardèrent pas à les rejoindre, pour voir Lucinda pour la première fois et admirer le costume de Bennett. Bien sûr, certains posèrent des questions peu subtiles sur ses relations avec Clayton.

Quand il ressortit du Real Vintage Cowboy, tout un petit groupe entourait Toni et les deux bébés.

— As-tu trouvé ce que tu cherchais ? lui demanda-t-elle.

Clayton hocha la tête.

— Oui !

Soudain, devant tout le monde, il mit un genou à terre et ouvrit un petit écrin de velours. Elle eut le souffle coupé en voyant le magnifique solitaire serti dans une monture délicate.

La demandait-il réellement en mariage ? Maintenant, en plein centre-ville, devant tous ces gens assemblés autour d'eux ?

— Antonia Wright, me feras-tu l'honneur de m'épouser ?

Elle sentit les larmes lui monter aux yeux.

— Oui, Clayton Traub, répondit-elle avec un grand sourire, je veux t'épouser !

Elle avait les mains glacées tant elle était nerveuse, mais, quand Clayton lui passa la bague à l'annulaire, une douce chaleur l'envahit.

— Elle est parfaite, murmura-t-elle, submergée de bonheur.

Il la prit dans ses bras.

— Toi aussi.

Il l'embrassa, dans un tonnerre d'applaudissements.

— Tu es prêt à rentrer ? lui demanda-t-elle.

— Oui, mais, avant, je dois te prévenir qu'on nous attend au ranch… J'ai demandé à mes parents de patienter quelques jours, mais ils étaient bien trop pressés de rencontrer leur première petite-fille, et ma mère a hâte d'organiser le mariage avec sa future belle-fille, qu'elle adore déjà !

— Elle commençait à croire que tu ne te marierais jamais, n'est-ce pas ?

— Sans doute, mais si je n'ai jamais voulu me marier jusque-là, c'est uniquement parce que je ne t'avais pas encore rencontrée.

Elle sourit.

— Alors hâtons-nous de les rejoindre.

Retrouvez la suite de votre série dès le mois d'octobre dans votre collection Passions.

ABIGAIL STROM

Rebelle attirance

Titre original : WINNING THE RIGHT BROTHER

Traduction française de JULIA LOPEZ-ORTEGA

83-85, boulevard Vincent-Auriol, 75646 PARIS CEDEX 13.
Service Lectrices — Tél. : 01 45 82 47 47
www.harlequin.fr

- 1 -

— Maman ? Maman, où es-tu ?

— Là-haut, Will ! Dans ma chambre ! lui répondit Holly.

Will gravit les marches quatre à quatre et apparut sur le pas de la porte, un ballon de football américain entre les mains. Elle venait de mettre en place le matelas neuf qu'elle avait eu toutes les peines du monde à transporter, et surtout à monter.

— Mais enfin, maman, pourquoi est-ce que tu ne m'as pas attendu ? J'aurais pu t'aider !

Elle sourit à son fils. Avec ses yeux verts et ses cheveux châtain cuivré, il lui ressemblait tellement. Si ce n'était que du haut de ses quinze ans, il avait déjà près de vingt-cinq centimètres et quarante kilos de plus qu'elle.

— Ce n'était pas nécessaire, mon grand, j'ai réussi à le monter toute seule. Ce n'était pas si compliqué que cela, finalement.

— Je connais quelqu'un qui dirait que tu ne changeras jamais. Il paraît que tu as toujours refusé les mains tendues et joué les têtes de mule !

En guise de réponse, elle déplia d'un geste ample le drap qu'elle avait prévu, et le tissu atterrit sur la tête de son fils.

— Voilà pour toi, si tu tiens tant à te rendre utile, lui lança-t-elle avec un sourire. Qui est donc ce mystérieux informateur auquel tu fais référence ? Je pensais connaître tout le monde à Weston, y compris mes ennemis ! J'y suis née quand même…

Will s'accroupit pour ajuster le drap.

— Tu ne vas pas me croire, mais il s'agit de notre nouvel entraîneur. Il paraît que vous étiez au lycée ensemble.

Elle lui adressa un regard mi-sceptique, mi-amusé.

— Tu veux parler de ce nouvel entraîneur dont tu ne cesses de me rebattre les oreilles depuis deux semaines ? Comment se fait-il que tu ne me dises qu'aujourd'hui que je l'ai connu ?

— Simplement parce que je ne le sais que depuis tout à l'heure, répondit son fils en finissant de border le drap du dessus.

— Eh bien, ne fais pas durer le suspense plus longtemps, comment s'appelle-t-il ?

— Il s'appelle Alex. Alex McKenna.

Elle se figea et retint son souffle, plaquant spontanément contre sa poitrine l'oreiller qu'elle tenait à la main.

— Alex… McKenna ?

Will hocha la tête.

— Tu te souviens de lui ? J'ai l'impression qu'il ne voulait pas vraiment me dire qu'il te connaissait. C'est comme si cela lui avait échappé. Je lui expliquais que tu refusais que je me trouve un job pour rapporter un peu d'argent à la maison, et que tu m'avais fait choisir entre le football et le basket parce que tu voulais que je garde un peu d'énergie pour le lycée…

— C'est vrai que c'est une idée particulièrement saugrenue pour une maman, de vouloir que son fils s'intéresse aussi à ses études, ironisa-t-elle pour retrouver une contenance.

— Bon, en tout cas, c'est à ce moment-là qu'il a dit

que tu ne changerais jamais, et que tu avais toujours été une tête de mule. Je lui ai demandé s'il te connaissait et il m'a expliqué qu'il était dans le même lycée que toi, et que, déjà à l'époque, tu n'aimais pas vraiment qu'on te prête main-forte, c'est tout. Tu te souviens de lui ?

— Oui, répondit-elle plutôt sèchement.

Alex McKenna. De la liste de tous les gens dont elle aurait été ravie de ne plus jamais entendre parler, il occupait sans conteste la première place.

— Nous ne nous sommes plus revus depuis que nous avons quitté le lycée. Il a obtenu une bourse d'études grâce au football et il est parti à l'université. Ensuite, il a joué professionnellement, et j'avais appris qu'il avait quitté la Ligue nationale de foot pour se consacrer à l'entraînement. Mais depuis je n'ai plus jamais entendu parler de lui.

Elle leva les yeux vers son fils et détailla son visage. Il finirait de toute façon par apprendre la vérité un de ces jours, alors mieux valait que ce soit de sa bouche. Elle inspira, puis ajouta d'un souffle :

— Il est de la famille de ton père.

— De mon père ?

L'émotion était perceptible dans la voix de son fils. Elle essaya d'en faire abstraction et poursuivit.

— Oui, ils sont demi-frères, même s'ils n'ont jamais vraiment été proches. D'après ce que je sais, cela fait des années qu'ils ne se parlent plus. Alors, ne va pas croire qu'il te permettra de…

— … De renouer avec mon père ?

Elle le dévisagea et lut dans son regard une résignation inhabituelle. Ce voile triste le fit paraître bien plus que son âge. Elle détestait cela.

— Ne t'inquiète pas, maman, je n'ai pas particulièrement envie de le retrouver. Et puis mes coéquipiers risqueraient de penser que je cherche à me faire bien voir d'Alex. Je préfère gagner ma place au sein de l'équipe par mon talent !

Le sourire et la légèreté qui l'avaient abandonné quelques instants plus tôt étaient revenus d'un coup.

— Evidemment, mon chéri, je n'ai jamais imaginé autre chose ! Je suis certaine que tu vas faire un malheur !

Il leva les yeux au ciel, tout en remettant les oreillers en place.

— Maman, tu n'es pas obligée de faire semblant de t'intéresser à mes performances sportives. Je sais bien que tu détestes le football.

— Ce n'est pas faux, je ne m'intéresse guère au football. Mais je m'intéresse à toi. C'est parce que le football est ton loisir qu'il m'importe dorénavant.

— Ah, et c'est pour cela que tu vas me laisser sortir après dîner, si je te promets de rentrer pour 21 heures ?

— Un soir d'école ? lança-t-elle avec une moue dubitative. Qu'est-ce que tu as prévu exactement ?

— Oh ! rien de spécial, une soirée d'adolescents très classique : quelques bières, de la drogue et conduire en état d'ivresse…

— Très malin, tu crois que c'est comme ça que tu vas me convaincre de te laisser filer je ne sais où ce soir ? Tu ferais mieux de me dire ce que tu as prévu.

— C'est une idée du coach, justement. Comme demain a lieu le premier match de la saison, il a suggéré que l'on se réunisse avec les autres quarterbacks pour revoir un peu les stratégies de jeu.

Holly soupira.

— Et tes devoirs ?

— Ils sont faits !

— Où vous retrouvez-vous et qui t'y emmène ?

— Nous avons rendez-vous chez Alex, mais il passera

me prendre vers 19 heures. Ensuite, il nous ramènera pour 21 heures.

Elle sentit les battements de son cœur s'accélérer.

— Alex va passer te prendre ici ?

— Oui, si c'est d'accord pour toi, ma petite maman chérie…

Elle ouvrit les mains en signe d'abdication.

— D'accord, c'est bon, tu peux y aller, à condition que tu mettes la table tout de suite et que tu sortes les lasagnes du four dans dix minutes.

Un large sourire éclaira le visage de son fils en réponse.

— C'est comme si c'était fait !

— Et n'oublie pas de sortir la poubelle ! lança-t-elle alors qu'il se dirigeait vers la porte de la chambre.

— Pas de problème !

Ses pas résonnèrent dans l'escalier tandis qu'il descendait en chantant à pleins poumons l'hymne de son équipe, les Wildcats de Weston.

Dans la chambre, le silence se fit tout à coup et elle resta un instant figée, le regard dans le vide. Puis, tel un automate, elle s'avança vers le miroir de la porte de son armoire. Là, elle observa son reflet attentivement.

Elle n'avait pas revu Alex depuis tant d'années… Depuis le lycée, quand elle sortait avec son demi-frère, Brian. Le père de Will. Brian, la star du lycée, au physique plus qu'avantageux et promis à un brillant avenir…

Alex était plus jeune d'un an et l'exact opposé de Brian. Il était une star à sa manière, mais plutôt sur les terrains de football. Surtout, il ne s'était jamais départi de son caractère rebelle et incontrôlable. Il était en conflit permanent avec ses professeurs, ses entraîneurs, ou toute personne représentant à ses yeux une forme d'autorité.

Il arborait un look punk, avec les cheveux décolorés formant une crête, et était vêtu de noir depuis sa veste jusqu'à ses rangers. Bien sûr, il jouait de la guitare électrique et faisait partie d'un groupe qui répétait dans un garage.

Si Brian était rassurant, Alex, lui, ne l'était pas du tout. Brian était prévisible, Alex, totalement fantasque. C'était bien simple : dans le monde si structuré du lycée, les filles sages craquaient pour Brian, quand les rebelles s'entichaient d'Alex.

Elle faisait très clairement partie de la catégorie des filles sages, mais elle avait pour amie Brenda, qui revendiquait son appartenance au clan des rebelles et qui n'avait qu'un seul prénom à la bouche : celui d'Alex.

— Mais, enfin, Holly, il est supersexy, tu ne vas pas me dire le contraire. Est-ce que tu as seulement regardé comment son jean tombe sur ses fesses ?

Elle rougissait en entendant les explications imagées de son amie, puis elle haussait les épaules.

— Non, ce n'est pas mon type, et puis de toute façon je sors déjà…

— Avec Brian, le propre sur lui… Je sais ! D'ailleurs je n'accepte d'être témoin à votre mariage que si Alex fait partie des garçons d'honneur. Quand fixez-vous la date, avant ou après la fin de vos études ? ajoutait-elle d'un ton gentiment moqueur.

Holly chassa ces souvenirs d'un autre âge et sourit avec amertume à son reflet dans le miroir. Il lui fallait tirer un trait sur cette jeune femme pleine de rêves et d'ambition pour accepter la mère de trente-quatre ans qu'elle était devenue.

— Maman, à table !

Elle sortit brutalement de ses pensées.

— J'arrive tout de suite !

Will était dans sa vie, et c'était la seule chose qui lui

importait. Elle n'avait aucune raison de redouter un fantôme surgi du passé.

Malgré tout, revoir Alex serait pour le moins... étrange.

Devait-elle se changer, enfiler quelque chose d'un peu plus... D'un peu moins... En tout cas, quelque chose de différent ?

— Non, se répondit-elle à voix haute.

Il était hors de question d'entrer dans ce genre de démarche pathétique, en particulier pour quelqu'un qui n'avait jamais fait mystère du dédain qu'elle lui inspirait. Un dédain réciproque, il fallait bien le dire.

Elle jeta un dernier regard à son reflet, puis sortit de la chambre et rejoignit son fils au rez-de-chaussée.

Leur dîner se passa joyeusement, comme à l'accoutumée, même s'ils n'étaient que tous les deux. Et que ce soit sous l'influence des lasagnes ou de leur conversation animée, elle finit par se détendre.

Que redoutait-elle, après tout ? La brève rencontre de quelqu'un qu'elle n'avait pas revu depuis des années et qu'elle ne reverrait pas forcément de sitôt ? Il y en avait pour trente secondes, tout au plus.

Que craignait-il, finalement ?

Alex était planté devant la maison depuis près de cinq minutes. Ce qui était le plus ridicule, c'était son attitude à cet instant. Pourquoi faire une telle histoire de cette rencontre avec Holly ? Ils n'avaient jamais été amis. Elle représentait tout ce qu'il rejetait alors, une fille coincée, conventionnelle, qui se souciait avant tout du respect des convenances.

D'ailleurs, les rares fois où il avait essayé de lui faire comprendre que la vie était ailleurs, elle lui avait adressé des regards ahuris ou méprisants.

Sans parler du fait qu'à cette époque elle sortait avec son imbécile de demi-frère. Cela suffisait à justifier leur inimitié.

Quinze années s'étaient écoulées depuis, et par un de ces caprices du destin, voilà qu'il se retrouvait devant sa porte, alors qu'il venait chercher Will. Le fils de Brian.

Mais Will n'était pas seulement le fils de Brian ou de Holly, c'était un jeune homme à la personnalité affirmée. Un jeune comme on en croise peu, et qu'on est heureux de croiser dans une carrière d'entraîneur.

Cela lui fit du bien de penser à Will et aux autres jeunes pour qui il travaillait. Ils avaient chacun un petit quelque chose de spécial, lorsqu'on y pensait. Ils méritaient en tout cas que l'on s'investisse pour eux.

Il croyait en leur potentiel, même et surtout si personne d'autre ne le faisait dans leur entourage. Il avait été un de ces jeunes gens par le passé.

Il secoua la tête comme pour évacuer ces souvenirs. Le premier match de la saison aurait lieu le lendemain et Will Stanton était son quarterback remplaçant. D'ailleurs, s'il accomplissait ne serait-ce que la moitié de ce dont il le croyait capable, il serait sans doute un pilier de son équipe l'année prochaine.

Holly Stanton était la mère d'un de ses joueurs, une parmi d'autres. Rien de plus.

Il inspira profondément et avança sous le porche pour sonner à la porte.

— Voici le coach ! s'exclama Will en rangeant sa chaise.

Aussitôt, Holly sentit toute son assurance s'évaporer en un éclair. Elle avait prévu d'accompagner son fils à la porte et de saluer Alex en affichant une indifférence polie, mais son premier réflexe fut de se réfugier dans la salle à manger obscure, le cœur battant. De là, elle pouvait observer l'entrée sans craindre d'être vue en retour.

Mais, avant qu'elle n'ait pu recouvrer son courage, Will avait ouvert la porte et Alex faisait son apparition dans l'entrée.

Comme par le passé, elle eut le souffle coupé en le voyant. Il lui parut immense, et pas seulement par la taille. Il y avait quelque chose d'imposant en lui, une présence particulière qui rendait tout le monde à côté plus terne, plus fade, et cela n'avait pas changé malgré les quinze années écoulées.

En surface, pourtant, beaucoup de choses n'étaient plus comme avant.

Ses cheveux, déjà, n'étaient plus décolorés ou hérissés, mais châtain clair naturel, plutôt courts. Plus d'épingle à nourrice dans les oreilles, pas d'uniforme noir. Il portait un pantalon en toile beige avec un polo kaki dont le col était entrouvert.

La coupe de cheveux et les vêtements étaient plutôt du genre « bien sous tous rapports ». Une sorte de gendre idéal, que l'on est fière d'inviter à dîner chez ses parents.

Pourtant, les traits de son visage, sa mâchoire carrée et son regard bleu perçant, avec une cicatrice sur le sourcil gauche, tout cela rappelait le rebelle des années lycée.

Et le plus strict des polos ne changeait rien aux courbes athlétiques de son torse, de ses larges épaules ou de ses biceps.

Sexy, sulfureux, inquiétant. Pas de doute, Alex McKenna était de retour.

*
* *

Alex adressa un large sourire à Will et fit mine de ne pas chercher sa mère du regard.

La maison des Stanton, ou du moins ce qu'il en distinguait, était propre comme un sou neuf et meublé avec discrétion et bon goût.

Aucune surprise jusque-là.

A droite se trouvait une pièce aux lumières éteintes et qu'il ne pouvait donc détailler, mais la cuisine au fond était harmonieuse, avec un plan de travail jaune citron qui égayait l'ensemble et une jardinière de géraniums sur le rebord de la fenêtre. Il en émanait d'agréables odeurs de cuisine italienne et de pain frais.

Aucun signe de Holly, cependant.

Il refréna un curieux sentiment de déception.

— Tu es prêt, Will ? Je suppose que ta maman sait que tu sors ?

— Oui, oui, elle est juste…, commença-t-il à dire.

Ce fut alors qu'une silhouette menue sortit de l'ombre pour s'avancer à sa rencontre. Elle s'arrêta à côté de son fils et son regard sembla le détailler de longues secondes. Puis elle pencha légèrement la tête de côté.

— Bonjour, Alex, dit-elle de sa voix grave, presque rauque, qu'il se remémora aussitôt.

Elle était encore plus séduisante qu'à l'époque, et déjà alors elle avait un succès phénoménal auprès de la gent masculine.

Ses traits étaient les mêmes, fins et racés. La même peau claire, presque laiteuse. Pourtant quelque chose avait changé. Son expression, ou plutôt son regard, était différent : toujours aussi vert, mais plus dur peut-être. Un regard de combattante.

Ses cheveux avaient les mêmes reflets cuivrés, dans un dégradé qui allait de mèches dorées à du châtain flamboyant, en passant par toutes les nuances du roux.

Elle continuait de les coiffer vers l'arrière, mais sa coupe était un peu plus sophistiquée qu'à l'époque, sans qu'il puisse vraiment dire en quoi.

En revanche, ses lèvres étaient toujours aussi charnues et sensuelles, même si, à cet instant précis, sa bouche était plutôt pincée… Et son regard, des plus méfiants, songea-t-il en relevant les yeux.

Et puis il y avait son corps, qu'elle camouflait, comme il se doit, derrière un tailleur strict et sans aucun doute conçu pour dissimuler ses formes… Comment pouvait-on seulement imaginer masquer des courbes si parfaites, c'était là un autre mystère…

Un mystère dont il pensait avoir la clé, au fond de lui, car il connaissait trop bien Holly et ses principes si rigides. Jamais elle ne se risquerait à quoi que ce soit qui la mettrait en danger, c'était évident.

— Bonjour, Holly, cela fait longtemps.

Elle le détaillait du regard sans chercher à s'en cacher, un sourcil légèrement relevé.

— Eh bien, on peut dire que tu as sacrément changé depuis le temps, fit-elle remarquer, la voix amusée.

Comme autrefois, il ne lui fallait pas plus d'une minute pour l'agacer.

— Je dois dire que je n'imaginais pas te voir un jour porter un polo, ajouta-t-elle, carrément piquante.

Le pire était qu'il avait choisi cette tenue en pensant précisément qu'il allait la revoir.

Il serra les dents sans rien dire. Lui qui avait espéré repartir sur un bon pied, c'était raté. Il se retrouvait comme l'adolescent de dix-sept ans qu'il avait été et qui rêvait de lui faire ravaler ce petit air supérieur qu'elle arborait toujours.

Il s'adossa nonchalamment contre le montant de la porte, croisant les bras devant son torse.

— C'est drôle parce que presque tout le monde évolue avec le temps, Holly… Sauf toi, bien sûr. Tu n'as pas changé d'un… cheveu, souligna-t-il, amusé. Quoique… J'ai bien eu à voir une Holly un peu différente de celle que tu prétends être. Tu te souviens peut-être du jour où je t'ai surprise en train de chanter à pleins poumons du Bruce Springsteen ?

Il avait visé juste, il le vit à la légère rougeur qui colora soudain ses joues, exactement comme à l'époque. Elle entrouvrit les lèvres pour répondre quelque chose, mais sembla se raviser en jetant un coup d'œil en direction de son fils. Que s'était-elle apprêtée à lui dire ?

— Maman, toi en train de chanter du Springsteen ? Pourtant, je ne t'ai jamais entendue chanter ou même vue danser !

— C'est probablement parce que je ne le fais jamais, répliqua-t-elle sèchement. Bien, ce n'est pas que je sois impatiente de vous voir partir, Alex, mais j'imagine que vous avez du pain sur la planche avec vos parties de ballon qui monopolisent tant votre attention ?

Will adressa un sourire crispé à son entraîneur et avança vers le pas de la porte.

— Ma mère n'est pas une grande amatrice de football américain.

— Oui, j'avais cru comprendre, conclut Alex en ouvrant le chemin.

Ils étaient partis.

Holly ferma les paupières et s'appuya contre la porte.

— Ça ne s'est pas trop mal passé, annonça-t-elle à la maison vide.

Pourquoi donc entrer de nouveau dans ce genre de joute verbale avec Alex, comme s'ils étaient toujours des adolescents ? Bon sang, elle était *la mère* d'un adolescent, et une femme d'affaires accomplie, en prime.

Il lui avait dit qu'elle n'avait pas changé. Elle savait ce que cela signifiait. La bonne vieille Holly était toujours aussi ennuyeuse.

L'envie de lui montrer qu'elle était tout sauf ennuyeuse la démangeait. Elle aurait eu envie qu'il la devine audacieuse, inattendue… Sexy…

Elle soupira.

Qui imaginait-elle tromper avec ce genre d'idées ? Elle était coincée à l'époque du lycée et l'était encore davantage à l'heure actuelle. Maintenant qu'elle était une maman de trente-quatre ans, propriétaire, salariée, parent d'élève…

Il était un peu tard pour jouer les rebelles.

Et puis elle n'en avait pas vraiment besoin dans le fond. Elle aimait sa vie. Son fils était un jeune homme formidable, sa maison était jolie et elle aimait son poste de conseillère financière, qui lui offrait de belles perspectives de carrière.

Elle alluma la chaîne hi-fi et appuya sur le bouton de lecture. La voix si chaude de Bruce Springsteen vint emplir la pièce.

Elle se mit à rire.

Elle aurait dû se douter qu'Alex sauterait sur l'occasion de lui rappeler un souvenir embarrassant. Quelle humiliation, à l'époque, de se faire surprendre en train de jouer les rock stars !

Il avait fallu en prime que ce soit justement lui qui la découvre dans cette posture si ridicule, lui qui était toujours si mystérieux et impénétrable, avec une assurance sans faille, et cet air de toujours lire en elle à livre ouvert.

Pour tout le reste de son entourage, elle était une

bonne élève, sage et responsable. Aux yeux de Brian, elle était la petite amie idéale. Leur mariage était prévu après les études de droit de Brian et leur couple aurait été comme celui qu'avaient formé ses parents : un ménage stable, à même de fonder une famille unie et enviée.

Alex, lui, détonnait totalement par rapport à ce joli tableau. Il était l'inverse même de la stabilité. Sa dernière année de lycée, il l'avait occupée à réparer sa vieille moto, parée de chrome et de cuir, avec des courbes toutes américaines. Il lui était même arrivé de lui proposer de l'emmener faire un tour avec. Elle revoyait encore la provocation dans son regard bleu et son petit sourire en coin qui semblait vouloir dire qu'elle n'oserait jamais.

Et, effectivement, elle n'avait pas osé, même si, au fond d'elle, elle s'était toujours demandé ce que cela faisait de monter sur cette belle moto tout contre lui.

Elle revint soudain à la réalité, légèrement troublée par cette pensée. Elle était seule depuis trop longtemps, cela la rendait plus vulnérable à ce genre d'images. Car il fallait bien reconnaître qu'Alex était aussi séduisant qu'agaçant.

Plus même que séduisant… Attirant, fascinant, charnel !

Elle secoua la tête vivement et se dirigea vers la cuisine pour y faire la vaisselle. Elle empoigna son plat de lasagnes avec vigueur.

Après tout, c'était sans doute une bonne chose qu'elle ait pu le revoir. Cela lui rappelait qu'il était plus que temps de reprendre sa vie sentimentale en main. Peut-être que cela lui redonnerait l'envie de sortir du désert affectif dans lequel elle se trouvait ?

Non pas qu'elle soit en manque de quoi que ce soit, mais sortir un peu plus souvent lui ferait du bien, voilà tout. C'était d'ailleurs ce que tout le monde s'employait à lui répéter depuis une éternité ! Peut-être était-il temps de cesser de rabrouer ceux qui émettaient pour elle de tels souhaits, finalement.

Elle rinça son plat à four qui brillait maintenant de mille feux. Si elle décidait de raviver les couleurs de sa vie sentimentale, elle ferait peut-être bien de commencer par renouveler sa garde-robe. Elle ne disposait plus que de deux types de vêtements : ceux qu'elle mettait pour recevoir ses clients et ceux qu'elle réservait pour son intérieur. Rien en vue qui lui permettrait d'attirer un regard masculin, alors pour ce qui était de faire tomber les hommes à ses pieds…

Cela s'annonçait compliqué. Après tout, ne valait-il pas mieux abandonner toute cette histoire ?

Au volant de sa voiture, Alex se sentait bien. Il avait bien travaillé avec ses gamins, comme il les appelait. L'équipe tout entière piaffait d'impatience d'attaquer la saison et de se mettre à jouer. On annonçait une météo parfaite pour jouer le lendemain : un temps ensoleillé et une vingtaine de degrés. Il sentait en lui cette énergie et ce frisson d'adrénaline que lui procuraient toujours les débuts de saison.

Il jeta un coup d'œil à la maison de Will et Holly en coupant le contact. Cette fois-ci, il n'irait pas, il n'avait pas envie de la revoir. Pas la moindre envie.

Il se tourna vers Will avec un sourire d'encouragement.

— Tu as bien travaillé, ce soir. Dors bien cette nuit et nous nous retrouverons demain.

— D'accord, coach ! lança le jeune homme en refermant sa portière.

Il était temps d'y aller, se dit-il en s'apprêtant à tourner la clé. Will n'était pas le seul à avoir besoin d'une bonne nuit de sommeil.

Il jeta un dernier regard en direction de la maison et se figea d'un coup.

Les lumières étaient allumées à l'étage, et il pouvait distinguer Holly aussi clairement que si elle avait été sous les projecteurs d'une scène. Ses bras étaient relevés, et elle ôtait méticuleusement quelque chose de ses cheveux, sans doute des barrettes qui les maintenaient en place. Sa chevelure retomba alors en une soyeuse masse rougeoyante sur ses épaules.

Elle portait la même tenue qu'il lui avait vue tout à l'heure. Un gilet en laine qu'elle enleva, pour le laisser glisser derrière elle, puis un chemisier qu'elle commença à déboutonner.

Il lui restait quelques secondes à peine pour prendre une décision.

Tout en lui l'incitait à rester. Après tout, il n'était qu'un homme, pas une sorte de saint…

Séduire une jeune femme ne lui avait jamais posé de problème, il aurait pu aisément en rencontrer une qui accepte de se dénuder et de se laisser voir de bien plus près qu'il ne voyait Holly !

Cette dernière ne se laisserait certainement pas séduire aussi facilement ! La tentation de voir ce qu'elle ne lui montrerait jamais était d'autant plus grande.

Il serait stupide de laisser passer cette chance !

Pourtant, il mit le contact et recula sa voiture, en marmonnant tout de même un juron entre ses dents serrées.

Stupide.

Cela semblait bien être le terme qui le décrivait le mieux aussitôt que Holly Stanton était dans les parages…

- 2 -

Pourquoi ?

Voilà ce que se répétait Alex en rentrant chez lui.

Qu'est-ce qui l'avait empêché d'écouter son envie ?

Parce que Holly lui en aurait énormément voulu si elle avait su qu'il avait violé son intimité ? Non pas qu'elle puisse le détester beaucoup plus qu'à l'heure actuelle, mais elle tenait beaucoup à sa vie privée, il le savait. Le fait d'être ainsi observée lui aurait causé sans nul doute un profond trouble.

Il soupira en passant la porte de son appartement. Qu'avait-elle de si particulier ? Lui qui avait toujours eu beaucoup de succès auprès des femmes, il était habitué à fréquenter les plus séduisantes d'entre elles. Et, pourtant, Holly, qui ne dépassait pas le mètre soixante, arrivait comme autrefois à lui nouer l'estomac en moins de temps qu'il n'en fallait pour le dire. Elle lui donnait le sentiment de retrouver les sensations de son adolescence !

Il venait d'entrer au lycée lorsque sa famille avait emménagé à Weston, une petite ville de l'Ohio, au nord-est de Cincinnati. Son demi-frère avait un an de plus et parfaitement réussi son intégration dans leur nouvel établissement. Mais lui n'avait pas fait mystère de son refus de s'intégrer. Brian et lui avaient toujours été opposés en tout. Le seul sujet sur lequel ils se rejoignaient était Holly Stanton.

Il l'avait rencontrée avant Brian, car il était dans la même classe qu'elle. Il se rappelait même précisément ce jour où il était entré en cours de mathématiques alors qu'elle se trouvait au tableau.

Elle essayait de résoudre une équation et se concentrait en se mordant la lèvre inférieure.

C'était un peu comme si tout l'oxygène avait quitté la pièce en un dixième de seconde.

Quelques semaines plus tard, il sortait d'une retenue — il en avait reçu sept en un seul mois, un record ! — lorsqu'il avait entendu de la musique en provenance d'une salle de classe. Il avait poussé discrètement la porte de la salle censée être vide, pour y découvrir Holly Stanton, en train de chanter et danser les yeux clos, sur du Bruce Springsteen.

Il avait été comme foudroyé.

Elle avait une voix grave et douce à la fois, complètement envoutante. Et puis elle dansait avec une telle énergie, secouant la tête en rythme, débordante de sensualité.

Lorsqu'elle avait rouvert les yeux et l'avait vu, elle s'était figée, mortifiée. Il n'avait jamais vu quelqu'un rougir aussi rapidement et intégralement.

— Tu n'as pas de quoi être gênée, tu as une belle voix, avait-il déclaré. D'ailleurs, je cherche une chanteuse pour mon groupe, est-ce que tu serais intéressée ? Nous répétons les vendredis avec quelques copains. Tu peux venir cette semaine, si tu veux ?

Dans l'univers d'un adolescent de seize ans, il n'existait pas de plus belle main tendue, avait-il pensé.

Pourtant, au lieu de se sentir flattée, elle avait paru blessée et réagi avec virulence.

— Tu te moques de moi, c'est ça ? avait-elle lancé

en éteignant la musique. De toute façon, ça m'est égal, car vendredi, ton frère m'a invitée à sortir avec lui.

— Mon demi-frère, avait-il précisé en essayant de masquer le sentiment de jalousie qui l'avait brusquement envahi. Tu devrais éviter de fréquenter cet imbécile, tu mérites mieux que lui !

— Mieux que Brian ? avait-elle lancé, incrédule.

Comme s'il n'existait pas meilleur parti au lycée...

Au cours des semaines suivantes, il s'était répété que ce ne serait qu'une question de temps avant qu'elle ne réalise qui était vraiment son demi-frère. Elle découvrirait qu'il ne tenait pas à elle car, à part lui-même, il ne prêtait guère d'attention aux autres. Holly était intelligente, elle s'en rendrait compte.

Mais cela n'avait pas été le cas. Et il avait dû supporter de les voir ensemble, chez lui et à l'école. Il avait dû supporter la vision de Brian, fier d'avoir une fille comme Holly à son bras, accessoire parfait à sa vie parfaite. De son côté, Holly s'était adaptée aux attentes de Brian, au point de ne plus jamais être elle-même.

En y repensant, tant d'années après, Alex réprima un accès de mélancolie.

Etait-il le seul au monde à l'avoir jamais vue être elle-même ? Pas seulement ce jour où il l'avait surprise en train de danser sur du Bruce Springsteen, mais aussi en classe, parfois, lorsque son enthousiasme l'emportait sur sa timidité et qu'elle se mettait à raconter un livre qu'elle avait aimé ou à détailler un sujet qui la passionnait. C'était comme si personne d'autre que lui ne savait percevoir ce qu'elle voulait dire. Les autres élèves semblaient plus intéressés par son apparence ou le fait qu'elle sortait avec Brian. Savaient-ils seulement qu'elle était si drôle, si passionnée, si fine ?

Pourtant, au fil du temps passé avec Brian, l'enthousiasme de Holly lui avait semblé se tarir. Elle avait paru s'assagir toujours plus, laissant à Brian le privilège de l'initiative et toute la lumière.

Son demi-frère n'avait jamais cherché une petite amie qui soit drôle ou passionnée. Il redoutait surtout qu'on lui vole la vedette. Il cherchait un faire-valoir, quelqu'un qui reflète ses succès, qui l'encourage, le félicite, l'accompagne. Quelqu'un qui lui permette de briller encore davantage. Holly était celle qu'il avait choisie pour ce rôle ingrat.

Un rôle qu'à son grand désarroi elle semblait jouer de façon parfaitement consentante…

Le plus dur pour lui, à l'époque, était son impuissance face à ce spectacle qui le désolait. Mais qu'aurait-il bien pu faire pour qu'elle se réveille ? Il avait essayé de lui parler une fois ou deux, mais cela n'avait servi à rien. Elle s'arrêtait à l'image qu'il voulait bien donner, celle de mauvais garçon, et ne semblait pas vouloir voir au-delà de cela.

Alors, il avait décidé de l'ignorer. De la chasser de ses pensées. De la mépriser. Il se répétait combien il la détestait, même s'il n'avait vraiment jamais réussi à se désintéresser d'elle. Il sautait sur toutes les occasions qu'il trouvait pour se moquer d'elle, la harcelant même parfois.

Il secoua la tête en sortant de ses pensées pour revenir au temps présent.

A l'époque, il était adolescent et vivait tout cela avec l'intensité propre à cet âge tourmenté, mais c'était du passé, il n'était plus un gamin, loin s'en fallait, même s'il était surpris de la vivacité de ses souvenirs.

Beaucoup d'eau avait coulé sous les ponts depuis le lycée. Brian avait déménagé en Californie et était devenu le riche et brillant avocat qu'il avait toujours voulu devenir. Quant à lui, il était devenu entraîneur de football, après une carrière au sein de la Ligue nationale de football.

Ils étaient adultes. On aurait pu imaginer que Holly et lui auraient été capables de prendre un nouveau départ après ces quinze années mais, au vu de leur brève rencontre, ce serait difficile. Ils étaient visiblement incapables de s'entendre et cela ne changerait sans doute jamais.

Alors, pourquoi penser autant à elle ?

C'était un peu sa faute, au fond : elle était toujours aussi séduisante que lorsqu'ils avaient seize ans.

Il soupira.

Il fallait qu'il se trouve d'autres centres d'intérêt, pour commencer. Il pourrait aussi sortir un peu plus souvent, rencontrer des femmes qui seraient heureuses de partager un moment avec lui et qui le trouveraient charmant, drôle et particulièrement séduisant, contrairement à Holly !

D'ailleurs, s'il rencontrait quelqu'un avec qui faire un bout de chemin, ce ne serait pas une mauvaise idée. Sa maison était trop grande pour lui tout seul. Il était tombé sous le charme du grand jardin et des vieux murs, chargés d'histoire. Mais, tout de même, une compagnie féminine ne lui ferait pas de mal. Cela devenait même urgent !

Le lendemain, c'était l'ouverture de la saison, le grand jour tant attendu par son fils. Holly avait prévu de repasser chez elle après le travail pour se changer, mais une réunion en fin de journée s'éternisa et elle n'eut pas d'autre choix que de se rendre directement au stade. Evidemment, sa tenue, un ensemble en satin clair, n'était pas du tout adaptée

Elle traversa la foule pour aller rejoindre Angela et David Washington qui lui avaient gardé une place sur les gradins. Les Washington étaient coutumiers des matchs de football américain, car leur fils Tom avait été sélectionné pour un poste de receveur l'année précédente et entamait donc sa deuxième saison. Angela avait fait de son mieux pour lui expliquer les règles du jeu, mais elle n'arrivait décidément pas à différencier les joueurs. Aussi applaudissait-elle uniquement lorsque ses voisins le faisaient !

Pourtant, au fil du match, elle finit par se sentir envahie par l'excitation communicative qui régnait en cette belle soirée de septembre.

Elle avait tout de suite repéré Alex, en bas, sur le banc des joueurs. Vêtu d'un sweat-shirt des Wildcats et d'un simple jean, il était très séduisant, devait-elle reconnaître avec une certaine objectivité, ou du moins c'est ce qu'elle s'efforça de penser. Elle essaya de concentrer son attention sur la partie qui se déroulait, mais comme elle ne connaissait pas les règles et qu'en prime Will ne jouait pas, elle eut beaucoup de mal à ne pas laisser son esprit dériver…

Dériver vers Alex…

Il semblait parfaitement dans son univers au bord du terrain, discutant avec emphase avec ses assistants, envoyant ses joueurs sur le terrain d'une claque dans le dos, lors des changements, et leur tapant dans la main quand ils sortaient. Entre les actions, il allait et venait le long de la ligne de touche, scrutant chaque mouvement et contestant parfois certaines décisions de l'arbitre.

L'équipe des Wildcats avait dû bien jouer car, peu de temps avant la fin du dernier quart-temps, le score était de trente et un à sept en leur faveur. C'est alors qu'il décida de faire entrer Will sur le terrain.

Holly sentit sa gorge se nouer en suivant son fils du regard. Lorsqu'elle le vit s'emparer de la balle et se mettre en position pour la lancer, elle empoigna les barres métalliques qui délimitaient son rang. Quelques secondes plus tard, le receveur franchit la ligne, marquant un magnifique touchdown, et elle sauta sur place en hurlant de joie. Le match se termina peu après cette dernière action et elle se retrouva entraînée par les supporteurs vers le terrain pour saluer les joueurs. Une foule enthousiaste la cernait et elle chercha à s'en écarter pour retrouver Will.

Ce fut alors qu'elle sentit une main se poser sur son épaule. Elle se retourna. C'était Alex. Un frisson d'électricité la parcourut. Sans doute la surprise... Elle recula d'un pas de façon presque réflexe.

— C'était un beau match, coach.

— Merci, répondit-il en inclinant la tête, amusé. Ce n'est pas si souvent que je vois des talons aiguilles et ce genre de pantalon sur le terrain ! Vous savez que les jeans sont autorisés dans ce genre de manifestations sportives ?

Elle rougit aussitôt.

— Je suis venue directement en sortant du travail, lança-t-elle.

Décidément, ils avaient du mal à se parler normalement, tous les deux. Mais aussi, il avait toujours ce petit sourire narquois aux lèvres ! Un sourire à la fois séducteur et moqueur qui la mettait hors d'elle. Elle s'apprêtait à tourner les talons quand Will s'avança à leur rencontre.

— Coach, on vous emmène avec nous pour célébrer la victoire ! annonça-t-il avec enthousiasme. Nous allons au Texas Grill et vous êtes notre invité d'honneur. Les parents sont les bienvenus, maman. J'espère que tu es aussi des nôtres, hein ?

Elle soupira intérieurement. Elle n'avait jamais vu son fils aussi fier et heureux, elle ne pouvait pas ne pas célébrer sa première victoire. Sans compter qu'il y aurait certainement beaucoup de monde et qu'elle n'aurait pas de mal à éviter Alex.

— C'est d'accord, je viens, répondit-elle.

Will repartit vers ses coéquipiers, visiblement heureux, même s'il n'était probablement pas dupe de son enthousiasme feint.

Il en allait de même pour Alex, à en juger par son regard.

De toute façon, elle n'avait jamais vraiment réussi à faire illusion devant lui.

Une heure plus tard, après avoir profité d'un repas façon barbecue avec toute l'équipe, elle l'observait en pleine partie de billard. Elle était loin d'être la seule à cette petite fête : près de la moitié de Weston était présente. Tout le monde semblait vouloir féliciter le nouvel entraîneur qui avait fait des miracles. Pour un soir, il était sans conteste l'homme le plus populaire de la ville !

Cela le changeait sacrément du lycée, où il était regardé comme un mouton noir, nota-t-elle. Là, tous les parents le traitaient avec respect et cherchaient à attirer son attention. Une mère célibataire qu'elle connaissait de vue semblait d'ailleurs particulièrement décidée à faire sa conquête. Elle avait toutes ses chances, avec sa courte jupe en jean et son petit haut décolleté qui lui donnaient l'air d'avoir dix ans de moins qu'elle. Lorsque Alex réussit un joli coup au billard, elle profita des acclamations générales pour l'enlacer et déposer un baiser sur sa joue.

Il avait toujours eu du succès avec les femmes. Et s'il n'avait jamais paradé avec ses conquêtes, comme peuvent le faire certains, il était rare de le voir plus d'une semaine d'affilée avec la même fille.

Il était devenu la star du billard, maintenant, encouragé par tous les joueurs et leurs familles. La maman célibataire continuait de tout faire pour attirer son attention et Holly se sentit soudain envahie par un profond sentiment de solitude. Elle ne se sentait pas à sa place avec sa tenue trop habillée. Elle avait l'impression de dénoter parmi tous ces gens qui s'amusaient.

Et puis elle était fatiguée, voilà tout. Elle sortait d'une longue semaine de travail et n'avait pas prévu de passer la soirée à festoyer.

Aussi alla-t-elle retrouver Will, occupé à des jeux vidéo avec ses amis.

— Je suis un peu fatiguée mon chéri, je pensais rentrer maintenant. Mais les Washington proposent de te raccompagner, si tu veux.

— D'accord, maman, pas de problème, répondit-il en levant les yeux de son jeu tout juste une seconde.

Quelques instants plus tard, elle sortit sur le parking, puis s'arrêta, très agacée, devant sa voiture. Un des pneus arrière était complètement à plat. Elle se rappela avoir roulé sur des éclats de verre en sortant du stade... Un moment, elle songea à rentrer demander de l'aide à Will, mais elle ne voulait pas le priver de ce moment de fête avec ses coéquipiers. Après tout, n'était-elle pas capable de changer un pneu crevé toute seule ? En quinze ans, elle avait eu l'occasion de le faire à quelques reprises.

Elle ouvrit donc son coffre et sortit sa roue de secours.

*
* *

Alex avait terminé sa partie. Il était coutumier de ces moments d'euphorie collective les soirs de victoire où tout le monde se sentait fan d'une équipe. S'il perdait la semaine suivante, cette exaltation s'évaporerait aussitôt. Mais cela ne l'empêchait pas d'en profiter et de faire connaissance avec les uns et les autres. A un moment pourtant, son attention fut attirée par une chevelure flamboyante qui traversait la salle.

— Si vous voulez bien m'excuser, dit-il aussitôt au père d'un de ses joueurs lancé dans une profonde analyse du match, je reviens tout de suite.

Plus tôt dans la journée, il avait pris la décision de parler avec Holly. Le Texas Grill était le cadre parfait pour une tentative de réchauffement de l'atmosphère. Il pouvait lui offrir un verre, lui proposer une partie de billard, bref, il n'y avait pas de raison que deux adultes raisonnables n'arrivent pas à dialoguer et à passer outre des souvenirs du lycée !

Il la vit échanger quelques mots avec Will mais, avant qu'il n'ait le temps de la rattraper, elle disparut par la porte de derrière.

Il hésita un instant. Il aurait pu aller interroger Will sur la raison de son départ, mais au fond cela ne le regardait pas vraiment. Elle était sans doute simplement fatiguée, rien de plus.

Il décida pourtant d'aller jeter un coup d'œil à l'extérieur afin de la saluer et de s'assurer que tout allait bien.

Il la repéra aussitôt, accroupie à côté d'une roue de sa voiture dont le pneu était apparemment à plat. Il s'arrêta pour observer un instant sa réaction. Elle ne tarda pas à ouvrir son coffre en quête de sa roue de secours.

Il traversa alors les quelques mètres qui les séparaient, la faisant sursauter lorsqu'il arriva tout près d'elle.

— Besoin d'un coup de main ? demanda-t-il.

— Non, répondit-elle, le cric à la main.

— Allons, un pneu se change à deux, reconnais que tu as besoin d'aide sur ce coup.

Les mots avaient à peine franchi ses lèvres qu'il le regretta. Holly se raidit et empoigna sa roue de secours avec une volonté décuplée.

— Non, je regrette de te décevoir, mais je n'ai pas besoin d'aide, et encore moins de ton aide.

Ses mots le frappèrent en pleine figure, comme c'était déjà le cas lorsqu'ils étaient adolescents.

— Très bien, lança-t-il, laconique, en s'adossant au véhicule garé derrière lui, les bras croisés.

Elle braqua le regard dans sa direction, tandis qu'elle entreprenait de déboulonner le premier écrou.

— Pourquoi ne retournes-tu pas auprès de ton fan-club au lieu de rester là à me regarder ?

— Dans l'espoir que tu finisses par descendre de tes grands chevaux et que tu reconnaisses que tu as besoin de mon aide, je ne voudrais rater cela pour rien au monde !

— Eh bien j'espère que tu encaisses bien les déceptions, dans ce cas ! répliqua-t-elle en pesant de tout son poids sur l'écrou.

Vain effort.

Ne s'avouant pas vaincue, elle reprit sa position initiale pour une nouvelle tentative.

— Je suis certain de défaire cet écrou en moins de temps qu'il n'en faut pour le dire, ajouta-t-il en réprimant un sourire.

Elle lui jeta un regard noir, puis reprit ses efforts.

Au travers de son fin chemisier satin, il devinait la dentelle de ses dessous. Ses boucles de cheveux tombaient devant ses yeux au fil de ses mouvements.

Trente secondes s'écoulèrent sans que rien ne bougeât.

— Toujours besoin de personne ? railla-t-il.

— Tu veux bien me laisser me concentrer, je te prie ?

— Puisque je te propose de te changer ta roue en moins d'une minute, pourquoi t'obstiner ?

Elle lui tourna le dos sans lui prêter plus d'attention et tenta une nouvelle fois de se défaire de l'écrou. Après quelques longues secondes, enfin, il se mit à bouger de quelques millimètres.

Il n'avait pas besoin de voir son visage pour imaginer son sourire triomphant, il le devinait à la courbe de ses épaules, et à l'inclinaison satisfaite de sa tête.

— Très impressionnant, plus que trois autres !

— Alex, tais-toi !

Peut-être était-ce l'adrénaline de cette première victoire, mais les trois écrous restants ne lui posèrent pas de problème. Elle continua à vaquer en ignorant superbement son regard et plaça le cric sous la carrosserie. Elle l'activa, puis s'attaqua à la roue crevée. Il en avait assez vu.

— Allez, c'est bon, je reconnais que tu te débrouilles très bien toute seule. Laisse-moi maintenir ta roue pendant que tu resserres les écrous.

Elle reposa la roue le temps de s'essuyer le front du revers de la main. C'était là son premier signe de fatigue depuis le début de son entreprise de travaux de force ! Mais, lorsqu'il fit mine de saisir la roue de secours, elle repoussa sa main.

— J'ai dit non, une bonne fois pour toutes, je ne suis pas une demoiselle en détresse.

— Je ne cherche pas à jouer les chevaliers servants, répliqua-t-il, exaspéré. Je te propose simplement de tenir ta roue pendant que tu l'alignes, c'est du travail d'équipe, rien d'autre !

— Je suis capable de le faire.

— Bon sang, Holly, pourquoi t'entêter ainsi ?

— Je préfère être têtue plutôt qu'incapable, marmonna-t-elle en engageant finalement la roue dans l'essieu.

Il ne lui restait plus qu'à revisser le tout et le tour était joué.

— Et voilà ! lança-t-elle avec satisfaction.

Puis elle remit ses outils en place dans le coffre et s'essuya les mains sur un vieux chiffon.

— Ce n'était pas si difficile, finalement, conclut-elle.

— C'est sûr, tu pourrais être déjà chez toi si tu m'avais laissé t'aider.

— Je n'ai pas besoin de toi, Alex. Je sais très bien prendre soin de moi toute seule.

Encore quelque chose qui n'avait pas changé, songea-t-il.

L'été qui avait suivi leur dernière année au lycée, elle était tombée enceinte. Il s'était imaginé que les projets de mariage dont elle et Brian ne faisaient pas mystère seraient simplement anticipés, et que le plan bien tracé de leur petite vie continuerait de se dérouler sans accroc.

Mais il faisait fausse route. En réalité, Brian s'était alors détourné de Holly et il avait réagi à cela de manière complètement inattendue. Il avait commencé par briser la mâchoire de son demi-frère d'un coup de poing bien senti, puis s'était rendu chez Holly pour la demander en mariage.

C'était totalement insensé, évidemment. Une sorte de reflexe de chevalier blanc qui s'était emparé de lui. Il n'y avait aucune raison qu'elle accepte sa demande : ils avaient toujours été à couteaux tirés tous les deux.

Et pourtant son refus l'avait frappé en plein visage.

Un peu comme ce soir. Les enjeux étaient bien différents, mais le couteau était dans la même plaie.

— Je sais que tu n'as pas besoin de moi, Holly. Tu as toujours été très claire à ce sujet, mais cela ne signifie pas que tu doives refuser toutes les mains tendues à tout jamais. Comment peut-on se montrer aussi têtue ?

Elle le foudroya de nouveau du regard.

— Moi, je suis têtue ? Je t'ai dit que je n'avais pas besoin d'aide et c'est bien toi qui as insisté pour que j'accepte, au point de rester là jusqu'à maintenant. S'il y en a un qui est têtu, c'est bien toi !

— Euh… ça va ? demanda Will.

Alex se retourna brusquement. Will se tenait à quelques pas d'eux. Depuis combien de temps ?

Il jeta un regard furtif à Holly : elle semblait aussi embarrassée que lui. Puis il se tourna vers Will, lui-même visiblement perplexe.

— Si je comprends bien, vous n'étiez pas les meilleurs amis du monde au lycée, tous les deux ?

Holly inspira profondément.

— Pas exactement, en effet. Mais c'était il y a très longtemps et je pense que nous arriverons à ne pas nous disputer à chacune de nos entrevues, n'est-ce pas, Alex ?

Difficile à croire, pensa-t-il.

— Bien sûr, répondit-il cependant, en relevant le défi dans son regard. Est-ce que la soirée touche à sa fin ?

Quelques-uns de ses joueurs sortaient et regagnaient leurs voitures.

— Oui, ça fait déjà un moment que vous êtes dehors…, répondit Will.

— Nous n'aurions pas mis si longtemps si… Non, je ne vais pas recommencer, s'interrompit-il aussitôt. Bonne nuit, Holly, roule doucement avec ta roue de secours… Et toi, Will, je te vois la semaine prochaine à l'entrainement.

*
* *

Incapable de fermer l'œil, Holly se remémorait en boucle les mots d'Alex. Comment se sentirait-elle si elle se laissait aider ?

Elle s'en voulait de se poser la question, alors qu'elle s'était toujours montrée indépendante et déterminée jusque-là. Si elle commençait à songer à un homme qui viendrait prendre soin d'elle, elle risquait de perdre pied. Ce serait le début de la fin, à n'en pas douter.

Elle savait tout cela et, au cas où elle serait tentée de l'oublier, elle n'avait qu'à se rappeler le jour où elle s'était présentée devant Brian pour lui annoncer sa grossesse.

Bien sûr, ce n'était pas prévu et cela arrivait quelques années trop tôt par rapport à leurs projets, mais pas un instant elle n'avait douté du fait que Brian réagirait de façon responsable et lui proposerait le mariage. Elle s'était présentée à lui en confiance, certaine qu'il prendrait soin de lui et de leur enfant à venir.

Elle sentit un frisson la parcourir.

Cela faisait une éternité qu'elle n'avait pas repensé à ces instants douloureux. Elle revoyait la colère de Brian, ses injures, ses menaces même, au cas où elle envisagerait de lui gâcher son bel avenir, ses études, sa carrière d'avocat…

Elle lui avait pourtant dit qu'il n'aurait pas à abandonner ses études. Elle pensait pouvoir travailler à mi-temps, et les parents de Brian seraient peut-être prêts à les aider. Ses propres parents n'avaient pas bien accueilli la nouvelle, mais seraient tout de même un soutien, tout comme sa grand-mère, qui lui avait dit être toujours là pour elle.

Elle n'attendait qu'une seule chose de sa part : qu'il lui dise qu'il l'aimait, que tout irait bien, qu'ils allaient s'en sortir.

« Si tu décides à mener à bien cette grossesse, Holly,

il faudra que tu te débrouilles toute seule, je refuse de m'engager auprès d'un enfant, ma décision est irrévocable. »

Elle se rappelait encore la douleur qu'elle avait ressentie en entendant ces mots, elle avait eu l'impression que le sol se dérobait sous ses pieds.

Elle s'était alors promis de ne plus jamais demander de l'aide à quelqu'un et n'avait pas parlé à Brian pendant les quatre années suivantes. Maintenant, ils communiquaient exceptionnellement lorsqu'il venait voir Will.

Du côté de ses parents, le dialogue n'avait pas été beaucoup plus brillant : ils avaient finalement pris la décision de lui tourner le dos durant sa grossesse, exactement comme l'avait fait Brian, au prétexte qu'elle décidait de garder son enfant malgré la rupture. Après la naissance de Will, ils étaient revenus vers elle, demandant à connaître leur petit-fils. Mais elle n'avait plus jamais eu la moindre complicité avec eux. Sa confiance était éteinte.

Après son accouchement, on lui avait indiqué la possibilité de faire appel à un avocat et de poursuivre Brian pour une reconnaissance en paternité afin d'obtenir une pension alimentaire. Elle avait refusé. Elle n'avait besoin de personne et en avait fait depuis le fil conducteur de sa vie tout entière. Elle ne demanderait jamais rien à Brian.

Elle ne savait pas exactement comment, mais elle avait survécu, seule, sans même la présence amicale d'une amie. Sans même l'aide de sa grand-mère dont elle était si proche mais dont elle avait refusé le soutien. De toute façon, à cette époque, sa grand-mère frisait les quatre-vingts ans et avait à peu près autant besoin d'elle que Will de sa maman, alors elle s'était sentie sur un pied d'égalité. Et lorsqu'elle eut réussi à se prouver qu'elle était capable de faire face seule, elle put retourner vers sa grand-mère et apprécier sa présence et ses cadeaux pour Will. En fait, mis à part Will, rien ne comptait plus pour elle que son indépendance. Il lui était donc impossible de se laisser aller à songer à un homme venant prendre soin d'elle, et cela incluait Alex McKenna.

D'ailleurs, Alex était encore plus dangereux que n'importe quel autre homme.

Il avait beau avoir un talent tout particulier pour la mettre sur les nerfs, il savait aussi mieux que quiconque quels étaient ses points faibles et comment abattre sa défense si patiemment construite au fil des années. Cela lui procurait un sentiment très étrange de vulnérabilité et de surprise. Et puis il y avait cette étrange sensation que son cœur battait plus vite, plus fort, quand il était à proximité.

A cette idée, elle inspira profondément et essaya de se détendre dans l'espoir de trouver enfin le sommeil. Alex était revenu, et alors ? Il avait toujours ce pouvoir sur elle, pouvoir de la mettre mal à l'aise, de la troubler, de la faire douter. Elle s'en était très bien sortie jusque-là, et il n'y avait pas de raison que cela ne continue pas.

Elle l'éviterait autant que possible dorénavant, c'était le plus simple. Elle pourrait assister aux matchs de Will, en gardant ses distances, et après leur échange de ce soir, il y avait des chances qu'Alex lui-même reste sur la défensive.

Elle réprima un soupir. Il lui avait été difficile de changer la roue en sa présence. Elle le sentait, juste derrière elle. Son regard sur sa nuque semblait la percer à jour. Avait-il noté combien ses mains tremblaient ? Elle en avait eu la chair de poule.

Elle frissonna de nouveau en pensant à ses yeux bleus.

Puis elle visualisa son sourire, sa large carrure… Il lui faisait de l'effet, elle ne pouvait le nier.

Mais tout cela n'était qu'une sorte d'instinct primitif qui électrisait son corps en présence d'un beau spécimen du genre masculin, rien de plus !

Et cela n'importait pas vraiment, car elle se tiendrait dorénavant à bonne distance d'Alex McKenna.

- 3 -

Il serait peut-être plus facile de chasser Alex de ses pensées si Will voulait bien arrêter d'en parler à longueur de journée… A croire qu'il le faisait exprès ! Holly profitait de son dimanche pour manger une pizza avec son fils en regardant à la télé — quelle surprise ! — un match de football. Le pire était que ce qu'il en disait avait tendance à le rendre plutôt sympathique à ses yeux. Il n'y allait pas de main morte pour lui chanter les louanges de son nouvel entraîneur, qui était tellement intègre, qui avait une telle largeur de vues, qui était si drôle, si rapide, si fort…

— Maman, tu m'écoutes ? Tu ne penses pas qu'Alex est vraiment…

— … trop cool ?

— Oui, voilà, il est trop cool, tu ne crois pas ?

Elle attrapa un champignon grillé sur le dessus de la pizza et le mangea, puis se lécha les doigts.

— Si tu le dis…

Son fils croisa les bras, les sourcils froncés.

— Pourquoi est-ce que tu fais toujours ça quand je te parle de lui ?

— Qu'est-ce que je fais ?

— Ce petit ton sarcastique, les yeux levés au ciel. Vous étiez vraiment ennemis au lycée ?

Elle soupira, puis se renversa en arrière contre le dossier du canapé.

— Oui, en quelque sorte. Je suis désolée, mon chéri, mais c'est vrai que j'ai du mal à le voir avec tes yeux, je n'arrive pas à oublier celui que j'ai connu.

— Comment était-il à l'époque ?

Elle saisit la couverture en crochet de sa grand-mère et la posa sur ses genoux. Elle lui procurait toujours une sensation de bien-être et de réconfort.

— Il était… énervant. Bon, est-ce qu'on regarde le match, ou est-ce que je peux changer pour les informations financières ?

— Pitié, maman, si tu ne veux pas parler de lui, dis-le simplement. Tu n'es pas obligée de me menacer de tortures barbares !

Le vendredi suivant, Will avait un match et joua une bonne moitié du temps. Il réussit sept passes et apparut à Holly plus heureux que jamais.

Bien sûr, Alex était là, mais elle commençait à s'y faire. Elle prenait l'habitude de le voir s'enflammer le long du terrain les soirs de match. Il lui suffisait ensuite de l'éviter autant que possible. Elle ne regrettait pas ses efforts lorsqu'ils lui permettaient de voir son fils aussi heureux, aussi sûr de lui.

Elle commençait même à apprécier ces soirées au stade, même si elle ne le reconnaissait pas facilement. Elle arrivait à peu près à comprendre les règles, maintenant, et puis il y avait la fraîcheur de l'air automnal, les frissons d'excitation dans la foule. En plus, les Wildcats avaient fait un début de saison fracassant !

Restait que le jeu était souvent un peu trop musclé à son goût, en particulier quand Will en faisait les frais !

Mais, au bout du compte, elle passait en général de bonnes soirées le vendredi.

A tel point que lorsque Gina, l'une de ses amies, lui déclara au cours d'un dîner :

— Je sais que tu détestes le football, mais…

Elle se surprit à répondre :

— Oh ! je me suis faite au football, ce n'est pas si terrible, finalement !

— Et depuis quand ? l'interrogea son amie en lui adressant un regard ahuri.

Elle haussa les épaules.

— Depuis que mon fils s'y est mis, j'ai appris à connaître ce que je critiquais ! Qu'est-ce que tu voulais me dire au sujet du football ?

— Eh bien, reprit Gina, le regard pétillant, c'est une idée de Henry et moi.

Holly lui jeta un regard interrogateur.

— Puisque tu es responsable de notre bonheur en m'ayant présenté Henry, poursuivit Gina, nous voudrions tous les deux te renvoyer l'ascenseur.

Holly prit un peu de salade, la mine circonspecte.

— Je crains le pire, comment comptes-tu t'y prendre ?

— En te faisant rencontrer ton futur mari, tout simplement !

Holly soupira.

— Gina, je t'adore, mais tu sais bien comment cela se passe dans ces cas-là. Te rappelles-tu la dernière fois que tu m'as présenté mon futur mari ?

Gina balaya l'objection d'un geste de la main.

— Je reconnais que Mark semblait parfait sur le papier. Il faut dire qu'il avait de l'allure, un superposte, un bon caractère, comment ne pas l'imaginer avec toi ? D'ailleurs, il ne t'a pas déplu, au départ.

— Bien sûr, répondit Holly. Et je ne lui ai pas déplu

en retour, jusqu'à ce que je doive annuler un rendez-vous un soir où Will était malade… Je te rappelle qu'il m'a parlé de priorités dans la vie, du fait que jamais je ne rencontrerais quelqu'un qui accepterait de passer après mon fils et qu'il a conclu que je finirais ma vie toute seule…

— Oui, bon, tu as raison, c'était un tocard. Il avait du mal à comprendre ce qu'être mère célibataire signifie, mais il y a de nombreux hommes qui sont différents et Will n'a pas le même âge, non plus.

Holly fit non de la tête.

— Will sera toujours ma priorité, Mark avait raison à ce sujet. Le fond du sujet, c'est que je ne souhaite pas m'engager dans une relation sérieuse. Cela n'est pas fait pour moi, on dirait. Je veux juste m'amuser un petit peu, car depuis Mark, justement, je ne suis plus sortie avec un autre homme, et cela fait déjà trois ans…

Gina eut l'air surpris.

— Tu veux t'amuser ? Je crois que c'est la première fois que je t'entends prononcer ce mot !

Holly fit mine de rouler sa serviette de table en boule et la lui jeta.

— Si je suis si ennuyeuse que cela, pourquoi est-ce que tu continues à m'inviter ?

Gina lui adressa un sourire moqueur.

— Parce que tu me remplis ma déclaration d'impôt gratuitement ! Mais ne changeons pas de sujet, revenons-en à ta vie amoureuse. Si tu veux t'amuser, tu vas t'amuser, reste à suivre mon idée de départ, sauf qu'au lieu d'épouser Rich tu passeras du bon temps ! Est-ce que tu me laisses dérouler mon argumentaire commercial jusqu'au bout ?

De toute façon, elle n'aurait pas de répit tant qu'elle ne l'aurait pas laissée finir, songea Holly.

— Allez, vas-y, je t'écoute.

— Bon, déjà, il est vraiment charmant. Je dois reconnaître qu'il se pourrait qu'il ait le front très légèrement dégarni, et il mériterait de faire un peu plus de sport, mais à part ça, il est vraiment charmant. Je l'ai rencontré car c'est un des clients de Henry avec lequel il a commencé à sympathiser. C'est le commentateur télé attitré des Bengals de Cincinnati.

Elle voyait donc de qui il s'agissait, preuve, s'il en était besoin, qu'elle passait bien trop de temps à regarder les matchs de football à la télévision.

— Rich Brennan ?

Gina exulta.

— Tu vois, tu sais même de qui je veux parler ! Vous étiez faits pour vous rencontrer !

Holly repoussa son assiette vide.

— Je suis une mère célibataire de trente-quatre ans, il est présentateur télé, pourquoi est-ce qu'il accepterait de me rencontrer ?

— Peut-être parce que tu es une femme formidable et très séduisante ? Henry et moi avons croisé Rich l'autre jour et nous lui avons annoncé nos fiançailles, il nous a parlé de son souhait de rencontrer quelqu'un de bien. Je lui ai dit que cela me faisait penser à ma meilleure amie, qui est une délicieuse rouquine et surtout la personne la plus gentille que je connaisse, et j'ai vu que j'avais éveillé son intérêt, c'est même lui qui a demandé si j'accepterais de vous présenter. Alors qu'en dis-tu ?

C'était là l'occasion qu'elle attendait de pimenter un peu sa vie. Elle qui avait justement envie d'un peu de nouveauté, de sorties, elle ne pouvait pas laisser passer une telle chance. Est-ce que Rich Brennan serait le genre d'homme auquel elle prendrait plaisir à repenser une fois rentrée chez elle le soir, dans son lit ?

Quelqu'un qui chasserait Alex de ses pensées, par exemple ?

— D'accord, je veux bien essayer.

Son amie laissa échapper un soupir de soulagement.

— Je suis vraiment soulagée que tu acceptes, car j'avais en quelque sorte déjà tout organisé ! Rich est libre ce samedi, ce qui nous laisse tout juste le temps de te prévoir une tenue, étant entendu que ta garde-robe est totalement inenvisageable.

— Ma garde-robe n'est pas…

— Si ! trancha Gina. C'est pourquoi nous allons faire du shopping demain après-midi.

Holly soupira en haussant les épaules.

— C'est bon, on fera comme tu l'entends ! Maintenant, est-ce que nous pouvons envisager de parler d'autre chose, d'un sujet capital, comme le partage du cheese-cake ou du fondant au chocolat ?

Ce samedi, Alex passait une bonne soirée avec des amis joueurs et quelques pom-pom girls venues les accompagner. Retourner à Cincinnati et retrouver ses anciens coéquipiers de l'équipe des Bengals lui faisait plaisir.

Et il s'amusait à écouter les commentaires des filles lorsque quelqu'un prenait le micro pour se lancer dans un karaoké endiablé, ou lorsqu'un des joueurs était en compagnie d'une nouvelle petite amie.

— Oh ! Tu as vu avec qui il est ? lança soudain l'une d'elles. On dirait qu'il a vite oublié sa rupture avec Cherry. Tu as remarqué que Rich choisit toujours des rouquines ? Je ne la connais pas, mais elle est plutôt pas mal, sa nouvelle conquête.

Alex ne put s'empêcher de jeter un coup d'œil à la conquête en question, et faillit tomber de sa chaise.

C'était Holly.

Mais qu'est-ce qu'elle pouvait bien faire là, à applaudir Rich Brennan alors qu'il entonnait à tue-tête un standard des années cinquante, d'une voix que l'alcool rendait traînante ?

Il se leva sans réfléchir et traversa la salle dans sa direction. Elle lui tournait le dos pour regarder la scène et applaudir Rich.

Elle riait à gorge déployée. Il ne l'avait jamais vue ainsi. Combien de verres avait-elle pu boire ?

Il lui tapota sur l'épaule et elle pivota. Ses cheveux étaient détachés, tombant magnifiquement sur ses épaules.

— Alex ! s'écria-t-elle en se levant précipitamment pour l'enlacer comme s'il était un vieil ami qu'elle n'avait pas revu depuis longtemps.

L'espace de quelques secondes, elle resta ainsi pendue à son cou, son corps plaqué contre le sien, avec son parfum qui l'entourait. Puis elle se dégagea en titubant légèrement, malgré ses efforts pour rester stable.

Il sentait son cœur battre à tout rompre après cette étreinte inattendue.

— Alex, Alex, Alex, répéta-t-elle songeuse. Je pensais à toi tout à l'heure, mais je ne sais plus pourquoi.

Une femme brune aux courbes généreuses avança à leur rencontre.

— Holly, mais qui est donc ton ami, tu ne me présentes pas ?

— Gina, je te présente Alex. Alex, voici Gina, qui doit se marier prochainement, expliqua-t-elle alors qu'un homme brun s'approchait.

— Et voici l'heureux élu, Henry.

— Enchanté, Gina et Henry, dit Alex.

Puis il se tourna vers Holly.

— Dis-moi, tu n'aurais pas bu plus que de raison, par hasard ?

— Au contraire, je trouve qu'elle commence tout juste à s'amuser, annonça une voix familière derrière lui. Elle aura assez bu lorsqu'elle me laissera défaire ce bouton de son décolleté qui me rend fou ! Et quelques autres ensuite, j'espère !

Alex et Rich se connaissaient de loin depuis quelques années et s'appréciaient plutôt. Pourtant Alex douta de ses affinités avec le présentateur télé des Bengals lorsqu'il le vit glisser la main en direction du bouton en question.

Holly réagit en lui donnant une tape sur les doigts, accompagnée d'un petit rire.

— Content de te revoir, Alex, dit Rich en lui tendant la main. Qu'est-ce que tu deviens depuis que tu as quitté la Ligue de football ?

Son autre main restait sur l'épaule de Holly, nota Alex.

— Je suis entraîneur, maintenant, répondit-il en lui serrant la main.

— Tu prends un verre avec nous ?

— Avec plaisir, si je ne vous dérange pas, dit Alex en prenant place à côté de Holly. Alors comme ça, vous sortez ensemble tous les deux ?

Rich terminait son verre de bière, c'est Holly qui lui répondit.

— Nous venons de nous rencontrer, c'est Gina qui nous a présentés.

— Il était temps que Holly sorte un peu, elle vivait comme une nonne, souligna son amie.

— Et qu'est-ce que cela peut faire ? Si elle a choisi son célibat, il n'y a rien de mal à vivre comme on l'entend ! lança Alex en la détaillant du regard.

Elle portait un jean des plus moulants et un haut en cachemire noir, fort heureusement boutonné jusqu'au cou, mais qui mettait incroyablement en valeur sa silhouette. S'il s'était agi de n'importe qui d'autre, il aurait sans doute été du même avis que Rich quant à ce col trop boutonné… mais il s'agissait de Holly et, à l'heure qu'il était, entre les mains baladeuses de Rich Brennan, il aurait presque préféré la voir en armure complète…

Rich éclata d'un rire sonore.

— Cela te va bien de dire cela, toi qui ne sais même pas ce qu'est le célibat au-delà de quelques minutes ! Je suppose qu'il y a ce soir au moins une vingtaine de jeunes femmes qui peuvent témoigner de cela ! lança-t-il.

Puis il se leva péniblement.

— Si vous voulez bien m'excuser, je m'en vais visiter le petit coin, maintenant.

Alex le dévisagea, effaré. Comment avait-il pu, un jour, sympathiser avec cet homme-là ?

Holly avait une bouteille de bière vide entre les mains et semblait occupée à en décoller l'étiquette avec application.

— C'était la même chose au lycée, annonça-t-elle tout à coup, tu sortais avec une nouvelle fille toutes les semaines.

— Est-ce que tu as fait partie de ces filles ? demanda Gina, non sans une certaine malice.

Holly eut l'air horrifié et Alex grimaça.

— Non ! Certainement pas. On ne se parlait même pas, il était trop désagréable !

— Hé, ho, doucement, j'entends ce que tu dis ! lança-t-il en essayant de prendre sa remarque avec humour. Je ne crois pas être le plus désagréable des deux, en prime.

— Bien sûr que si, ne viens-tu pas de dire que je devrais vivre comme une nonne ?

Gina ne leur prêtait déjà plus attention, accaparée par Henry, qui lui chuchotait quelque chose à l'oreille.

— Bon, d'accord, je veux bien retirer ce que j'ai dit, reprit-il en rapprochant son siège. Alors, comment se passe ce rendez-vous galant avec Rich ?

— Pas mal, je dirai, répondit-elle en déchirant méthodiquement l'étiquette de bière qu'elle avait entre les doigts.

— Pas mal, c'est tout ?

Elle baissa le regard.

— Je ne suis pas sûre de me sentir aussi bien que je l'aurais espéré.

Il retint son souffle. Ce n'était pas très charitable, mais il se sentait particulièrement heureux que ce rendez-vous ne tienne pas ses promesses.

— Qu'espérais-tu, exactement ?

L'étiquette était réduite en un tas de confettis. Holly posa son coude sur la table et son menton sur son poing, contemplative.

— Je ne sais pas, j'imagine que j'attendais un peu plus de… magie.

Il se remémora l'instant où elle l'avait enlacé brièvement. Avait-elle trouvé cela magique ?

— Qu'est-ce que l'on ressent exactement lorsqu'il y a de la magie dans l'air ? demanda-t-il.

Elle se tourna vers lui.

— Pourquoi parlons-nous de cela comme deux vieux amis, alors que nous ne le sommes même pas ?

— L'alcool, expliqua-t-il, ne cherche pas plus loin !

Elle hocha la tête.

— Oui, tu dois avoir raison, j'ai bu trois tequilas

et deux bières… La salle tourne quand j'essaie de me lever… Je dois être ivre !

Il réprima un sourire.

— Revenons-en à la magie dont tu parlais, je suis curieux de savoir ce que tu entends par là.

Elle baissa le regard.

— Je ne sais pas bien, sans doute des frissons, la chair de poule, le cœur qui bat la chamade, ou sentir mes jambes en coton. Mais je suppose que j'en demande un petit peu trop…

Elle semblait si vulnérable en disant cela, son air gêné et ses joues rosies par la timidité. Il eut envie de redresser son menton pour qu'elle le regarde dans les yeux, il aurait penché la tête vers elle et…

Il aurait tant voulu la faire frissonner comme elle l'attendait…

D'un autre côté, si elle lui parlait de tout cela, c'était bien la preuve qu'elle ne le ressentait pas en sa présence. Et puis ils n'étaient pas vraiment partis sur de bonnes bases, tous les deux. Ils ne semblaient pas particulièrement faits pour s'entendre. Sans compter qu'elle était du genre à vouloir une relation stable et sérieuse, quand il ne savait pas ce qu'était une relation de plus de quelques mois.

— Non, tu as raison de vouloir cette magie, ne l'oublie pas. Tu mérites de rencontrer quelqu'un qui te fera ressentir cela, crois-moi.

Il s'entendit prononcer ces mots sans réfléchir, comme s'ils étaient sortis tout seul de sa bouche.

Elle garda les yeux baissés, jouant du bout des doigts avec les confettis de papier.

— Je ne sais pas, je crois que je devrais cesser de me faire des illusions sur mon âge. J'ai Will, j'ai mes amis, j'ai un travail qui me plaît. Ce n'est pas si mal, non ? Et si je n'étais pas destinée à autre chose, après tout ?

Il y avait quelque chose dans sa façon de se résigner qui lui serra le cœur. Il s'apprêtait à lui dire combien elle avait tort, lorsqu'il vit Rich sortir des toilettes et se diriger vers le bar d'une démarche instable.

— Laisse-moi te raccompagner, dit-il en jetant un coup d'œil en direction de Gina et Henry, occupés à s'embrasser langoureusement. Tu ne manqueras guère à tes amis et Rich est proche du coma éthylique. Ni toi ni lui n'êtes en état de conduire, ce soir.

— Je prendrai un taxi.

— Je peux te ramener chez toi.

Elle fit non de la tête.

— Je sais que ce n'est pas l'homme de ma vie, poursuivit-elle, mais Rich est plutôt sympa et pas désagréable à regarder. Et puis je crois que je lui plais, peut-être que la magie viendra plus tard, après tout !

L'idée d'un « plus tard » entre eux révulsa Alex. Rich les rejoignit à ce moment-là, lui tendant une bière, puis effleurant la nuque de Holly. Il saisit alors la bouteille avec une telle force qu'il fut surpris qu'elle n'éclate pas entre ses doigts.

— Est-ce que je t'ai dit que tu étais vraiment ravissante ? lança Rich en tentant une nouvelle incursion en direction du fameux bouton.

Elle repoussa sa main une fois encore, mais cela semblait plus pour la forme.

Tout cela ne le regardait pas, songea Alex. Holly avait toujours refusé son aide quand il la lui avait offerte.

Pourtant, il ne pouvait se résoudre à la laisser ainsi. Elle avait trop bu pour prendre une décision réfléchie, ses amis eux-mêmes n'étaient pas en état de prendre soin d'elle, et Rich était trop soûl pour garder ses distances.

— Elle t'a déjà dit d'arrêter avec son bouton ! lança-t-il finalement à Rich, n'y tenant plus.

Malgré son degré d'alcoolisation, Rich perçut le ton catégorique de sa voix et se tourna vers lui, l'air ahuri.

— Pardon ? Je peux savoir de quoi tu me parles ?

Holly à son tour lui adressa un regard interrogateur.

— Est-ce qu'Alex a autorité sur toi, par hasard ? demanda encore Rich à sa cavalière.

— Autorité sur moi ? Certainement pas !

Rich n'en attendait évidemment pas plus.

— Dégage, Alex, laisse-nous tranquilles.

Mais il était bien décidé à ne pas se laisser faire.

— Viens, Holly, je te ramène chez toi.

— C'est moi qui la raccompagne, déclara Rich, en plaçant son bras autour de l'épaule de Holly.

— Certainement pas, trancha-t-il en posant la main contre le torse de son rival.

Puis il le repoussa d'un geste sec qui l'envoya valdinguer de plusieurs pas en arrière.

— Hé ! lança Holly en se levant à son tour. Je n'ai pas besoin que l'on s'occupe de moi, je peux rentrer chez moi toute seule, tu n'as aucun droit sur moi, Alex McKenna !

— Eh bien pour ce soir, je le prends.

Il la saisit par la taille et la souleva de terre, surpris de la trouver aussi légère. Il la chargea ensuite sur son épaule et sortit du bar en ignorant les protestations de ses amis, de Rich et de Holly elle-même.

Elle tambourinait sur son dos, mais ce n'était pas vraiment ce qui captait son attention. Non, il songeait plutôt au fait que, pour la deuxième fois de la soirée il la sentait tout contre son corps.

Enfin, il atteignit sa voiture et la déposa sur le siège passager, puis boucla sa ceinture.

Il referma sa portière et gagna sa place alors qu'elle cherchait en vain à se détacher. Son niveau d'alcoolémie l'empêchait manifestement de prendre trop vite la poudre d'escampette. Il mit donc le contact, attendant qu'elle se calme et arrête de jurer à mi-voix en triturant sa ceinture.

— Je vais vraiment être furieuse contre toi dès que je serai sobre de nouveau, tu le sais ?

— Oui.

— Je n'arrive pas à croire que tu aies fait ça. Me soulever sur ton épaule et m'emmener, comme ça, pesta-t-elle en mimant la scène avec une telle emphase qu'elle lui cogna le visage avec son coude.

Il ferma un œil sous le coup.

— Tout ça, alors que pour une fois dans ma vie j'essaie de m'amuser un peu, poursuivit-elle en s'affaissant sur son siège. Toi qui m'as toujours considérée comme une fille coincée, tu devrais au contraire me féliciter de me lâcher un petit peu.

— Je n'ai pas de problème avec le fait que tu te distraies un peu. Je m'inquiète simplement de voir un imbécile de première, complètement ivre, en train de déboutonner ton pull au milieu du bar.

— Ce n'est pas un imbécile et j'enlève mes habits si je veux. Nous sommes dans un pays libre !

— D'accord, la prochaine fois, je te laisse te déshabiller au milieu d'un bar plein de sportifs en goguette sans intervenir. Tu peux bien faire ce que tu veux, répondit-il en s'engageant sur l'autoroute.

— Exactement, je fais ce que je veux !

Et joignant le geste à la parole, elle retira son pull.

Il s'en fallut de peu qu'il n'ait un accident lorsqu'il découvrit son soutien-gorge de dentelle qui mettait en valeur sa poitrine plantureuse.

— Remets ton pull, enfin !

— Non !

— Bon sang, Holly !

— Non !

Il inspira profondément, puis répéta calmement :

— S'il te plaît, Holly, je te demande vraiment de remettre ton pull.

Il y eut un moment de silence pendant lequel il dut faire de gros efforts pour garder le regard rivé sur la route. Il avait conscience de cette présence dénudée à ses côtés, il devinait ses respirations saccadées qui soulevaient rythmiquement sa poitrine. Sa peau nue si près de lui… Elle sentait la rose et la tequila, un mélange étonnamment érotique.

— D'accord, dit-elle finalement en glissant le col de son pull autour de sa tête.

Il aurait eu du mal à définir ce qu'il ressentit à cet instant, un mélange de soulagement et de déception certainement. Impossible pour lui de savoir quelle sensation était la plus intense.

— Merci.

— De rien, lança Holly d'une voix si blanche qu'il tourna la tête vers elle.

— Qu'est-ce qui ne va pas ?

Elle haussa les épaules.

— C'est rien, je te vois flirter avec toutes les filles qui s'approchent de toi, et tu détournes le regard alors que je me dénude devant toi. Je ne savais pas que j'étais aussi repoussante à tes yeux.

Il avait du mal à croire ce qu'il venait d'entendre.

— Mais tu es folle ou quoi ? Je…

Il s'interrompit de peur d'aller trop loin.

— C'est juste que nous ne sommes pas dans ce genre de relation de séduction tous les deux, reprit-il. Tu as enlevé ton pull simplement parce que tu es énervée et ivre et que tu veux me provoquer. Je n'imagine pas tirer parti de la situation dans ces conditions !

Avait-elle vraiment écouté ce qu'il venait de lui dire ?

— Je n'ai jamais été très douée pour draguer ou flirter, poursuivit-elle en baissant sa vitre pour y passer la main et profiter de la fraîcheur de l'air. Cela fait trois ans que je n'ai pas fait l'amour, Alex. Je crois que j'ai même oublié comment on fait.

Qu'était-elle en train de lui raconter ? Si elle se mettait à parler de sa vie sexuelle, il risquait d'avoir du mal à rester l'homme honorable qu'il s'était targué d'être un peu plus tôt.

Et puis, lorsqu'elle se réveillerait le lendemain matin, elle se remémorerait leur conversation et serait tellement gênée qu'elle ne lui adresserait probablement plus la parole. Elle ne supporterait pas de savoir qu'il l'avait vue en état de faiblesse.

— Est-ce que je peux te poser une question ?

— Bien sûr, répondit-il, craignant ce qui allait venir.

— Pourquoi est-ce que tu as quitté la Ligue nationale de football ?

Il tourna la tête vers elle un bref instant. Pourquoi lui parlait-elle de cela, maintenant ? Enfin… Au moins avaient-ils changé de sujet…

— Pourquoi j'ai quitté la Ligue, répéta-t-il à mi-voix. Je n'aime pas parler de ça, mais si tu insistes pour…

— J'insiste.

— Bon, eh bien, à l'époque où j'étais sportif professionnel, j'ai mené un programme avec des adolescents. Il y avait là un jeune garçon, Charles, qui était bon élève et très bon joueur. J'ai travaillé deux ans avec lui jusqu'à ce qu'il soit pris dans l'équipe de Michigan State. Le lendemain du jour où il a reçu leur courrier, il a avalé vingt antidépresseurs qui appartenaient à sa mère et une bouteille de vodka. Il n'a pas survécu.

— Alex, mais c'est vraiment terrible..., dit-elle, le souffle coupé. Mais, euh... je ne comprends pas le rapport avec toi.

— Durant l'enquête, on a découvert que Charles prenait des stéroïdes. Je n'en avais jamais eu la moindre idée. Il ne m'avait jamais laissé entendre la moindre chose à ce sujet. Il avait dû songer que j'étais trop strict pour entendre cela. Il avait raison en un sens : je suis totalement intransigeant envers tout ce qui touche à ces produits dopants. D'ailleurs, on sait maintenant qu'ils provoquent des tendances suicidaires chez leurs utilisateurs.

Il inspira longuement, sentant l'émotion l'envahir.

— Je m'en suis tellement voulu de n'avoir pas repéré les premiers signes, ses changements d'humeur, l'augmentation de sa masse musculaire si rapide. Mais il faut bien admettre que nombreux sont ceux qui touchent à ces produits. Je n'ai pas été surpris par ce qui aurait dû m'alerter immédiatement. Après le décès de Charles, j'ai donc décidé que c'était auprès des jeunes que je voulais travailler.

Ce souvenir le réchauffa un peu.

— A moins que ce ne soit le fait de me faire ramasser sur le terrain tous les week-ends ! Dans tous les cas, il était temps pour moi de quitter ce monde du sport professionnel.

Elle le regardait, l'air pensif.

— Je suis impressionnée par ton courage, dit-elle. Et je suis contente que tu aies quitté la Ligue et que tu sois l'entraîneur de mon fils.

Il ne s'attendait pas à ce genre de remarque de la part de sa meilleure ennemie.

— Eh bien, merci, Holly…

— Est-ce que je peux te poser une autre question ?

— Bien sûr.

— Pourquoi est-ce que tu étais à ce point imbuvable au lycée ?

Il la retrouvait bien, là…

— C'est toi qui dis que j'étais imbuvable, on croit rêver ! lança-t-il, amusé. Mais tu as raison, j'étais vraiment insupportable, un peu comme tous les jeunes gens de cet âge. J'espère que tu as conscience que la plupart des adolescents ne sont pas faits sur le même modèle que Will ?

— Je sais qu'il est unique, mais tu l'étais aussi à ta façon. La plupart des ados sont désagréables, mais toi, tu étais…

— Pire que les autres ? Peut-être, oui. Il faut dire que ça se passait très mal avec ma famille. Même si c'est le prétexte bidon de la plupart des ados rebelles.

— Pourquoi est-ce que ça se passait si mal ?

— Je n'ai jamais connu mon père, il a quitté ma mère alors qu'elle était enceinte. Et puis, quand j'avais huit ans, ma mère est morte et je me suis retrouvé avec mon beau-père. Brian et lui avaient des liens ensemble qu'ils n'ont jamais entrenus avec moi. Et je le leur rendais bien… Nous n'étions pas du même sang, et ils me le faisaient tellement ressentir que je n'ai même pas essayé de me lier avec eux, je crois. Dès que j'ai pu, je suis parti de la maison.

— Tu n'avais déjà plus vraiment de famille après le décès de ta mère, non ?

Il haussa les épaules.

— Pas la peine de prendre ce ton pathétique, cela fait longtemps que j'ai surmonté cela, et je peux te dire que j'ai vu des jeunes qui traversaient des situations bien plus terribles.

Il se tourna vers elle.

— Toi, tu as traversé bien pire.

Elle le fixa avec stupeur.

— Comment cela ?

— Eh bien, tu comptais sur tes parents et ils t'ont laissée tomber au moment où tu avais le plus besoin d'aide et de soutien, non ?

Elle baissa les yeux.

S'était-il aventuré en terrain interdit ? Holly avait l'excuse de l'alcool, lui n'en avait aucune.

— Comment as-tu vécu cela ? reprit-il doucement.

Elle releva le regard.

— De quoi est-ce que tu veux parler ?

— Je veux parler du fait de se retrouver toute seule dans une situation difficile.

— C'était dur, répondit-elle laconiquement en basculant en arrière contre l'appui-tête. En même temps, cela m'a permis de découvrir quelle était ma force. C'est important de prendre conscience de son autonomie, de ne plus dépendre que de soi, de ne devoir rien à personne. Tu comprends ce que je veux dire ?

— Oui, je crois que je comprends. Tu sais, Holly, je ne te l'ai jamais dit, mais j'ai toujours été très admiratif de tout ce que tu as accompli. Tu as su faire face pour Will de façon impressionnante, alors que tu étais seule au monde.

Elle inclina la tête de côté, un vague sourire aux lèvres.

— Attends un peu, ne serait-ce pas un compliment que tu es en train de me faire ?

— Que cela ne te monte pas à la tête pour autant, je persiste dans l'idée que tu es une vraie tête de mule et que tu te compliques la vie pour rien. Mais je reconnais aussi que j'ai une certaine admiration pour toi, même lorsque tu contraries mes élans chevaleresques.

— Moi, une tête de mule ? lança-t-elle comme pour elle-même.

Il tourna la tête vers elle : heureusement, elle avait toujours le sourire. Elle repassa la main par la vitre.

— A mon tour de te poser une question.

— Je t'en prie.

— Pourquoi m'emmener hors de ce bar ?

Il engagea un demi-tour dans la rue de Holly.

— Je connais Rich depuis longtemps, ce n'est pas un mauvais bougre, mais il n'est pas fait pour toi. Il a été avec des centaines de filles avant d'atterrir à ce bar avec toi.

— Cela te va bien de dire ça, tu as le même genre de palmarès, non ?

— Oh ! non, loin de là, je n'ai pas été avec des centaines de filles. Et puis au moins je suis sincère dès le départ, je préviens toujours que je ne veux pas m'engager dans une relation sérieuse, je ne suis pas le genre à briser les cœurs autour de moi.

— Parce que le fait d'être direct rend ton comportement plus acceptable ? Tu es exactement comme Rich. Et, dans le fond, cela m'est bien égal. Je ne cherchais pas à rencontrer l'homme idéal, je voulais juste me distraire un soir, un peu de pratique ne me ferait pas de mal…

— Tu peux aller à tous les rendez-vous galants que tu veux, mais, avec Rich, ce n'est pas possible…

Elle leva les yeux au ciel.

— Encore une fois tu essayes de décider de ce qui est bon pour moi !

— Tu as raison, reconnut-il en entrant dans son allée. La prochaine fois, je ne dirai rien et j'enverrai quelques-unes de mes anciennes connaissances pour lui briser les jambes s'il s'approche de toi !

— Alex !

— Qu'est-ce qu'il y a ? lança-t-il amusé en coupant le contact. Bon, tu es vraiment adorable avec ce petit air indigné, mais il est de mon devoir de te dire que tu es arrivée à bon port.

Dans la pénombre et le silence, elle se tourna vers lui.

— Tu penses vraiment que je suis adorable ?

Il la regarda un instant, puis ouvrit sa portière et sortit de voiture. S'il restait une seconde de plus enfermé là-dedans avec elle, il ne répondait plus de rien.

— Tu as bien dit que j'étais adorable ? reprit-elle lorsqu'il lui ouvrit la portière.

— Tout à fait, à peu près autant qu'un bébé labrador, répondit-il en lui tendant la main.

— Une minute, maintenant tu me compares à un chien ?

— Oui, mais un chiot vraiment adorable. Est-ce que tu as déjà vu un chiot labrador ? insista-t-il, roublard, en la conduisant jusqu'à sa porte. Allez, maintenant je peux te laisser. Bonne nuit, Holly.

Cela ne se reproduirait plus, songea-t-il soudain avec amertume. Ils ne retrouveraient plus cette proximité, cette complicité, et cela lui manquait déjà.

— Bonne nuit, Alex, dit-elle.

Mais elle ne bougea pas d'un pouce.

Il ne devait pas traîner là, il le savait, et pourtant il ne parvenait pas à repartir.

Il écarta une mèche de cheveux qui était tombée devant ses yeux et fit ce qu'il avait eu envie de faire toute la soirée… Il glissa ses doigts dans le satin de sa chevelure cuivrée.

A peine l'eut-il effleurée qu'il regretta son geste.

C'était encore plus doux qu'il ne l'avait imaginé. Cela ne risquait pas de l'aider à trouver le sommeil cette nuit.

— C'est agréable, murmura-t-elle, d'une voix teintée de surprise. Regarde, j'ai la chair de poule !

Il fallait vraiment qu'il déguerpisse !

Mais c'était sans compter avec ces deux grands yeux verts qui le fixaient, et pour une fois sans trace de jugement ni d'antipathie. Il vit ses lèvres s'entrouvrir. Avec n'importe quelle autre femme, ivre ou pas, il aurait choisi cet instant pour l'embrasser…

Et comme l'instant restait suspendu un peu trop longtemps, alors qu'il se surprenait à se pencher imperceptiblement vers elle, il se ressaisit d'un coup et lui ouvrit la porte de la maison.

— Tu ferais mieux de rentrer, dit-il. Prends donc une aspirine avant de te mettre au lit.

— Une aspirine ? Mais je me sens bien.

— Sans doute, mais demain matin, ce ne sera pas le cas. Tu vas te réveiller et être absolument furieuse envers moi, tu te rappelles ?

— C'est vrai, même si je ne me rappelle plus pourquoi je devrais être furieuse contre toi !

Il eut un sourire en coin.

— Ne t'en fais pas, je suis certain que cela te reviendra, le moment voulu.

- 4 -

La douleur était lancinante, accablante…

— Maman, tu n'es pas encore debout ?

Holly grimaça. Comme elle commençait à le suspecter, c'était bien de sa tête qu'il s'agissait.

— Ne crie pas, Will, je t'en prie !

— Je ne crie pas, je pense que c'est plutôt toi qui as du mal à te remettre de ta soirée d'hier.

Elle marmonna une vague réponse et roula dans son lit, les paupières closes.

— Est-ce que tu te rends compte de l'exemple déplorable que tu offres à ton fils si influençable ?

— Aie pitié de moi, Will, ta voix me transperce le crâne comme un marteau-piqueur.

— C'est bon, je suppose qu'il faut que je te prépare un café. Tu devrais boire beaucoup d'eau pour t'hydrater… avec une aspirine. Ne bouge pas, je m'occupe de tout.

S'attendait-il à ce qu'elle sorte de son lit et descende le rejoindre en sifflotant ? Elle n'était vraiment pas en condition. Elle allait commencer par essayer d'ouvrir les yeux.

Fixant le plafond, elle entendit les pas de Will, qui revenait déjà, sans son café, mais avec le combiné du téléphone à la main.

— C'est le coach, dit-il en déposant le combiné sur l'oreiller à côté d'elle. Il dit qu'il veut te parler !

Dieu tout-puissant !

Les souvenirs de la soirée de la veille se mirent à l'assaillir et elle fixa le téléphone avec horreur.

Il était au bout du fil, là, à portée de son oreille.

Elle s'était à moitié déshabillée dans sa voiture et il ne lui avait même pas adressé un regard. Elle en était mortifiée.

Puis elle songea à leur conversation, à ces confidences qu'ils avaient échangées et ce fut encore pire. Surtout, elle se remémora combien elle avait été proche de l'embrasser et elle n'eut plus d'autre envie que celle de s'enfouir sous sa couette en priant pour être téléportée sur une autre planète du système solaire.

La seule chose qui la retenait de jeter le combiné par la fenêtre était qu'Alex saurait aussitôt pourquoi elle ne lui parlait pas. Il devinerait qu'elle était bien trop gênée pour lui répondre.

Elle repoussa donc sa couette, saisit le téléphone et le plaça à son oreille.

— Quelle idée d'appeler ainsi les gens aux aurores ? décocha-t-elle d'un ton sec.

Elle entendit son rire résonner à l'autre bout de la ligne.

— Il est midi, Holly.

Elle leva les yeux vers son réveil. Il disait vrai.

— Bien, qu'est-ce qu'il te prend de m'appeler à midi, dans ce cas ?

— Je voulais savoir comment tu te sentais, et surtout vérifier si tu me parlais encore.

Elle hésita.

— Je me sens horriblement mal, merci de me poser la question.

— J'en suis désolé pour toi. Et donc tu me parles encore, on dirait ?

Elle se mordit la lèvre. La solution la plus simple

serait de jouer les innocentes. S'il avait un soupçon de délicatesse, il ferait de même et l'incident serait clos.

— Bien sûr, pourquoi refuserais-je de te parler ? demanda-t-elle avec une candeur toute feinte. Je te parle comme je t'ai toujours parlé, ni plus ni moins.

Il y eut un court silence.

— Bien, c'est donc ainsi que tu veux jouer la partie, lâcha-t-il. J'aurais dû m'en douter.

Sa main se resserra autour du téléphone.

— Qu'est-ce que tu veux dire ?

— Tu sais très bien ce que je veux dire, tu vas faire comme si de rien n'était.

— Et alors, où est le problème, je te prie ? Pourquoi est-ce que je n'aurais pas le droit d'essayer d'oublier la soirée d'hier ? J'étais ivre, Alex, alors si tu es un gentleman, tu pourrais faire semblant de ne rien te rappeler non plus.

— Tu me parles de gentleman ? Mais si je n'en avais pas été un hier, j'aurais…

Il s'interrompit.

— Tu aurais quoi ? demanda-t-elle.

— Eh bien disons que tu semblais plutôt réceptive…

— Eh bien si je suis apparue réceptive, comme tu dis, c'est uniquement en raison de l'alcool. Parce que je ne le suis pas et ne le serai jamais pour toi ! Tu es arrogant et désagréable, et tu embarques les gens sur ton épaule quand ça te chante à la façon d'un néandertalien. Je ne vois vraiment pas comment je pourrais éprouver le moindre intérêt pour quelqu'un comme toi.

— Bien sûr, je comprends, je suis loin d'être à la hauteur de tes attentes, à l'instar de Brian le père disparu ou de Rich, qui se serait empressé de perdre ton numéro après quelques nuits avec toi.

Une vague de colère la submergea. Toujours assise dans son lit, elle haussa le ton.

— Comment oses-tu me juger, alors que tu es tout sauf un exemple de stabilité toi-même ? Je ne vois personne à tes côtés, non ? As-tu jamais été en couple sérieusement ?

— Bien sûr, j'ai été plusieurs fois…

— Je ne parle pas d'aventures, Alex. Réponds-moi honnêtement, es-tu seulement resté plus de trois mois avec la même femme ? As-tu jamais laissé une brosse à dents chez l'une de tes conquêtes ?

Le silence se fit à l'autre bout de la ligne.

— Le fait que je n'aie pas rencontré la bonne personne ne signifie pas que…

— Allons, tu as la trentaine, maintenant. Comment espères-tu rencontrer la bonne personne, comme tu le dis ? Est-ce que tu le souhaites seulement ? J'imagine que tu te satisfais pleinement de la vie que tu mènes, et tu sais quoi ? Cela ne me regarde même pas, nous sommes dans un pays libre et tu peux bien faire ce que tu veux. Mais, en revanche, tu n'as aucun droit de me juger au prétexte que mon prétendant n'est pas à ton goût. Je suis adulte et si j'ai envie de passer du bon temps avec un autre adulte consentant, c'est mon problème et le sien.

Le silence s'étira.

— Très bien, conclut-il. Oublie tout ce que j'ai dit. Il est visiblement interdit de te rendre service, je ne m'y emploierai donc pas. Alors bonne chance pour tes aventures entre adultes consentants ! Je veux bien croire qu'après trois années sabbatiques tu sois quelque peu rouillée !

— Très bien, c'en est trop. Tu sais, Alex, que dans la brume alcoolisée dans laquelle j'étais hier soir, il y a eu trois ou quatre minutes pendant lesquelles je n'ai pas eu envie de t'étrangler. Ce temps est bel est bien révolu désormais, au revoir !

Elle raccrocha sans attendre un mot de réponse. Elle fulminait. Après quelques instants immobiles à contenir sa colère, elle rejeta sa couette et se leva de son lit pour pouvoir donner libre cours à son agacement en faisant les cent pas dans sa chambre.

— Ah, te voilà debout ! fit remarquer Will en entrant, un plateau à la main.

Ses yeux s'arrêtèrent sur le contenu du plateau — une bénédiction dans son état : deux cachets d'aspirine, un grand verre d'eau et un mug de café.

— Que voulait le coach ?

— Rien, répondit Holly en avalant aussitôt les aspirines avec quelques gorgées d'eau. Merci beaucoup pour tout ça, est-ce que tu as déjeuné ?

— Oui, j'ai déjeuné un peu plus tôt dans la cuisine, répondit-il, la mine soudain préoccupée. D'ailleurs, il y avait une drôle d'odeur dont je voulais te parler, ça sentait un peu le brûlé, j'ai eu l'impression. C'était assez discret et je n'ai pas su d'où ça venait, mais je me suis demandé s'il ne pouvait pas y avoir une sorte de court-circuit quelque part. Il faudrait que tu jettes un coup d'œil, non ?

Elle prit une gorgée de café.

— Oui, c'est sans doute le four, il a besoin d'être sérieusement récuré. Je regarderai en tout cas.

— Au fait, est-ce que tu veux bien que j'aille chez Tom aujourd'hui ? On a un exposé à faire ensemble.

— Bien sûr, je serai heureuse de profiter d'un dimanche après-midi sans match de football pour une fois !

— D'accord, alors je rentre ce soir vers 21 heures. Tom m'a dit que je pouvais rester dîner.

— Très bien, à ce soir, alors. Passe une bonne journée.

— Merci, maman, et n'oublie pas de vérifier cette odeur dans la cuisine, on ne sait jamais.

— Oui, oui !

Pourtant, elle ne passa pas par la cuisine de la journée. Elle commença par jeûner. Puis, lorsque la faim se fit trop sentir, elle eut soudain une furieuse envie de fast-food à laquelle elle décida de ne pas résister.

Elle se mit ensuite au lit de bonne heure, avant même que Will ne soit rentré.

Il fut de retour comme prévu et se coucha vers 22 heures.

Tous deux dormaient profondément lorsque les premières flammes se formèrent dans la cuisine, embrasant rapidement la charpente de bois et transformant le minuscule foyer de départ en un véritable incendie.

Les alarmes se déclenchèrent, mais Holly dormait si profondément qu'elle n'en prit pas conscience aussitôt. Pourtant, en quelques secondes, la fumée envahissait déjà dangereusement sa chambre.

Lorsqu'elle se mit à suffoquer, elle se réveilla et prit conscience en un instant de ce qui était en train de se passer.

Will, pensa-t-elle aussitôt, horrifiée. Elle tituba hors de son lit et s'élança dans le couloir, les yeux en feu et les poumons brûlants. Dans la cage d'escalier elle vit la masse orangée du foyer et perçut le puissant grondement du feu qui dévorait sa maison. Ils n'avaient que quelques secondes devant eux pour s'échapper de la fournaise.

Elle entra en trombe dans la chambre de Will et le secoua de toutes ses forces.

— Qu'est-ce qu'il y a ? demanda-t-il encore assoupi.

Puis il se mit à suffoquer à son tour.

— Le feu ! s'écria-t-elle en se précipitant à la fenêtre.

Elle l'ouvrit d'un geste brusque, puis se pencha pour regarder vers le sol.

— Saute ! ordonna-t-elle en se tournant vers lui.

Il était là, debout dans son pyjama, l'air à la fois si jeune et si déterminé.

— Non, toi d'abord, maman, hors de question de te laisser derrière moi.

— Will, ne discute pas, je te suivrai de près. Le jardin est plus haut de ce côté de la maison : tu ne devrais pas te faire trop mal, mais essaie d'amortir quand même.

Il hocha la tête, sans voix face à l'assurance dont elle faisait preuve. Il s'assit ensuite dans l'embrasure de la fenêtre, se contorsionnant pour faire passer ses longues jambes, hésita un instant puis se laissa tomber. Elle l'entendit gémir en atterrissant au sol.

Une seconde plus tard, c'était à son tour de sauter. Elle se décala vers le côté pour éviter de tomber sur Will et termina sa chute dans un rosier. Pourtant elle sentit à peine les épines qui lacéraient son visage et son avant-bras.

L'espace d'un instant, elle resta immobile, luttant pour retrouver son souffle. Will s'était levé et regardait la maison dans laquelle il avait presque toujours vécu. Elle semblait un fétu de paille sous les flammes.

Holly ressentait la chaleur du feu et l'odeur âcre l'assaillait.

— Les pompiers, lâcha-t-elle. Nous devons appeler les pompiers.

Au même instant, les sirènes retentirent dans le lointain, se rapprochant rapidement.

— Quelqu'un a dû les avertir, dit Will.

Sa voix tremblante trahissait son état de choc.

Holly se redressa péniblement.

— Tu vas aller chez Mme Hanneman, déclara-t-elle. Je reste ici pour prévenir les pompiers qu'on a pu s'échapper, afin qu'ils n'envoient personne à l'intérieur.

— Oui, maman.

Elle le suivit du regard le cœur serré. Mme Hanneman venait d'ouvrir sa porte, certainement réveillée par le vacarme du feu et les sirènes des pompiers. Elle fixait le désastre avec stupéfaction depuis son porche et accourut vers Will lorsqu'elle le vit dans la pénombre.

Holly recula lentement vers la rue et distingua progressivement tous ses voisins sur le pas de leur porte, observant le spectacle avec stupeur, la main sur la bouche.

Le premier camion s'arrêta devant chez elle. Elle se fit violence pour accélérer le rythme de ses pas et avancer à la rencontre des pompiers.

— Il n'y a plus personne à l'intérieur, annonça-t-elle au premier d'entre eux.

L'homme se tourna vers elle.

— C'est votre maison, madame ?

— Oui, il n'y avait que mon fils et moi, et nous sommes sains et saufs. Pas la peine d'envoyer vos hommes à l'intérieur.

— D'accord, restez à l'écart, une ambulance va arriver, on vous examinera avec votre fils.

— Oui, murmura-t-elle dans le vide, car le pompier avait déjà tourné les talons.

Son esprit semblait fonctionner au ralenti, et ses membres lui semblaient comme engourdis. Elle essaya de marcher, mais ses jambes ne lui répondaient plus. Les bruits terribles autour d'elle, les craquements, les grondements en provenance de la maison, les sirènes, les alarmes, les cris des pompiers, tout cela formait un chaos indescriptible autour d'elle.

Elle songeait au vitrail au-dessus de la porte d'entrée, au grand lustre dans la salle à manger et aux fenêtres ouvragées de la salle de bains. Elle passa devant chez Mme Hanneman sans s'arrêter, contournant largement la maison pour atteindre le jardin de derrière.

C'était étonnamment calme, de ce côté-là. Pas de voisin horrifié, pas de pompiers. Elle resta à contempler l'incendie, en clignant les yeux, et soudain ses dernières forces l'abandonnèrent. Elle se retrouva accroupie au sol, tout son corps soulevé par de violents sanglots. Pas une larme pourtant ne sortit de ses paupières.

Alex ne trouvait pas le sommeil. Il avait appelé Rich pour lui présenter ses excuses à propos de la soirée de la veille, lui précisant qu'il n'était pas le moins du monde intéressé par Holly, ce à quoi le présentateur lui avait répondu par un rire goguenard.

— Tu te moques de moi ! A la seconde où tu l'as embarquée sur ton dos, tout le monde a bien compris qu'elle n'était plus sur le marché ! Je parie que c'est la première fois qu'une fille te mène ainsi par le bout du nez ! Est-ce pour elle que tu n'es plus à Cincinnati ?

Il avait froncé les sourcils.

— Nous ne sommes pas ensemble, je te le répète. C'est juste qu'elle n'est pas comme les autres, je voulais la protéger parce qu'elle est… différente.

— Bien sûr qu'elle est différente à tes yeux, puisque tu en pinces pour elle !

— Je n'en pince pas pour elle, qu'est-ce que tu racontes ?

— Bien, bien, en tout cas, invitez-moi au mariage,

hein ? J'ai généralement du succès auprès des demoiselles d'honneur.

Quelques heures plus tard, il était toujours au lit, plus éveillé que jamais. Au bout d'un moment, il abandonna le combat et ralluma sa lampe de chevet, puis attrapa son journal sportif. Il n'en avait pas lu plus d'un article lorsque le téléphone retentit.

— Oui ? répondit-il en jetant un regard inquiet en direction de son réveil.

— Coach ? C'est Tom Washington.

— Pourquoi est-ce que tu m'appelles à cette heure, Tom ? Il est presque minuit. Tout va bien ?

— C'est au sujet de Will, enfin sa maison, plutôt. Ils ont appelé mon père à la caserne pour un incendie et c'est chez lui !

Un frisson d'effroi parcourut sa colonne vertébrale.

— Est-ce que tu sais s'ils vont bien ?

— Non, je n'ai pas de nouvelles, tout ce que je sais, c'est que c'était un sacré feu. Coach, est-ce que vous pouvez venir me chercher pour m'amener là-bas ? Ma mère est de garde à l'hôpital cette nuit et…

— J'arrive dans cinq minutes, attends-moi en bas de chez toi.

Alex enfila quelques vêtements en quatrième vitesse, jurant à haute voix lorsqu'il ne parvint pas à lacer ses baskets à cause de ses mains tremblantes.

Au volant, il essaya de garder son calme, se répétant qu'il ne serait d'aucun secours à Holly et Will s'il finissait contre un arbre.

Tom l'attendait comme prévu et il avait refermé la portière de la voiture derrière lui avant même qu'elle ne soit totalement à l'arrêt. Il avait un récepteur radio à la main, très probablement branché sur l'émetteur des pompiers.

— Des nouvelles ? lui demanda-t-il.

Tom fit non de la tête.

— Il y a seulement un des gars qui a dit que c'était le pire feu qu'il ait vu depuis cinq ans.

Alex tressaillit.

— Et les Santon, est-ce qu'on sait seulement s'ils sont sortis ?

Tom leva les mains en signe d'impuissance.

— Je ne suis pas sûr, j'ai cru entendre un des hommes dire qu'il n'y avait personne dans la maison, mais ça pouvait aussi être une question.

Ils tournèrent au niveau de Maple Avenue et furent saisis tous les deux par ce qu'ils découvrirent. Les flammes immenses semblaient lécher le ciel, la fumée était épaisse et aveuglante, les gyrophares, les torches, les sirènes et puis cet attroupement de badauds…

Il y avait aussi une ambulance.

Il se gara un peu plus loin, et Tom et lui se dirigèrent précipitamment vers le véhicule blanc.

— Est-ce qu'il y a des blessés ? demanda Alex, d'une voix blanche.

L'infirmier fit non de la tête.

— Ils ont réussi à sortir tous les deux, c'était une mère et son fils. J'ai vu le jeune homme et il n'a rien. On attend encore la mère pour un contrôle. C'est un miracle qu'ils s'en soient sortis avec un tel incendie, fit-il en hochant la tête en direction de la fournaise.

Alex ferma les yeux une seconde.

— Dieu merci, murmura-t-il. Où sont-ils ?

— Le garçon est ici, répondit l'infirmier en pointant la maison derrière lui.

Alex et Tom distinguèrent aussitôt la silhouette de Will sous le porche des Hanneman. Tom s'élança vers son ami, laissant Alex auprès de l'infirmier.

— Et Holly, sa mère, savez-vous où elle se trouve ?

— Non, je ne l'ai pas vue, mais elle s'est adressée à un pompier en arrivant et l'a assuré qu'elle allait bien. Elle a dû se réfugier chez l'un de ses voisins.

Il chercha du regard la silhouette de Holly dans la rue, mais ne la vit nulle part. Il s'efforça de réfléchir de façon rationnelle. Si elle n'était pas avec Will, il était difficile de croire qu'elle puisse être avec un de ses voisins. Où pouvait-elle bien se trouver ? Elle devait être dans un état de choc indescriptible, à contempler sa maison partir en fumer sous ses yeux…

Il devait la retrouver.

Une intuition dirigea ses pas vers le sentier obscur qui menait derrière la maison. De là, il pouvait sentir la chaleur dégagée par les flammes.

Il accéléra le pas. Elle était là ! Elle portait une longue chemise de nuit blanche et était recroquevillée sur la pelouse, à genoux, penchée en avant.

Il se précipita et écarta ses cheveux, la découvrant secouée par de violents hoquets. Mais elle n'était pas en train de vomir. Au bout d'une minute, les convulsions s'apaisèrent et elle se redressa. Elle tremblait maintenant.

Il s'agenouilla, cherchant des traces de blessures sur son corps.

— Tu saignes, dit-il en essuyant le sang de son visage avec sa manche. On dirait que ce n'est qu'une éraflure, mais il faut quand même désinfecter tout cela.

Elle ne disait rien. Se rendait-elle compte de sa présence ? Elle était en état de choc, cela ne faisait aucun doute.

Il essuya son avant-bras, lui aussi ensanglanté. Elle continuait à fixer sa maison, les yeux grands ouverts. Les flammes rougeoyantes s'y reflétaient.

— Holly, murmura-t-il en effleurant son visage. Holly !

Il chercha à se placer entre l'incendie et elle pour qu'elle finisse par le voir. Mais son regard semblait perdu.

— C'est ma faute, murmura-t-elle d'une voix à peine audible.

— Qu'est-ce que tu veux dire ? demanda-t-il en l'encourageant doucement.

— C'est ma faute, répéta-t-elle. Will avait remarqué une drôle d'odeur dans la cuisine et je lui ai dit que je vérifierai. Sauf que je ne l'ai pas fait. J'avais la gueule de bois et je ne suis pas allée vérifier. Il a dû y avoir un court-circuit dans la cuisine. Bon sang, c'est moi qui aurais dû vérifier et le protéger !

Elle se remit à trembler de plus belle et il la serra contre lui avec force.

— Ce n'est pas ta faute, Holly.

Un court instant, il sentit la tension de son corps se relâcher grâce à son étreinte, mais elle le repoussa aussitôt avec vigueur.

— Tu n'en sais rien ! J'aurais dû prêter attention à ce que Will m'a dit et vérifier cette odeur de brûlé dans la cuisine, sauf que j'avais trop bu la veille et qu'à cause de cela j'ai été moins vigilante. Will aurait pu mourir par ma faute, parce que je me suis montrée irresponsable. Je n'ai pas le droit à l'erreur, Alex. Je suis son seul parent. Bien sûr que c'est ma faute !

— Arrête un peu, Holly. Tu n'as pas à te sentir coupable.

Il la prit par les épaules.

— Mon matelas, dit-elle tout à coup en regardant en direction de la maison.

Il se retourna. Le feu semblait à présent contrôlé, mais il ne vit rien qui ressemblât à un matelas.

— De quoi est-ce que tu parles ?

— Mon matelas, il est tout neuf, je viens juste de l'acheter ! Mon matelas…

Elle fixait du regard les pompiers noyer les derrières flammes, laissant une carcasse noire et fumante.

— Il ne reste plus rien, plus rien, soupira-t-elle. Toutes les affaires de ma grand-mère, toutes ces choses qu'elle avait faites de ses mains.

Sa voix semblait celle d'un robot, sans émotion perceptible. Pourtant, il devinait toute la douleur qu'elle recelait et aurait donné tout ce qu'il avait pour apaiser cette souffrance.

— Les photos de Will bébé, tous nos albums, nos…

Il écoutait, impuissant, la litanie de ses pertes ânonnée d'une voix morne.

— Je sais que c'est terrible, murmura-t-il. Mais Will et toi êtes en vie, c'est tout ce qui compte. Essaie de ne penser qu'à ça. Vous êtes sains et saufs, le reste est accessoire.

Elle leva les yeux vers lui. Pour la première fois depuis qu'il l'avait rejointe, elle le voyait vraiment, remarqua-t-il.

— Sains et saufs, répéta-t-elle en reculant de quelques pas, un sourire mauvais aux lèvres. Oui, tu as raison, nous sommes sains et saufs. Tu dois vraiment savourer cet instant, Alex McKenna.

C'était comme s'il avait reçu un coup de poing en pleine face.

— Pardon ? bredouilla-t-il.

— Tu m'as entendu, c'est exactement ce que tu attendais, non ?

Sa voix était tout à coup glaciale. Il la fixait avec stupeur et incompréhension.

— Comment peux-tu dire cela ? Crois-tu vraiment que j'espérais te voir ainsi…

— Vulnérable ? Oui, je le crois !

La colère brillait dans ses yeux, à présent. Paradoxalement, il se sentit rassuré de la voir sortie de sa stupeur.

— Tu apparais toujours lorsque la vie me met à terre, n'est-ce pas ? reprit-elle. A croire que c'est ce que tu attends, de me voir à terre, pour débarquer sur ton grand cheval blanc.

Il la fixa, totalement abasourdi.

— Holly, tu dis n'importe quoi, tu es sous le choc et je comprends que tu cherches à évacuer ta colère, mais…

— Lorsque nous étions au lycée, tu n'attendais que cela, que j'échoue, que je ne sois plus « Mlle Perfection », comme tu disais. Sans parler du nombre de fois où tu as répété que Brian n'était pas fait pour moi ! Tu n'attendais qu'une occasion pour me sauter dessus et me dire : « Je te l'avais bien dit ! » Tu as failli toucher au but lorsque tu as appris que j'étais enceinte et que Brian venait de rompre, tu t'es précipité chez moi pour assister à ma dégringolade !

Il sentit sa mâchoire se crisper involontairement. Il se remémorait sa proposition et le refus brutal qu'elle lui avait adressé.

— J'étais venu te demander de m'épouser, Holly.

Elle détourna le regard, un sourire amer aux lèvres.

— Oui, bien sûr, comment mieux me faire prendre conscience du pathétique de ma situation ?

Il s'avança d'un pas pour la saisir vigoureusement par les épaules.

— Holly, si je t'ai demandée en mariage, c'était parce que je souhaitais prendre soin de toi et du bébé que tu portais. J'aurais pu tuer Brian pour s'être comporté aussi lâchement. Et puis je pensais à toi, à combien tout cela devait être effrayant…

— Dis plutôt que tu ne voulais pas en perdre une

miette, Alex. Il te fallait être aux premières loges pour l'occasion !

— Arrête, bon sang, je voulais simplement t'aider. Et tu n'as pas voulu de mon aide. Tu es tellement bornée et entêtée ! Tellement déterminée à ne dépendre de personne, là-haut sur ton piédestal, où tu t'imagines au-dessus de tout le monde.

— Et ton rêve le plus fou serait de m'en faire tomber, n'est-ce pas ? lança-t-elle dans un cri de défi, le menton relevé, les poings serrés contre son corps.

Il la fixa un instant. Le souffle haletant, les yeux emplis de larmes, elle semblait à bout de nerfs.

— Ecoute-moi, Holly, tu es en état de choc avec tout ce qui vient de se passer, et c'est pour ça que tu me dis tout ça. Mais il y a une chose que tu dois comprendre, c'est que je ne supporte pas de te voir souffrir. Je ne l'ai jamais supporté. Je ne t'ai jamais souhaité le moindre mal, bien au contraire.

— C'est vrai ? murmura-t-elle, les yeux brillants dans la semi-obscurité. C'est vrai que tu ne supportes pas de me voir souffrir ? Parce que c'est étrange, mais tu m'as souvent fait souffrir, Alex. Tu m'as toujours fait souffrir ! Mais, ce soir, c'est moi qui vais te faire mal !

Il vit son poing arriver avant même qu'elle ne l'ait touché. Il le vit arriver, mais n'essaya même pas de l'éviter.

— Aïe ! lâcha-t-il en se tenant la mâchoire.

Au fond de lui, il avait envie d'absorber toute la douleur de Holly, jusqu'à ce qu'elle se sente enfin soulagée. Et si c'était là la seule chose qu'il était capable de faire pour elle… Au moins aurait-il pu l'aider un peu.

Après ce direct particulièrement énergique, elle s'arrêta et porta la main à sa bouche, stupéfaite.

— Alex, murmura-t-elle, la voix cassée. Oh ! Alex ! Je suis désolée !

— Oublie ça, Holly.

— Alex, je…

— Oublie, répéta-t-il. Tu viens de traverser une terrible épreuve et tu avais besoin d'évacuer tout ce stress. Je comprends que tu avais besoin d'un punching-ball et je ne t'en veux pas. Enfin… je ne t'en voudrais pas si je retrouve une sensibilité au niveau du visage !

— Non, je n'ai aucune excuse, je n'aurais jamais dû te frapper de la sorte et te dire des choses aussi cruelles. Je regrette vraiment.

Les larmes jusque-là contenues se mirent à rouler sur ses joues. C'en était trop pour lui, et il fit ce qu'il avait envie de faire depuis qu'il était auprès d'elle dans cette tourmente. Il la serra dans ses bras et lui murmura quelques mots apaisants à l'oreille.

Ce fut une étreinte très douce, presque parfaite, et il se surprit à rêver de la protéger toujours ainsi, de l'abriter du monde et de ses injustices pour que plus jamais elle n'ait à souffrir.

Cette fois, enfin, elle se détendit et se laissa porter par son étreinte.

— Pourquoi est-ce que nous faisons cela ? demanda-t-elle, la voix étouffée.

Elle releva légèrement la tête, sans pour autant se libérer de ses bras. Son visage était couvert de cendres et de traces de sang et de larmes. Ses cheveux sentaient la fumée et pourtant elle lui apparut comme la plus belle femme qu'il n'ait jamais vue.

— Pourquoi sommes-nous aussi horribles l'un envers l'autre ? murmura-t-elle. Je ne comprends pas pourquoi nous ne parvenons pas à tirer un trait sur nos ressentiments adolescents.

Elle essaya d'essuyer ses larmes du dos de la main,

mais il arrêta son geste et passa doucement la manche de son vêtement sur ses joues.

Il sentit alors ses bras le serrer un peu plus fort et sa joue se reposer doucement contre son torse.

A ce moment-là, il prit conscience du désir qui le tenaillait, au-delà du sentiment de compassion qu'il éprouvait pour elle. Il ne pouvait plus ignorer son cœur qui battait la chamade, la tentation de caresser sa peau, d'embrasser ses lèvres jusqu'à en avoir le souffle coupé, jusqu'à ce que la passion emporte sa douleur, même si c'était fugace.

Sauf qu'elle ne ressentait manifestement pas les mêmes choses. Et que même si cela avait été le cas, ce n'était pas exactement le moment rêvé pour se laisser aller à un rapprochement…

Il s'écarta légèrement d'elle, sous couvert de reprendre la discussion.

— Je ne sais pas pourquoi nous nous comportons ainsi, reprit-il en lui prenant le menton. Mais cela importe peu, car nous pouvons changer cela, et nous n'avons pas le choix de toute façon car Will et toi allez venir vous installer chez moi.

Pourquoi avait-il lancé cette offre, comme ça, sans réfléchir ? Il ne le savait pas vraiment car, au fond, il craignait sa présence. Pas à cause du dérangement. Il serait même plutôt content de passer du temps avec Will, qui était vraiment un adolescent agréable et intéressant.

Mais inviter Holly chez lui… Cette femme qui avait le don d'éveiller en lui des désirs inavoués et inavouables… Et aussi la femme qui le repoussait constamment depuis qu'elle le connaissait…

Il avait bel et bien perdu la tête.

*
* *

Il avait perdu la tête.

Elle leva vers lui un regard stupéfait. Elle n'arrivait pas à déterminer s'il était sérieux. Elle n'avait pas d'autre choix que de lui poser la question.

— Est-ce que tu es sérieux ?

Il lui sembla douter de sa réponse.

— Bien sûr que je suis sérieux. Pourquoi ne le serais-je pas ?

— Peut-être simplement parce que si nous nous retrouvons sous le même toit, nous avons de bonnes chances de nous entretuer très rapidement ?

Il haussa les épaules.

— Je ne crois pas, nous avons maintenant pris conscience de la stupidité de notre attitude. Nous allons pouvoir passer à autre chose, devenir amis peut-être.

— Amis ? répéta-t-elle, pensive. Je ne sais pas, Alex. Ça me paraît un changement un peu radical, tu ne trouves pas ?

— Rien n'est impossible dans un monde où une femme de moins de cinquante kilos arrive à envoyer une droite digne de Mike Tyson !

Il recula d'un pas, sans la lâcher pour autant.

Sous son regard, elle se sentit frissonner. Ce n'était sans doute pas une bonne idée d'aller se réfugier chez lui.

— Allez, pas d'objection, lança-t-il. Je pense qu'il est temps que je vous emmène, Will et toi. Vous aurez besoin d'une bonne douche et d'un bon lit, et j'ai ce qu'il vous faut. Qu'en dis-tu ?

Son regard bleu attendait sa réponse et, sans bien savoir pourquoi, elle hocha la tête. Il en eut l'air soulagé. Il ne regrettait donc pas sa proposition, conclut-elle. Pas encore, tout du moins. Et puis c'était bien que Will puisse se reposer chez quelqu'un qu'il appréciait et en qui il avait confiance.

A cette pensée, elle se sentit rassurée et se laissa guider par Alex jusqu'à sa voiture.

Elle ne parvenait pas à se remémorer la dernière fois qu'elle s'était ainsi reposée sur quelqu'un. Elle en conçut une vague appréhension, mais décida de l'ignorer. Une fois reposée, elle aurait tout le temps de revendiquer son indépendance.

- 5 -

Quelques instants plus tard, elle était de retour dans la rue avec Alex. Son fils y était en grande discussion avec Tom.

— Je vais ramener Tom, lui proposa Alex. Je n'en ai pas pour longtemps et je reviens aussitôt vous chercher. Vous m'attendez ici ?

— D'accord, soupira-t-elle.

Elle se précipita alors vers Will et le serra dans ses bras avec force. Il était plus grand qu'elle — largement — et certainement plus mûr que son âge, mais à ses yeux il n'était personne d'autre que son petit garçon.

— Mon chéri, je m'en veux tellement.

— Tu t'en veux de quoi ?

Elle souriait malgré ses larmes.

— J'ai laissé notre maison brûler… Cette maison qui est dans notre famille depuis quatre-vingts ans est réduite à un tas de cendres par ma faute… Tu m'avais dit que quelque chose t'avait alerté dans la cuisine et je n'y ai pas prêté attention, je n'ai pas vérifié.

Will fronça les sourcils.

— Tu plaisantes ou quoi ? C'est moi le responsable, c'est moi qui ai remarqué cette odeur bizarre, mais je suis parti et je t'ai laissée seule dans la maison. C'est moi qui ai toutes les raisons d'être désolé.

Elle le fixa avec intensité.

— Ne te rends pas responsable de choses qui ne sont pas de ton fait.

— C'est toi qui me dis ça, on croit rêver !

Elle sourit.

— Parfois tu me sembles tellement mûr que j'en viens à me demander si c'est normal !

— Désolé, mais je te promets de me rattraper en faisant une belle grosse bêtise d'ado attardé !

Ils restèrent quelques minutes silencieux, à observer les pompiers au travail sur les ruines de ce qui avait été leur maison.

— J'ai une idée, maman. Si on décidait que c'était juste un terrible accident et que personne n'était responsable ?

Elle inspira profondément.

— D'accord, murmura-t-elle dans un souffle. Encore une fois, tu m'inquiètes avec ces réactions bien trop responsables pour ton âge !

Alex était déjà de retour et leur sourit.

— Pour avoir dit la même chose tout à l'heure je me suis retrouvé avec un direct du droit dans la mâchoire !

— C'est sans doute que la façon qu'a eue Will de me présenter les choses était un peu plus crédible, expliqua-t-elle, tout en lui passant la main sur la joue, à l'endroit où elle l'avait frappé. Je suis sûr que cette marque te donnera un air de voyou du plus bel effet.

Son fils se frappa alors le front et elle sursauta.

— Qu'est-ce qu'il se passe, Will ?

— Rien. répondit-il. Je viens de comprendre quelque chose, mais rien d'important. Au fait, on ne ferait pas mieux de se chercher un endroit où dormir ? Je suis épuisé.

Elle leva les yeux en direction d'Alex.

— Ton entraîneur nous proposait justement de nous héberger quelques jours le temps de…

— C'est une superidée ! s'exclama Will. Je t'assure que nous ne te dérangerons pas. En tout cas, je ne te dérangerai pas, car maman est particulièrement…

— Je crois que je m'en tirerai, coupa Alex, un demi-sourire aux lèvres.

Holly ne put cacher son étonnement devant un tel échange et Alex la prit par un bras, tandis que son fils lui attrapa l'autre.

— J'ai prévenu les pompiers que vous seriez chez moi, reprit Alex, et ils m'ont confirmé qu'on pouvait partir quand on le voulait. Ma voiture est juste là.

Holly eut l'impression de perdre partiellement connaissance le temps du trajet en voiture : quelque chose entre un demi-sommeil et une légère inconscience. A un moment, ils quittaient la ville, l'instant d'après, ils étaient face à une charmante petite maison, en pleine campagne.

Une lumière était allumée, mais elle ne distinguait pas grand-chose autour d'elle.

— J'ai trois chambres d'amis, donc nous ne risquons pas de manquer d'espace, leur expliqua Alex en les guidant à l'étage et en ouvrant une porte. Will, tu peux t'installer ici. Je vais t'apporter des serviettes et de quoi te changer.

Elle réprima un mouvement d'étonnement. Lorsque Alex cessait de parler, la sensation de sa voix réconfortante lui manquait aussitôt. Il avait une voix grave et chaude qui laissait penser que tout se passerait bien, sans qu'on sache bien pourquoi.

Elle regarda la petite chambre simple, avec un lit en fer forgé et une grande armoire de bois. Le lit semblait confortable et était recouvert d'un joli jeté ancien. Elle se sentit soulagée que son fils y passe la nuit.

Alex revint rapidement, les bras chargés d'affaires qu'il déposa sur le lit.

— Est-ce que tu as besoin d'autre chose ? Tu as peut-être soif ?

Will fit non de la tête.

— Mme Hanneman m'a donné à boire, merci. Je crois que je vais prendre une douche et aller me coucher.

— Bien sûr. De toute façon, demain, tu n'as pas besoin de te lever. Dors autant que tu en as besoin, je préviendrai ton école.

— Hé, lâcha Holly, nous ne pouvons pas nous faire porter pâles demain. Nous n'avons rien, nous pouvons aller travailler ou nous rendre au lycée.

Alex sembla l'ignorer délibérément.

— Dors autant que tu veux, répéta-t-il à Will.

Celui-ci hocha la tête en souriant.

— Bonne nuit, maman ! Bonne nuit, coach !

— Bonne nuit, Will, répondit Alex en guidant Holly hors de la chambre.

— Oui, bon, je suppose que Will peut rater une journée d'école, marmonna-t-elle. Mais moi, je ne peux pas, je vais me lever comme toujours à 7 heures et... Mais quelle chambre magnifique ! s'interrompit-elle en passant le pas de la porte.

Elle découvrit un grand lit à baldaquin, avec un dessus-de-lit brodé qu'elle ne put s'empêcher de caresser.

— Je me suis dit que cela te plairait, dit-il, visiblement content de sa réaction.

— C'est magnifique ! J'ai toujours rêvé d'un lit comme ça, mais je n'en ai pas vraiment les moyens !

— Eh bien, je suis heureux qu'il te plaise. En prime, tu as droit à une salle de bains privative, juste derrière cette porte. Je vais te chercher quelques serviettes et de quoi te changer.

Alex quitta la pièce et Holly alla jeter un coup d'œil à la salle de bains. Elle était blanche et semblait un peu vide, mais était propre et arborait une incroyable baignoire de style victorien.

— Qu'est-ce que tu en penses ? demanda-t-il en accrochant un drap de bain à la patère de bois derrière la porte.

Il déposa une brosse à dents encore emballée sur le rebord du lavabo.

— Je rêve de tester cette baignoire, murmura-t-elle.

— Eh bien, dans ce cas, qu'est-ce que tu attends ?

Elle fit non de la tête, comme tirée de sa torpeur par sa voix.

— C'est trop compliqué, maintenant, je suis épuisée, plus épuisée que jamais. Je prendrai un bain demain, plutôt, j'ai trop besoin de dormir.

— Excuse-moi de te dire ça, Holly, mais tu es couverte de cendres et de sang séché, sans parler de la fumée qui a imprégné tes cheveux… Tu ne crois pas que tu dormirais mieux si tu te lavais d'abord ? Et puis je m'inquiète pour tes égratignures. Il faudrait tout de même les désinfecter, tu ne crois pas ?

Elle fit la grimace.

— Bon, si tu veux bien me faire couler un bain…, dit-elle en s'adossant au mur carrelé.

Puis elle se laissa glisser jusqu'au sol.

— Je vais rester là, reprit-elle. Histoire de ne pas salir toute la salle de bains.

Alex tourna la tête vers elle. Elle semblait si frêle et fragile dans sa chemise de nuit maculée, avec ses cheveux roux, qui soulignaient la pâleur de son visage.

Pourtant, il lui trouva plus de dignité que chez aucune autre femme.

Il se mit à faire couler l'eau du bain, dégageant un nuage de vapeur qui contribua peut-être à lui embrumer l'esprit un peu plus. Il avait du mal à chasser de ses pensées l'idée qu'elle allait passer la nuit chez lui, ou qu'il était en train de lui préparer un bain, dans lequel elle se glisserait d'ici quelques instants…

— Il n'y a pas de savon ici ! lança-t-il en évitant de croiser son regard. Je vais en chercher pendant que l'eau coule, je reviens.

Lorsqu'il revint, elle avait appuyé sa tête contre le mur et fermé les yeux. Il vérifia la température de l'eau en fermant le robinet. Elle était bien chaude, juste comme il l'aimait. Cette baignoire était vraiment immense !

Une pensée traversa soudain son esprit.

— Tu ne vas pas t'endormir dans le bain, n'est-ce pas ? Il est hors de question que tu échappes à un incendie pour mourir noyée dans ma baignoire quelques heures plus tard !

Elle rouvrit les yeux et fit non de la tête.

— Promis, pas de noyade. En tout cas, je ferais de mon mieux ! Merci de me préparer ce bain, Alex.

Elle restait assise au sol, les yeux un peu hagards. Il lui tendit la main pour l'aider à se relever.

— Ce que tu vas faire, c'est plonger là-dedans, pendant que je vais chercher un désinfectant et de quoi te changer. Ensuite, j'attendrai derrière la porte pour m'assurer que tout va bien pour toi.

— C'est très gentil.

Lorsqu'elle entreprit de déboutonner sa chemise de nuit, il s'éclipsa aussitôt.

— Prends ton temps, mais ne t'endors pas, hein ? Je serai juste à côté en cas de problème !

Il sortit rapidement de la pièce et referma la porte derrière lui en laissant échapper un soupir de soulagement.

Bon sang, ce n'était pas une bonne idée, se dit-il tandis qu'il passait ses placards en revue à la recherche d'une tenue qu'elle pourrait porter pour dormir. Combien de temps allait-elle rester dans son bain ? Suffisamment pour qu'il perde tout contrôle sur ses pensées ? Est-ce que le désir pouvait rendre fou ? Parce qu'il risquait bien d'en devenir la preuve s'il devait passer plusieurs jours sous le même toit qu'elle. Vivre au côté d'une belle femme que vous désirez et qui ne veut pas de vous, quelle torture !

C'est toi qui l'as voulu, pourtant !

Il attrapa un flacon d'antiseptique et de quoi couvrir ses plaies. Oui, c'était bien lui qui leur avait proposé de venir, à eux deux… Il n'oubliait pas l'adolescent de quinze ans qui dormait dans la chambre à côté. Même si le désir qu'il ressentait pour Holly avait été réciproque — il aurait fallu pour cela un miracle qui n'avait aucune chance de se produire ! —, Will aussi était son invité.

Il regagna la chambre de Holly et s'assit sur le lit en attendant qu'elle ait terminé. Quelques minutes plus tard, elle ouvrit la porte.

— Me voici, dit-elle en rougissant légèrement et en se cramponnant à son drap de bain.

Elle semblait avoir un peu récupéré, son visage avait retrouvé quelque couleur.

Il arrêta son regard sur ses mèches d'un roux profond, qui dégoulinaient sur ses épaules dénudées. Puis il se leva et se dirigea vers la sortie.

— Le désinfectant et les pansements sont là, et je t'ai apporté quelques pyjamas et T-shirts que tu puisses choisir pour dormir. J'ai pensé que je pourrais t'accompagner demain matin faire quelques achats de vêtements.

Elle fronça les sourcils.

— Je te répète que je vais travailler demain.

Au moins lui offrait-elle de quoi penser à autre chose qu'à son corps dénudé et ruisselant !

— Non, je ne crois pas, déclara-t-il tout de go.

— Bien sûr que si, insista-t-elle.

Il soupira et décida d'utiliser un argument pas vraiment fair-play…

— Tu prévois de laisser Will tout seul après ce qui s'est passé ? Tout ça parce que tu refuses de prendre un jour de congé ? Ça vous permettrait de retrouver un peu vos esprits. En plus, tu n'as même pas de quoi t'habiller pour te rendre à ton bureau, à moins que tu ne prévoies de t'y rendre dans un de mes pyjamas ! Il faut que nous allions faire des achats et que tu rachètes quelques tailleurs terriblement tristes comme ceux que tu aimes porter.

Elle le fusillait du regard, mais il l'avait convaincue, il le sentait.

— C'est bon, c'est bon, admit-elle, je prendrai une journée de congé. Je crois que je ferais mieux de me mettre au lit tout de suite…

Elle étouffa un bâillement.

— Bonne nuit, Holly, dit-il depuis la porte.

— Bonne nuit.

Il referma doucement la porte derrière lui et descendit le couloir pour regagner sa chambre. Il s'allongea sur son lit, mais resta un long moment éveillé.

*
* *

Dès que Holly se réveilla, elle sentit son corps courbatu, partout endolori. Elle ouvrit les yeux, et les souvenirs de la nuit affluèrent sans contrôle possible.

Un poids terrifiant s'abattit alors sur sa poitrine, sa gorge se noua et ses yeux s'emplirent de larmes. Tournant la tête pour enfouir son visage dans son oreiller, elle se mit à pleurer. Elle pleura sa maison perdue, elle pleura pour toutes ses affaires disparues. Longtemps.

Au bout d'un long moment, le flot de larmes finit par s'apaiser et elle se retourna dans son lit. Elle resta ainsi, immobile, essayant de respirer en se concentrant sur les jeux d'un rayon de lumière. Puis elle tourna la tête et découvrit par la fenêtre un immense érable, d'une teinte rouge orangé incroyable en ce mois d'octobre.

On frappa à sa porte.

— Entrez !

Alex avança dans sa chambre, les bras chargés d'un plateau.

— J'ai dû bien me comporter dans une vie antérieure pour mériter cela, dit-elle en se redressant dans son lit. Au moins les hommes continuent-ils de me servir le petit déjeuner au lit.

— Les hommes ? demanda-t-il en insistant sur le pluriel. Qui donc vient t'apporter le petit déjeuner au lit ?

— Oh ! Juste Will ! répondit-elle, amusée, en humant l'odeur du café et des tartines beurrées. Il insiste pour me cuisiner de copieux plateaux que j'ai du mal à avaler. Mais, ce matin, je dois dire que je vais me laisser tenter, ç'a l'air délicieux.

Elle leva les yeux juste à temps pour noter le sourire sur ses lèvres. Quel sourire ! Il allait être difficile d'y résister le temps de son séjour…

— C'est sans doute parce que le matin est déjà loin derrière nous, expliqua-t-il, non sans malice. Il est 2 heures de l'après-midi. Tu viens de dormir douze heures d'affilée, et tu as même battu Will de quarante-cinq minutes ! Il a pris son petit déjeuner et t'attend en bas, en fouillant ma collection de CD. D'ailleurs, qu'est-ce que je dois penser lorsqu'un gamin de quinze ans aime la même musique que moi ? Est-ce que je suis très branché ou est-ce qu'il a des goûts d'un autre temps ?

— Will est bien de son temps, enfin ! s'indigna-t-elle en souriant.

Il prit un air victorieux et s'assit sur le lit.

Mieux valait se concentrer sur le plateau et son contenu, songea-t-elle en détournant le regard. Elle contempla le grand bol bleu, rempli aux trois quarts du sombre breuvage qui lui mettait déjà l'eau à la bouche. Elle y mit un sucre et un peu de lait, puis le porta à ses lèvres.

— Mmm ! fit-elle dès la première gorgée. Ton café est très bon !

— C'est bien le moins ! Lorsqu'on est un célibataire de trente-cinq ans, on finit par apprendre à faire du bon café !

Il fixait son profil gauche tout en lui parlant, puis s'approcha rapidement pour effleurer sa plaie du bout de l'index. Comme ce n'était pas très profond, elle s'était finalement contentée de désinfecter.

Lorsqu'il la frôla, elle frémit et s'écarta instinctivement. L'instant d'après, il glissait les doigts dans une boucle de ses cheveux pour les écarter de son visage. Elle retint son souffle.

— C'est déjà bien cicatrisé, dit-il en continuant d'effleurer sa joue.

Elle était troublée par ce contact et ne savait comment réagir. Elle se mordit la lèvre pour qu'il ne les voie pas frémir. Aussitôt, il s'écarta en s'éclaircissant la gorge.

— En revanche, je ne suis pas particulièrement doué

en cuisine, à part pour le café. Je fais pourtant attention à manger équilibré, mais je ne suis pas un grand chef !

— Peut-être simplement que cela ne t'intéresse pas plus que cela ? argua-t-elle, rassurée d'entendre sa voix à peu près normale.

Il haussa les épaules.

— C'est surtout qu'il n'y a pas beaucoup de motivation à cuisiner lorsque l'on vit seul. Mais peut-être que votre présence m'inspirera ? Il faut que je fasse quelques emplettes, d'ailleurs. A ce propos, que dis-tu d'aller au centre commercial tout à l'heure ?

Elle le fixa avec attention.

— Je sais bien que vous ne retrouverez pas tout ce que vous avez perdu. Mais au moins vous aurez quelques affaires pour le quotidien, souligna-t-il.

— Tu es vraiment gentil, Alex, murmura-t-elle, comme si elle venait d'en prendre conscience. Je me suis trompée à ton sujet, je m'en rends compte maintenant, tu n'es pas le sale type que j'imaginais.

— Eh bien, merci, je suis rassuré de ne plus être un sale type à tes yeux ! D'ailleurs, laisse-moi te retourner le compliment. Tu es gentille aussi, Holly Stanton !

Elle rougit en réponse. Il était si touchant, ainsi assis sur son lit, ses cheveux en bataille, ses yeux bleus pétillants. Elle appréciait vraiment sa présence. Comment avait-elle pu passer à côté de lui pendant tout ce temps ?

— Peut-être pas vraiment, répliqua-t-elle en savourant l'instant, car je prévois de te faire retirer toutes les remarques désobligeantes que tu as faites à mon encontre au fil des années ! A commencer par le terme de « bornée ».

Il fit mine de réfléchir à la question.

— Oui, je dois reconnaître que tu as fait preuve

d'ouverture d'esprit, je peux donc retirer ce que j'ai dit sur ce sujet.

— En haut de mon piédestal ?

— Oui, là c'est sûr que je peux retirer cela !

— Têtue.

Il se mordit la lèvre.

— Désolé, mais je crois que celui-là, je vais le maintenir.

Elle grimaça.

— Bon, c'est de bonne guerre ! Quoi d'autre, alors ? Ah oui, frustrée !

Le regard d'Alex se leva lentement, son sourire légèrement espiègle, et elle sentit soudain une vive chaleur envahir tout son corps.

— Eh bien, en l'occurrence, je crois que c'est toi qui m'as tendu la perche samedi soir, mais je ne sais pas si tu t'en souviens…

Elle ne se remémorait évidemment que trop bien cet épisode désagréable, qu'elle s'était promis de ne plus aborder auprès de lui. Voilà que sans s'en rendre compte elle ramenait le sujet sur le tapis.

Elle prit alors conscience de sa petite tenue, ou à vrai dire bien trop grande, car il s'agissait d'un T-shirt d'Alex qui couvrait à peine ses hanches.

— Est-ce que l'on t'a jamais dit que tu étais vraiment charmante lorsque tu rougissais ainsi ?

Pour le coup, elle était maintenant écarlate des pieds à la tête. Il l'avait certainement fait exprès.

— Bon sang, Alex, ce n'est vraiment pas sympa de t'amuser à me faire rougir ainsi. Maintenant, je ne vais plus m'en sortir. Arrête ton char !

Il s'avança jusqu'à elle et effleura sa lèvre du bout du doigt, la faisant frissonner.

— Mon char, mais quel char ? demanda-t-il, la voix innocente.

Elle sentait les battements de son cœur s'accélérer dans sa poitrine. Pas question qu'Alex découvre ce qu'il provoquait en elle, ce serait bien trop humiliant…

Elle inspira profondément.

— Celui-là, dit-elle en repoussant sa main, bien décidée à reprendre le contrôle de la situation. Je t'ai vu en action au lycée et je sais que tu flirtes naturellement avec plus ou moins tout le monde. Mais, chez moi, c'est tout sauf naturel et je n'apprécie pas vraiment ce genre de rapports. Il va falloir que tu apprennes à côtoyer une femme sans flirter, ce sera une bonne chose pour toi.

Elle le fixa avec intensité.

— Tu sais, Alex, reprit-elle, je voudrais vraiment que notre amitié fonctionne. Will tient à toi, et je t'apprécie aussi, ce qui est assez nouveau. Nous nous sommes installés chez toi, il est important que cela se passe bien. Il ne faut pas gâcher cela, même si je suis sûre que cela ne signifie pas grand-chose pour toi, que c'est simplement ta façon d'être avec toutes les femmes.

Il s'était écarté aussitôt et elle attendit sa réaction. Elle lui avait parlé franchement, même si elle avait peut-être omis un petit détail. Mais s'il n'était pas prêt à entendre cela, mieux valait qu'elle le sache au plus vite.

— Gâcher cela ? répéta-t-il en inspirant profondément. C'est bien la dernière chose que je souhaite. Vraiment, Holly, je suis sérieux. Je regrette de t'avoir donné l'impression de prendre notre relation à la légère.

Il avait parlé de façon presque solennelle et elle se sentit soulagée de l'entendre accéder à sa demande, tout en regrettant instantanément la camaraderie et la spontanéité de leur relation juste avant.

Cela reviendrait sans doute, se rassura-t-elle, et puis

il était urgent qu'elle mette le holà avant de s'embraser complètement. Elle était trop vulnérable à l'heure actuelle et se refusait à devenir une conquête supplémentaire du grand séducteur qu'était Alex. Etre un nom sur une liste sans fin, ce n'était pas son style. Il ne fallait pas que les circonstances lui fassent oublier qui elle était et surtout qui était Alex McKenna, même s'il lui avait donné l'occasion de découvrir en lui des qualités insoupçonnées.

— Prends le temps qu'il te faut pour te préparer, dit-il en se levant du lit et en se dirigeant vers la porte. J'ai emprunté ce jean à la voisine. Elle est un peu plus grande que toi, mais je pense que cela devrait aller pour aujourd'hui. Dès que tu es prête, je t'emmène faire du shopping !

— Parfait ! dit-elle en répondant au sourire qu'il lui adressait.

Elle contempla la porte qui se refermait sur lui et s'efforça de ne pas trop penser à la douce chaleur qui avait envahi son corps un peu plus tôt. Une chaleur qui l'avait abandonnée aussitôt qu'Alex avait quitté la pièce.

Mais elle avait tout fait pour qu'il la laisse tranquille, c'était donc très bien ainsi. Elle allait pouvoir rester ici avec son fils le temps de retomber sur ses pieds, et tout irait pour le mieux dans le meilleur des mondes !

- 6 -

Quel irresponsable !

Il était un homme mûr, pas un gamin incapable de se contrôler, tout de même.

Pourtant, il n'avait pas pu s'empêcher de toucher sa peau. Aussitôt qu'il était auprès d'elle, il brûlait d'envie de poser les doigts sur son visage, ses lèvres, ses mains… C'était une sorte de compulsion irrésistible.

Bien sûr, le fait de la voir au lit, encore à demi endormie, légèrement vêtue d'un de ses T-shirts… Tout cela ne l'aidait pas à garder le contrôle de lui-même. Il devait lutter contre l'envie de plonger vers ses lèvres pour l'embrasser à pleine bouche. Une idée tellement troublante qu'il devait la chasser au plus vite sous peine de perdre tous ses moyens !

Il était tellement nul… Cette femme venait de voir sa maison et toute sa vie partir en fumée la nuit précédente, il l'avait recueillie chez lui, et il tentait une approche aussi peu discrète que celle-là.

Au moins avait-elle interprété cela comme un flirt sans conséquence de sa part. A ses yeux, il agissait ainsi avec toutes les femmes.

Il s'arrêta un instant contre la rambarde de l'escalier du couloir. Elle ne pouvait imaginer la vérité : jamais, il n'avait éprouvé ce genre d'émoi pour aucune autre femme.

C'était plutôt ironique, finalement. Il avait connu de nombreuses femmes et avait passé du bon temps avec elles, mais aucune d'entre elles n'avait vraiment compté dans sa vie. Il tenait à elles le temps qu'ils étaient ensemble, mais cela s'arrêtait là. Il ne s'était jamais senti vraiment important dans la vie d'une femme et n'avait jamais ressenti la nécessité de la présence de l'une d'entre elles dans sa vie.

Et puis il y avait Holly. Du jour où ils s'étaient rencontrés, il s'était senti lié à elle. Il pensait pouvoir lire en elle, malgré le masque qu'elle semblait porter en quasi-permanence. Il voyait de la passion et de la vulnérabilité, là où elle affichait certitudes et contrôle de soi. Et justement parce qu'il parvenait à voir en elle de façon si claire, il percevait le besoin qu'elle avait de lui. Plus que personne d'autre au monde, finalement.

Et c'était là que se nichait l'ironie. Elle avait besoin de lui et systématiquement il la décevait.

Il n'avait jamais été capable de l'aider. Il n'avait pas su la convaincre de se tenir loin de Brian. Il n'avait pas su la convaincre de l'épouser, lui, lorsqu'elle s'était retrouvée seule et enceinte. Bon sang, il n'avait même pas réussi à l'aider à changer son pneu crevé !

Mais la nuit précédente, pour la première fois, elle avait accepté sa main tendue.

Et voilà qu'il était à deux doigts de tout gâcher, à cause d'une attirance qu'elle ne partageait pas, et alors qu'elle traversait une période dramatique de sa vie. Il avait mis en péril leur amitié naissante à cause de cela.

Et si le lien qu'il avait toujours ressenti avec elle n'était qu'une amitié ? Peut-être que son désir pour elle avait court-circuité cela, en particulier lorsqu'ils étaient adolescents.

C'était sans doute pour cela qu'il l'avait toujours déçue.

Eh bien, cette fois-ci, cela n'arriverait pas.

Il poussa un soupir et descendit dans le séjour rejoindre Will. Au moins, avec lui, les choses étaient simples et sans détour : la musique, le football… Les essentiels !

Will était littéralement encerclé de disques, l'intégralité de sa collection de CD répartie en petites piles autour de lui, sur le sol du séjour.

— J'ai entrepris de reclasser un peu ta discothèque, lança Will.

Alex s'assit sur le sol, le dos contre son canapé.

— Je crée des catégories, pas trop, mais quelques-unes tout de même pour qu'il soit plus simple de s'y retrouver. J'ai une pile pour le rock, le hard rock, le rythm'n'blues et le jazz. Ensuite, il suffit de classer par ordre alphabétique au sein de chaque catégorie. Je vais aussi faire une pile pour tout ce qui n'entre dans aucun genre précis, ce sera la catégorie « divers ».

Il le regarda faire avec amusement. Il aimait bien la façon dont les jeunes raisonnaient de manière générale, et plus particulièrement encore celle de Will.

— Tu ressembles finalement plus à ta mère que je ne l'aurais imaginé ! Et ce n'est pas un compliment !

Will sourit.

— Pourquoi est-ce que ça n'en serait pas un ? Un peu d'organisation ne fait pas de mal, en particulier quand la matière première est si bonne !

— Est-ce que Holly aime la musique ?

— Oui, et d'ailleurs je dois reconnaître que ses goûts ne sont pas trop mauvais, si l'on considère…

— … Si l'on considère son grand âge, tu veux dire ? demanda Alex, amusé.

— Voilà ! Elle est plutôt orientée rock classique, et dans ce domaine elle a de bonnes références.

La curiosité d'Alex commençait à s'éveiller.

— Ah, oui ? Donne-moi quelques exemples.

— Eh bien, pour commencer, je dirais Bruce Springsteen. Ses deux chansons préférées sont *Thunder Road* et *Born To Run*. Ensuite, il y a Van Morrison avec *Moondance* et *Crazy Love*. Joni Mitchell, tout l'album *Blue*, et l'intégrale d'Aretha Franklin !

Alex se redressa.

— Continue, quoi d'autre ?

— Tu es intéressé à ce point par les goûts musicaux de maman ?

— Eh bien, disons que je suis intéressé par ta mère… Enfin, je veux dire que je voudrais que nous soyons amis, et j'espérais que nous partagerions des goûts communs. La musique, c'est important pour ça, surtout les disques que l'on emporterait sur une île déserte : c'est comme la carte d'une âme humaine.

Will sembla pensif tout à coup, et il fallut quelques secondes à Alex pour comprendre ce qui le touchait.

— Oh ! Will ! Tu te dis que tu as tout perdu la nuit dernière, tous tes livres, toute ta musique…

— Oui… Je n'avais pas tant de livres que cela, mais mes disques… J'espère que tu me laisseras copier les tiens, cela devrait me permettre de refaire ma discothèque ! Tiens, je vois que tu as les Rolling Stones. Maman en est une grande fan !

— Vraiment ?

— Vous retapissez le sol en CD ? interrogea Holly.

Ils se retournèrent tous deux pour la regarder entrer dans le séjour.

— Nous parlions musique, répondit Will. Alex voulait savoir quels étaient tes goûts. Il paraît que les goûts musicaux d'une personne forment comme une carte de son âme !

Elle leur adressa un regard circonspect.

— Oui, bon, ça va, j'ai voulu donner dans le poétique. Même les entraîneurs de football y ont droit de temps à autre !

— Bien sûr, répondit Holly, apparemment sceptique. Alors, que disent mes goûts musicaux de mon âme ? Si tant est que Will les connaisse vraiment !

— Eh bien, reprit Alex, je dirais qu'il y a de la rébellion, avec des chanteurs comme Bruce Springsteen ou les Stones, mais aussi de la passion et de l'énergie avec des titres comme *Thunder Road* ou *Born To Run*, qui expriment le désir de se libérer, de briser ses chaînes.

Holly fit la moue.

— J'aime ces chansons, mais je ne suis pas une dangereuse rebelle en puissance !

Alex l'ignora et reprit.

— Van Morrison et Joni Mitchell, c'est l'amour, l'amour qui vous change pour toujours, l'amour qui vous consume et vous sauve, le genre d'amour sans lequel on ne peut pas vivre.

Il leva les yeux dans sa direction et lut de la surprise dans son regard.

— Aretha Franklin, quant à elle, c'est purement et simplement la plus belle voix du monde, pas besoin de chercher à justifier quoi que ce soit de ce côté-là, c'est juste du bon goût.

Will sourit de l'intervention d'Alex, tout comme Holly.

— Et voilà pour les grands traits de mon analyse. Maintenant, qui est prêt à aller faire quelques courses ? demanda-t-il en se relevant.

Pendant leur parcours dans le centre commercial, ils décidèrent de se séparer au bout d'un moment. Holly voulait essayer des vêtements. Alex en profita pour proposer à Will de se rendre chez un disquaire. Son idée était de faire une surprise à Holly en essayant de reconstituer l'ensemble de sa collection de CD. Ils profitèrent de ce moment en échangeant sur les chanteurs et les groupes qu'ils préféraient, ou en se racontant les concerts auxquels ils avaient assisté. Will réussit à établir une liste des titres favoris de sa mère, qu'Alex nota scrupuleusement.

Le soir même, une fois Holly et Will couchés, il se lança dans la réalisation d'une compilation pour elle.

Finalement, c'était un peu comme s'il passait la soirée avec elle, se dit-il en gravant le dernier titre sur le CD. Il s'agissait de *Let's Get It On*, de Marvin Gaye, qui se trouvait être une de ses chansons fétiches.

Il sourit tout à coup : il se comportait comme un jeune homme énamouré qui gravait un CD pour sa petite amie.

Cette chanson était tellement sensuelle. Il ferma les yeux et s'imagina embrassant Holly sur ces accords en dansant langoureusement. Il pouvait presque la ressentir serrée contre lui et imaginait chaque seconde de ce baiser langoureux puis passionné. Il devinait la flamme qui couvait en elle et se révélait enfin.

Il soupira, enfouissant son visage dans un coussin. Il était dans de beaux draps !

Il monta finalement se coucher. En passant devant la porte de la chambre de Holly, il ne put s'empêcher de ralentir et de poser la paume de sa main contre le bois. Elle était juste de l'autre côté de cette fine cloison, sans doute pelotonnée dans son lit, ses cheveux flamboyants étalés sur l'oreiller.

C'est alors qu'il l'entendit prononcer son nom.

Il retint son souffle.

— Alex.

Il n'y avait pas le moindre doute possible, c'était bien son prénom, articulé distinctement par la voix de Holly.

C'était vraiment curieux. Comment pouvait-elle savoir qu'il était derrière cette porte ? Est-ce que tout allait bien ? Essayait-elle de l'appeler ?

Troublé, incertain de ce qu'il devait faire, il tourna le bouton de porte aussi délicatement que possible et se glissa dans la pièce, son regard s'adaptant à l'obscurité que le clair de lune venait inonder. Il distinguait la forme de son corps dans le lit.

— Holly ? appela-t-il dans un souffle. Est-ce que tout va bien ? Tu as besoin de quelque chose ?

Elle ne répondit pas.

Il écouta sa respiration, profonde et régulière, pendant quelques secondes : elle était bel et bien endormie, son esprit lui avait sans doute joué des tours. Mieux valait s'échapper avant qu'elle ne se réveille.

Il posait la main sur la poignée lorsqu'il l'entendit s'étirer en poussant un gémissement.

— Alex…

Elle était toujours endormie. Il pouvait maintenant distinguer ses yeux grâce à la clarté de la lune et ils étaient fermés.

— Alex…

C'était si doux, si tendre…

— Oh ! Alex, gémit-elle, cette fois d'une façon si sensuelle qu'il fut saisit par un violent émoi.

L'espace d'une minute interminable, il resta là, puis entrouvrit la porte et se glissa rapidement hors de la chambre. Une fois dans le couloir, il s'éloigna au plus vite.

Il se passa alors la main sur son front. Il avait déjà imaginé l'effet qu'aurait sur lui la voix de Holly l'appelant ainsi par son prénom, mais, maintenant qu'il venait de l'entendre vraiment, il devait reconnaître que cela dépassait ses rêves les plus fous. Quelle torture de rester à distance…

Il n'était pas censé avoir entendu ces soupirs… S'il ne s'était pas trouvé derrière sa porte comme un novice qui se recueille derrière la porte de la chambre de sa dulcinée, il n'aurait jamais eu la moindre idée du contenu des rêves de Holly.

Peut-être devrait-il se réjouir d'avoir fortuitement découvert qu'elle éprouvait à son égard une attirance similaire à celle qu'il ressentait lui-même ? Mais si c'était le cas, sans doute de façon inconsciente pour elle, elle s'était montrée très claire sur la réalité de ses sentiments à son égard.

Et maintenant l'image de son corps s'étirant langoureusement sous ses draps, ses lèvres entrouvertes et la cambrure de son dos étaient gravées dans son esprit à tout jamais.

Il devait vite oublier ce que la belle Holly au bois dormant éprouvait à son égard, car celle qu'il côtoyait, celle qui était éveillée et lucide, lui avait demandé de garder ses distances de façon claire et univoque. Il n'avait pas d'autre choix que de s'y tenir, contre vents et marées.

A compter du lendemain, il allait se consacrer pleinement au football et à son équipe.

Et si cela ne suffisait pas, il prendrait un bain glacé.

Elle s'éveilla en douceur. Une chaleur délicieuse envahissait son corps. Elle s'étira longuement, sentant avec plaisir combien elle était en possession de ses muscles. Elle venait de passer une très bonne nuit.

Ses songes lui revirent alors à l'esprit. Elle avait rêvé d'Alex.

Elle avait déjà eu des pensées à son égard, des fantasmes, peut-être, mais n'avait jamais rêvé ainsi de lui. Elle se demandait d'ailleurs s'il ne s'agissait pas du premier rêve érotique qu'elle faisait ?

Cela semblait si réel. Elle voyait Alex, allongé sur elle, qui l'entourait et lui faisait l'amour. Leurs corps entrelacés. Si réel que l'émoi commença à la quitter pour céder la place à la gêne.

C'était ridicule, bien sûr. Elle ne contrôlait pas ses rêves, après tout.

Elle leva les yeux vers son réveil. Elle s'était couchée tôt, dans l'espoir de se réveiller plus tôt, et cela avait fonctionné : il était 6 h 30. Elle avait devancé la sonnerie du réveil d'une demi-heure. Elle avait donc le temps de se doucher, de s'habiller, de prendre son petit déjeuner avec Will et d'arriver au bureau pour 8 heures.

Le plus difficile était encore de se lever. Elle aurait voulu rester ainsi sous sa couette, les yeux fermés, et continuer à rêver qu'Alex la caressait.

Prenant conscience de ces pensées grotesques, elle se leva d'un bond et posa un pied à terre. Le temps s'était rafraîchi et le plancher était froid sous ses pieds nus. Elle se dirigea d'un pas vif vers la salle de bains. Après une bonne douche, elle se maquilla rapidement, enfila la plus sobre des tenues qu'elle avait achetées la veille : un pantalon gris anthracite avec un col roulé d'un gris plus clair. Ajoutez à cela le chignon de rigueur et elle se sentait enfin prête à affronter le monde.

Elle descendit d'un pas rapide pour vérifier si Will était déjà réveillé. Alex serait sans doute encore au lit, vu que sa journée commençait et terminait plus tard que la leur.

Sauf que ce n'était pas le cas et elle le vit un peu

trop tard, le bousculant franchement en entrant dans la cuisine.

Il fit un bond, comme si on venait de lui tirer dessus.

— Holly ! s'exclama-t-il en reculant de plusieurs pas.

A cet instant, comme elle l'avait redouté, la vision d'Alex ramena à la surface de sa conscience les souvenirs de son rêve. Elle se sentit rougir jusqu'aux oreilles.

— Hum, est-ce que Will est réveillé ? demanda-t-elle pour faire diversion.

— Oui, oui, il est…

— Je suis là, maman. Eh bien, tu t'es levée de bonne heure ! Moi qui disais à Alex que tu émergeais généralement vingt minutes à peine avant de prendre ton poste…

— Oui, eh bien, je voulais me lever de bonne heure aujourd'hui, mais je vois que c'est le cas pour toi aussi. Et Alex !

— Je m'en vais tout de suite, annonça-t-il aussitôt. Je rentrerai tard ce soir, aussi ne m'attendez pas pour dîner. Will, je te verrai à l'entraînement !

— Hé, Alex ! appela celui-ci.

— Oui ? demanda Alex sans même se retourner, comme s'il était impatient de sortir.

— Tu n'oublies rien ? demanda-t-il en hochant la tête en direction de sa mère.

Alex baissa les yeux vers elle.

— Ah, oui, dit-il, semblant hésiter un instant avant de revenir sur ses pas.

— Que se passe-t-il ? demanda-t-elle.

— Tu vas voir, chuchota son fils.

Alex revint avec un paquet sommairement emballé.

— Voici, annonça-t-il sans plus de cérémonie en déposant le paquet devant elle.

— C'est de notre part à tous les deux, poursuivit-il. Sans Will, je n'aurais jamais pu faire quoi que ce soit.

Elle déchira l'emballage et se retrouva bouche bée devant les nombreux CD qu'ils contenaient.

— Mais il y a toute ma collection, comment est-ce que… C'est toi qui lui as donné les titres ? dit-elle en souriant à son fils.

Puis elle se tourna vers Alex.

— C'est vraiment excessif, Alex. Je devrais être furieuse, si cela ne me touchait pas autant ! Je sais que je devrais faire le deuil de la plupart de mes affaires, mais c'est un grand réconfort de retrouver ma musique. Merci.

— Tout le plaisir est pour moi, dit Alex. Et je le pense vraiment. Will et toi avez tant perdu, et il vous faudra tant de temps pour vous reconstituer un univers personnel que si je peux faire quoi que ce soit, il vous suffit de me demander.

Elle lui sourit, émue, et reconnut la petite flamme qu'elle avait déjà vue dans son regard bleu.

— Ne m'attendez pas, ce soir, répéta-t-il en gagnant la porte. Bonne journée à tous les deux.

— Merci, répondit-elle, alors qu'il avait déjà refermé la porte.

Un peu curieux, mais gentil, cet Alex. Si on lui avait dit, soixante-douze heures plus tôt, que ce serait ainsi qu'elle le qualifierait, elle aurait éclaté de rire.

Quelques instants plus tard, elle glissait un de ces CD dans le lecteur de sa voiture tandis qu'elle quittait l'allée de chez Alex.

Elle avait pris un disque au hasard : c'était un album de Van Morrison qu'elle n'avait pas écouté depuis bien longtemps. La musique l'entoura et elle se remémora la discussion entre Will et Alex, la veille, quand il avait expliqué que les goûts musicaux formaient comme une carte de l'âme humaine.

Elle s'arrêta à un stop. Ses doigts battaient la mesure sur le volant. Elle n'était pas sûre de vouloir que qui que ce soit ait accès à une carte de son âme. En tout cas, certainement pas Alex.

A cet instant, commença un nouveau titre. C'était *Moondance* et, en l'espace d'un instant, les vieux souvenirs affluèrent.

C'était la fête de fin d'année au lycée et Brian, qui était maintenant étudiant, était rentré pour être son cavalier. Elle était certaine de leurs sentiments respectifs, même s'il avait de moins en moins de temps à lui accorder depuis qu'il avait intégré un cours particulier pour préparer son année de droit.

Malgré cet emploi du temps chargé, il avait pris la peine de rentrer pour l'accompagner. Holly lui en avait été reconnaissante, même s'ils n'avaient pas vraiment passé une bonne soirée. Non pas qu'ils aient passé une mauvaise soirée mais, n'étant pas de grands danseurs ni l'un ni l'autre, ils ne s'étaient pas vraiment amusés. Brian n'était pas du genre à investir une activité aussi futile et elle, elle était sans doute trop timide pour danser en public, même si elle prenait plaisir à se trémousser sur n'importe qu'elle musique dès qu'elle était seule chez elle.

Ils avaient donc décidé de rentrer de bonne heure. Brian s'était éclipsé pour dire au revoir et récupérer leurs manteaux, alors qu'elle terminait son cocktail de jus de fruits.

Elle attendait à deux pas de la piste de danse et regardait avec une pointe d'envie les autres couples qui dansaient. Le groupe qui jouait ce soir-là avait entamé *Moondance*, une de ses chansons préférées. Elle avait alors senti quelqu'un passer le bras autour de sa taille derrière elle.

Ce n'était pas Brian. Cette étreinte ne lui ressemblait pas. Il y avait quelque chose de trop sensuel dans le mouvement en rythme de ce corps contre le sien.

— Tu danses ? avait murmuré une voix à son oreille.

Elle s'était retournée pour découvrir Alex, son regard reflétant cette lueur si particulière qu'elle lui connaissait bien désormais.

Elle s'était dégagée aussitôt, presque gênée de la façon dont son corps avait répondu avant même qu'elle ne sache qui la serrait.

Elle avait bien vu Alex ce soir-là, dansant avec une bonne dizaine de filles différentes, dont son amie Brenda, d'ailleurs.

Elle était très différente des filles qu'il choisissait, ne serait-ce qu'au niveau de leurs tenues. Elle avait ainsi choisi une longue robe de satin ivoire, aux manches bouffantes et à la longue traîne, tandis que les filles qui tournaient autour d'Alex étaient plutôt en robes courtes, avec des franges et des dentelles rouges et noires. Certaines étaient venues avec un petit ami, d'autres seules, mais toutes semblaient manifester un intérêt tout particulier envers lui.

Alex, quant à lui, était venu en touriste. Il n'était pas exactement le genre de garçon qui venait à un bal de promo avec sa petite amie. D'ailleurs, elle avait été surprise de le retrouver là, en smoking qui plus est. Et pour une fois ses cheveux décolorés n'étaient pas hérissés.

Mais, même vêtu aussi classiquement, il ne ressemblait à personne d'autre. Il avait toujours cet air tranquille et débonnaire, et il semblait parfaitement à son aise dans son costume élégant.

— Je vois bien que tu as envie de danser, avait-il

déclaré en la défiant du regard. Je t'ai vue te balancer en rythme tandis que « M. Je-sais-tout » disserte sur sa vie. Holly… juste une seule danse.

— Mais tu es soûl ! s'était-elle exclamée en le repoussant.

Il avait souri en coin.

— Peut-être un petit peu, et alors ?

— Comment as-tu rapporté de l'alcool ici ? J'espère que tu n'as pas rajouté d'alcool dans les cocktails ?

— Ne t'inquiète pas, je n'ai pas piégé ton jus de fruits, lui avait-il assuré en tirant de sa poche intérieure une flasque argentée. Tu vois, c'est juste pour moi ! Toi et tes amis ennuyeux n'avez pas à vous inquiéter.

— Mes amis ne sont pas ennuyeux.

Il avait replacé la flasque dans sa poche.

— Peut-être pas autant que ton petit ami, c'est vrai. D'ailleurs où est-il ?

— Il est parti récupérer nos manteaux. Nous rentrons.

— Je vois, vous avez mieux à faire, c'est bien cela ? avait-il suggéré, un sourire narquois aux lèvres.

— Bien sûr que non ! Enfin, Alex, pourquoi faut-il toujours que tu sois si grossier ?

Il l'avait fixée avec insistance.

— Vous quittez le bal avant tout le monde et tu veux me faire croire que ce n'est pas pour le sexe ?

— Evidemment. Brian me respecte, figure-toi !

— Il te respecte ? J'ai du mal à croire ce que tu viens de me dire. C'est trop pathétique même pour un loser comme Brian. Est-ce qu'il est possible que vous sortiez ensemble depuis deux ans et que, pendant tout ce temps, il n'ait jamais tenté une approche ?

Elle l'avait foudroyé du regard.

— Bien sûr qu'il a tenté des approches. Brian embrasse extrêmement bien, d'ailleurs !

Ce n'était pas vraiment la vérité, mais Alex n'avait que peu de chances de le découvrir.

— Qu'il embrasse bien me fait une belle jambe, Holly. Je te demande si vous avez couché ensemble ?

— Bien sûr que non ! s'était-elle exclamée, outrée qu'il ait ce genre de pensée à son égard. Mais enfin quel genre de fille crois-tu que je suis ?

Il l'avait alors saisie par les épaules, la fixant avec une intensité renouvelée.

— Une fille qui mérite d'être avec quelqu'un qui se rende compte de sa chance. Si tu étais à moi, Holly, je te séduirais toutes les nuits et je t'emmènerais sur ma moto vers des recoins isolés où je serais en mesure de découvrir ce qui se cache là-dessous !

Ses yeux avaient balayé sa longue robe et elle s'était aussitôt sentie exposée à son regard, si vulnérable et si désirable à la fois. Il avait posé une main sur sa taille, une main forte et délicate en même temps. Les mains de Brian ne lui procuraient pas ce genre de trouble.

Leurs regards s'étaient croisés de nouveau. Il avait manifestement le pouvoir de voir des choses invisibles pour les autres. Et il continuait de lui parler de sa voix si grave et si chaude, une voix qui la faisait frémir.

— Brian ne semble pas très curieux de ce qu'il y a sous l'enveloppe, mais moi, je le suis. Que fais-tu avec lui, Holly ? Pourquoi te caches-tu derrière tout ça ?

Sans bien savoir pourquoi, elle avait eu le pressentiment qu'il ne parlait pas seulement de sa robe de bal...

Elle avait senti son étreinte remonter le long de sa taille, s'arrêtant juste sous ses seins.

Elle n'avait jamais éprouvé cela par le passé. Elle avait les jambes en coton et s'était sentie comme hypnotisée. Elle avait alors fermé les yeux, se laissant bercer.

Lorsque Alex avait parlé de nouveau, c'était dans le creux de son oreille.

— Tu n'as rien à faire avec lui. Tu ne lui appartiens pas.

Elle s'était sentie vaciller comme au bord d'un abîme. Un seul pas à faire et elle se laissait tomber dans l'inconnu.

Mais elle avait rouvert les paupières.

— Je te déteste, Alex.

Elle s'était dégagée de ses bras, parcourant désespérément la salle du regard, en quête de Brian. Elle était furieuse contre elle-même de l'émoi qu'elle venait de ressentir, de la chair de poule qui était née sur ses bras lorsqu'il lui avait parlé à l'oreille et, par-dessus tout, du temps qu'elle avait mis à réagir.

Alex avait reculé.

— Peut-être que tu me détestes. Mais moi, au moins, je suis vivant, ce qui est loin d'être le cas de Brian et toi.

Brian avait alors fait enfin son apparition, ce qui lui avait évité de se ridiculiser devant toute sa promotion en mettant son petit poing dans la figure d'Alex. Elle s'était arrimée au bras de son fiancé, l'entraînant loin de son demi-frère, incapable pendant plusieurs minutes de lui expliquer la raison de sa colère.

Pourtant cette soirée, déjà mémorable en soi, ne s'était pas terminée ainsi. Hantée par les mots d'Alex et le souvenir du trouble qu'il avait su créer en elle, elle s'était pratiquement jetée sur Brian dans la voiture.

Un Klaxon retentit derrière elle.

Brusquement, Holly sortit de sa rêverie et de ses souvenirs d'adolescence. Au moins pouvait-elle rire de tout cela avec le recul, maintenant. Rire jaune, peut-être, même si le résultat de cette nuit n'était autre que Will.

Elle poussa un soupir en se garant dans le parking de son entreprise. Alex lui avait toujours fait cet effet, que ce soit le soir du bal, ou la nuit précédente, dans son rêve…

En tout cas, elle était rassurée sur un point : depuis qu'elle lui avait demandé de cesser de flirter avec elle, il l'avait prise au mot et s'était conformé à sa demande. Ils avaient une relation strictement amicale et c'était très bien ainsi.

Car l'amitié d'Alex était quelque chose de précieux, elle en avait conscience. Il se montrait généreux et attentif, et il la faisait rire, sans oublier que Will adorait son entraîneur.

Oui, Alex lui offrait ce dont elle avait besoin. Il ne lui restait plus qu'à le chasser de son esprit durant les huit heures de travail à venir, pour affronter le monde impitoyable de la finance.

- 7 -

Alex leva un instant la tête de son bureau, songeur. Le match contre Steeltown s'annonçait difficile ? Il devait motiver son équipe plus que d'habitude ? Tant mieux ! Au moins, pendant ce temps, il ne pensait plus à Holly.

Il était fier de ses gamins, d'ailleurs. Il s'en était fait la remarque en les envoyant à la douche après l'entraînement. Si le travail et le courage payaient, alors ils touchaient déjà la victoire du doigt. Mais ce ne serait pas facile.

Il les avait prévenus : l'équipe de Steeltown ne jouait pas vraiment à la régulière. Leurs joueurs avaient la réputation d'agir de façon très brutale et de laisser souvent des blessés derrière eux. Lui qui avait une équipe jeune et peu expérimentée redoutait particulièrement ce face-à-face. Il devrait travailler deux fois plus que d'habitude. Et ça ne tombait pas si mal.

La veille au soir, après le shopping au centre commercial avec Holly et Will, ils avaient dîné tous les trois ensemble. Et ce fut délicieux, dans tous les sens du terme. Holly et Will avaient passé le repas à discuter et plaisanter, l'incluant avec bonne humeur dans leur conversation. Il y avait eu des rires et de la chaleur, deux choses dont il se sentait privé la plupart du temps. Etre avec eux était un plaisir, un plaisir dangereux s'il voulait tenir la promesse qu'il s'était faite au sujet de Holly. Il ne devait pas dîner avec eux tous les soirs.

Aussi, après l'entraînement, il était resté dans son bureau, s'interdisant délibérément le plaisir de partager un dîner avec eux sur la grande table de la salle à manger qu'il n'avait pourtant encore jamais utilisée.

Il soupira et termina de remplir les papiers en retard, puis sortit en éteignant derrière lui et parcourant dans la pénombre le long couloir. Les lumières de la ville l'éblouirent une fois qu'il fut dehors.

Aussi difficile que soit le fait de vivre dans la même ville que Holly, il était ici chez lui. C'était sa ville et il l'aimait. Il aimait les jeunes qu'il entraînait, il croyait en eux.

Il se mit à sourire. Il aimait jusqu'à sa vieille maison, et attendait même avec une certaine impatience la fin de la saison, qui lui donnerait plus de loisir pour bricoler et entretenir son foyer. Mais, à ce moment-là, Holly et Will seraient repartis…

Il entra chez lui et sentit quelque chose d'inhabituel. Il alluma la lumière et inspecta les lieux.

C'était propre.

Quelqu'un avait passé l'aspirateur, fait la poussière et nettoyé tous les recoins, jusqu'à ce que cela ne sente plus que le frais et le propre.

— Alex, c'est toi ? appela la voix de Holly depuis la cuisine.

Elle parut à cet instant vêtue d'un jean et de son T-shirt des Steelers de Pittsburgh. Elle avait une brosse à la main et l'air embarrassé.

— Qu'est-ce que tu as fait ? demanda-t-il.

Elle eut soudain l'air coupable.

— Je suis désolée, Alex. J'aurais bien aimé éviter le stéréotype total de la femme qui déboule chez un célibataire et qui se transforme aussitôt en tyran domestique, mais là, je crois que tu n'avais jamais fait la poussière. Et puis Will a une tendance à développer des allergies aux acariens, je ne voudrais pas qu'il se mette à faire de l'asthme et dise au revoir à sa grande carrière à la Ligue et au yacht qu'il m'a promis !

Il croisa les bras :

— Mais j'ai toujours fait la poussière avec soin !

Elle leva un sourcil dubitatif.

— Euh, eh bien il y avait des moutons de poussière qui auraient pu rivaliser avec Godzilla !

— Je n'ai jamais vu le moindre mouton de poussière dans cette maison !

— Eh bien, c'est parce qu'ils se cachent sous le canapé, derrière les meubles, autant d'endroits que tu ne visites pas si souvent que cela.

— Ah, oui ! Mais qui donc nettoie derrière les meubles ou sous le canapé ? C'est une pratique maniaque, ou je ne m'y connais pas ! Moi, je suis plutôt du genre détendu et tranquille comme garçon !

A vrai dire, il trouvait vraiment agréable de rentrer dans une maison qui paraissait refaite à neuf, sans qu'il n'ait eu à lever le petit doigt.

— J'aurais pu me charger de tout cela, tout de même, reprit-il. Vous êtes mes invités, et vous voilà obligés de faire le ménage !

— Oh ! Ce n'est vraiment pas grave, j'aime bien me maintenir occupée, expliqua-t-elle en regagnant la cuisine. Il reste du poulet si tu as faim !

Il lui emboîta le pas et se dirigea lui aussi vers la cuisine, même s'il avait avalé un sandwich après l'entraînement.

— Mmm, qu'est-ce que cela sent bon ! dit-il en regardant tout autour de lui, les yeux ronds. Waouh,

Holly, mais cela a dû te prendre des heures pour rendre tout cela aussi étincelant !

— Non, pas vraiment, répondit-elle en lui tendant une assiette. Et puis je te l'ai dit, j'étais contente de m'occuper. Will avait beaucoup de devoirs aujourd'hui, donc nous nous sommes à peine croisés au moment du dîner et il est reparti s'enfermer dans sa chambre. Et puis…

Elle s'interrompit, hésitant tout à coup à poursuivre, alors qu'elle prenait place à table en face de lui.

— J'ai rempli les papiers de l'assurance aujourd'hui, et je dois dire que cela m'a sacrément déprimée. D'où mon besoin de me changer les idées.

Il releva la tête.

— Holly, j'imagine que cela a dû être tellement dur…

— Oh ! Les papiers à remplir, cela allait encore, et puis j'avais conservé un certain nombre de documents importants dans un coffre au bureau, comme l'assurance me l'avait conseillé. Donc j'ai pu faire un inventaire assez facilement, mais…

Ses yeux s'emplirent aussitôt de larmes, qu'elle chercha à ravaler.

— Pardon… mais, sur leur formulaire, ils ne parlaient pas des photos de Will lorsqu'il était bébé, ou des dessins qu'il m'avait faits à l'école maternelle, ou des cartes postales des fêtes des Mères.

Il attrapa sa main dans la sienne.

— Je suis désolée, dit-elle en inspirant profondément. Je sais bien que ce qui compte, c'est que Will et moi nous en soyons sortis, mais quand je songe que tout est parti en fumée… Les guirlandes de papier qu'il faisait pour décorer le sapin depuis qu'il avait sept ans… Chaque année, il insiste pour qu'on les remette… Et puis les photos, c'est bien ce qu'il y a de pire, toutes celles de son enfance, toutes celles qui ne sont pas sur mon ordinateur du bureau…

— Oh ! Je suis tellement désolé pour toi, Holly… Est-ce que, par hasard, tes parents ou d'autres membres de ta famille n'auraient pas quelques clichés chez eux ? Peut-être aussi que Brian en aurait ?

Elle écarquilla les yeux.

— Mais c'est vrai, je n'y avais pas pensé ! Bien sûr que mes parents doivent en avoir… Pour ce qui est de Brian, je ne me sens pas vraiment le courage de le contacter… A moins que Will ne l'ait appelé, il ne sait pas que la maison a brulé…

— Holly, pourquoi est-ce que tu…

Il s'interrompit et elle chercha son regard en attendant la fin de sa question.

— Pourquoi est-ce que je, quoi ? répéta-t-elle alors.

Il secoua la tête.

— Non, ce n'est pas important, assura-t-il finalement en lui caressant le dos de la main sans même s'en rendre compte.

— Peut-être que ce n'est pas important, mais tu as éveillé ma curiosité, j'ai besoin de savoir ce que tu voulais me demander.

Il haussa les épaules.

— C'est juste qu'en parlant de Brian je me suis demandé…

— Demandé quoi ?

— C'est la même interrogation depuis toujours, à vrai dire. Depuis le départ, je ne comprends pas ce que tu lui as trouvé… Mais si tu ne veux pas en parler, je le comprends parfaitement !

Elle soupira, mais avec un léger sourire.

— Tu m'as toujours dit à quel point il ne valait pas le coup, reconnut-elle.

— C'était maladroit, je m'en rends compte maintenant, mais je n'ai jamais percé à jour ce qui t'a attirée chez lui.

— Je crois que j'ai compris tout cela une fois que notre histoire a été finie, une fois que mes parents m'ont fermé leur porte et que je me suis retrouvée toute seule. J'ai compris que c'était pour eux que je sortais avec Brian, sans doute plus que pour moi, d'ailleurs. J'avais tant cherché à les satisfaire, à gagner leur fierté et leur amour… et Brian était là, et il correspondait pour eux au petit ami idéal. Mais tout n'était qu'apparence, chez eux comme chez lui, malheureusement.

Alex se reprocha de n'avoir pas su tenir sa langue.

— Tu n'es pas obligée, tu sais…

— Non, ça va, je n'ai pas de mal à reconnaître à quel point j'étais naïve et crédule… Mais tu le savais déjà, puisque tu avais vu clair dans le jeu de Brian dès le départ, et que tu as essayé de me prévenir. Je t'en voulais d'ailleurs tellement pour cela.

Alex sentait son cœur se serrer de plus en plus fort face à sa détresse.

— Holly, je…

— Ça va, je t'assure, et puis je ne te déteste plus comme à l'époque, ajouta-t-elle en souriant.

Que pouvait-il répondre à cela ?

— Au fait, reprit-elle, j'ai découvert autre chose en remplissant les documents de l'assurance aujourd'hui : nous sommes couverts pour les frais d'hébergement en cas de perte de notre habitation, ce qui signifie que Will et moi allons pouvoir nous trouver un hôtel d'ici quelques jours, si…

— Tu veux partir ?

Il fut surpris de l'intensité de l'émotion que lui provoquait cette idée.

— Ce n'est pas vraiment cela, mais nous ne pouvons pas rester chez toi ainsi. Tu dois avoir envie de retrouver ton intimité !

— Quelle intimité ? Vous ne me dérangez pas le moins du monde ! Et pourquoi vous enfermer dans une chambre d'hôtel quand vous pouvez profiter de la maison tout entière sans souci ?

— Une maison qui reste la tienne ! Et je pense à ta vie sociale parce que tu as reçu un appel aujourd'hui, juste avant de rentrer.

— Qui était-ce ?

— Amber, je crois, je n'ai pas décroché, mais comme le répondeur s'est mis en marche, je n'ai pas pu faire autrement qu'entendre son message. Elle avait l'air d'avoir envie de te rendre visite, si tu vois ce que je veux dire…

Ses joues rosirent à cette évocation, il en était sûr.

— Ecoute, Holly, je ne vois personne en ce moment et je n'ai aucun projet dans un proche avenir avec qui que ce soit. Amber et moi nous sommes séparés il y a plus d'un an. Elle souhaite peut-être me revoir, mais ce n'est pas mon cas. Will et toi ne me dérangez aucunement, et je serais heureux que vous acceptiez de rester ici, si vous en avez envie.

— Eh bien, je crois que oui. J'aimerais bien rester, si tu es sûr…

— Je suis sûr, trancha-t-il.

Un sourire se dessina alors sur son joli visage.

— Bien, alors nous resterons encore un peu, jusqu'à ce que tu te fatigues de nous !

Se fatiguer d'eux. Holly et Will étaient là depuis deux jours et il avait déjà du mal à imaginer la maison sans leur présence.

Holly lui semblait encore plus resplendissante sous les néons de sa cuisine !

Elle réprima un bâillement et se leva.

— Il commence à se faire tard. Je crois qu'il est temps de te souhaiter une bonne nuit.

Elle monta à l'étage et, sans qu'il s'y attende, ce fut à cet instant que lui revint à l'esprit l'image qu'il avait tâché de chasser toute la journée durant… L'image de Holly, allongée dans son lit, baignée par le clair de lune, et murmurant son prénom dans un souffle.

Il attendit d'entendre sa porte se fermer pour monter à son tour.

Le couloir et la salle de bains avaient aussi bénéficié de son grand nettoyage. Puis il ouvrit sa chambre : elle n'y était pas entrée. La pièce lui parut triste et terne, poussiéreuse même, en comparaison des autres.

C'est ainsi que serait de nouveau sa maison après leur départ, il le savait.

Cette fraîche soirée du mois d'octobre était parfaite pour jouer au football américain. Holly prit place dans les tribunes à côté des parents de Tom Washington. Alex avait occupé ses pensées le matin, mais depuis quelques heures elle avait réussi à l'en chasser, alors même qu'il se trouvait à quelques mètres de là, bien visible sur le banc de touche.

Elle était trop prise par le match.

Le score était serré. Il restait trois minutes à jouer dans le quatrième quart. Pour la vingtième fois de la soirée, elle se leva de son siège, ulcérée par l'attitude d'un joueur de Steeltown et le manque de réaction des arbitres.

— Mais, enfin, c'est inadmissible, ils auraient dû avoir une pénalité ! Vous avez vu comment ils ont envoyé Charlie au tapis ?

— Justement, souligna Angela, préoccupée, on dirait qu'il tarde à se relever.

Un murmure parcourut les tribunes. Des membres des deux équipes se précipitèrent vers le nouveau quarterback des Wildcats qui se tenait la jambe à deux mains en grimaçant de douleur.

— Oh, non ! lança David Washington. Je crois que Charlie s'est blessé au genou.

La partie était en effet terminée pour lui : on dut le sortir sur une civière, sous les applaudissements de soutien de son camp.

— C'est vraiment injuste, pesta de nouveau Holly. Comment se fait-il qu'on ne punisse pas les responsables de cette blessure ? Bon sang, on n'a pas idée de laisser des lycéens se comporter comme des mafieux qui cassent les jambes de leurs adversaires ! Heureusement qu'Alex ne leur apprend pas à jouer comme ça !

David hocha la tête.

— Tu as raison, mais les entraîneurs comme Alex sont rares, malheureusement. Il sait entretenir la motivation et l'envie de gagner de ses joueurs, tout en leur apprenant à jouer proprement.

— Quand je pense que je commençais à apprécier ce sport ! Finalement ma mauvaise impression initiale était peut-être la bonne !

— Hé ! coupa Angela. Regardez, Alex envoie Will sur le terrain !

Holly agrippa la main de sa voisine dans un réflexe de panique. Son petit garçon envoyé pour affronter ces canailles sur le terrain ?

— Ne t'inquiète pas, lui lança David. Will est costaud. Et, en plus, il est malin : il saura faire face.

— Comment veux-tu alors que Charlie, qui a trois ans de plus, n'y a pas réussi ?

— Je pense que les arbitres feront leur possible pour pacifier le jeu après ce qui vient de se passer.

Holly scruta son fils : il entrait en trottinant sur le terrain. D'où elle se trouvait, elle pouvait sentir son appréhension. Il n'allait pas jouer quelques secondes en fin de match, mais de longues minutes dans une partie serrée et tendue.

C'était trop de pression sur les épaules d'un gamin de quinze ans.

Lorsque Will lança le ballon à Tom, qui courut sur une distance de douze yards, sous les encouragements de David et d'Angela, elle respira de nouveau. Avec un peu de chance, tout irait bien. Elle ne pensait plus du tout à la victoire. La seule chose qui comptait, c'était que Will sorte indemne de ce match.

Elle ferma les paupières un court instant, il venait de se faire plaquer. Heureusement, il s'était déjà relevé et ne semblait pas blessé.

Alex demanda alors un temps mort. Qu'allait-il dire ? se demanda-t-elle. Elle voyait bien les réserves de Will : il n'était pas prêt à prendre sur lui la responsabilité du jeu, ce que lui ordonnait pourtant son poste de quarterback.

Alex lui parlait sur la ligne de touche. A distance, elle retenait son souffle. Mais progressivement elle commença à se sentir plus calme, en les voyant ainsi tous les deux. Alex dirait les mots qu'il faut, et Will lui ferait confiance. A chaque phrase de son entraîneur, elle voyait son fils acquiescer. Puis Alex lui donna une tape sur le dos et les équipes se préparèrent au coup de sifflet.

C'était reparti !

Encouragés par leurs supporteurs, les joueurs se remirent en mouvement, s'alignant les uns en face des autres. Il devenait impossible d'entendre ce qui se criait sur le terrain à cause de la rumeur des tribunes.

Mais elle vit Will plus sûr de lui, regardant à droite et à gauche et se mettant en position.

La ligne offensive avança d'un coup, mais Will tint bon, la tête haute, la balle à la main. Il attendit la dernière seconde et lança finalement le ballon. Celui-ci survola le terrain parfaitement dans l'axe, puis redescendit droit dans les bras du receveur, qui la saisit vigoureusement et parcourut les derniers mètres pour la plaquer au sol en un touchdown appelé à devenir légendaire.

Ils ratèrent la transformation suivante, mais cela n'avait plus d'importance. Dans les tribunes des Wildcats, l'ambiance était à son comble. Holly n'entendait plus sa propre voix tant tout le monde hurlait sa joie.

Le vent avait tourné pour Steeltown. Après quelques attaques échouées et récupérées par les Wildcats, le chronomètre arriva à zéro et la foule en liesse descendit sur le terrain. Holly fut emportée par un flot de supporteurs aussi extatiques qu'elle et se retrouva face à Alex. Elle sauta alors dans les bras qu'il lui tendait, et il la fit tourner avec lui jusqu'à ce qu'ils aient tous deux le vertige.

— On a réussi ! s'exclama-t-il comme s'il n'en revenait pas lui-même.

Il la fit glisser sur le sol, mais ne la lâcha pas, ne la quittant pas non plus des yeux. Ils étaient tellement heureux ! Leurs yeux pétillaient. Sans réfléchir, elle se hissa sur la pointe des pieds et déposa tendrement un baiser sur ses lèvres.

Aussitôt, elle chercha à s'expliquer ce geste inattendu. Ce n'était rien d'autre qu'un bisou amical, pour célébrer la victoire dans l'euphorie générale. Et elle recula d'un pas, comme pour s'en persuader.

Mais Alex la maintint contre lui. Elle insista et il s'écarta enfin, glissant la main dans ses cheveux au passage. Alors, contre toute attente, il l'attira de nouveau à lui pour un autre baiser, bien plus fougueux cette fois et passionné.

En un instant, plus rien au monde n'existait pour Holly à part cet homme. Son corps si solide contre le sien, sa poitrine pressée contre son torse, ses doigts entrelacés dans ses cheveux et leurs bouches réunies en un baiser fiévreux. Elle enroula le bras autour de son cou, et se laissa tout entière emporter par ce baiser.

Le son d'une trompette la fit sursauter et s'écarter précipitamment des bras d'Alex, la main sur son cœur, qui battait la chamade.

C'était l'harmonie de Weston qui défilait chaotiquement sur le terrain pour célébrer la victoire. Holly se ressaisit. Grâce à cette trompette, elle venait sans doute de limiter les dégâts. Qu'est-ce qui lui avait pris d'embrasser ainsi Alex au beau milieu de la foule, devant les parents d'élèves, les copains de lycée et Will ?

Elle aurait même pu finir en une du *Weston Herald*, vu que des photographes étaient là.

Elle inspira profondément et jeta un coup d'œil alentour. Personne de sa connaissance ne semblait présent, et Will était hors de vue.

Ouf ! Peut-être ne s'étaient-ils pas trop donnés en spectacle, finalement.

Elle n'osait plus regarder Alex et porta la main à sa bouche, comme pour garder pour elle la sensation de ce baiser… Un baiser unique, extraordinaire ! Jamais elle n'avait ressenti autant de choses de sa vie tout entière. Pourrait-elle seulement passer son chemin et oublier ce qui venait d'avoir lieu et les sensations incroyables qui se bousculaient en elle ?

— Holly, dit Alex en la prenant par le bras pour

qu'elle se tourne vers lui. Je t'en prie, ne m'en veux pas. Je ne voulais pas que cela arrive, c'était juste…

Il n'avait pas l'air chaviré comme elle l'était. Il semblait préoccupé plutôt, et ce n'était pas cela qu'elle s'était attendue à voir sur son visage. Elle le fixa en clignant les yeux, interloquée. Elle avait l'impression d'avoir la voix coupée.

— L'enthousiasme du moment, murmura-t-elle en finissant sa phrase.

Un peu abasourdie, elle chassa l'amertume qui la gagnait. Il avait raison après tout : mieux valait tirer un trait sur ce qui venait de se passer. Sinon, l'embarras et la gêne risquaient de contrarier leurs relations amicales.

— Voilà, conclut-il, apparemment soulagé.

Comment pouvait-il se sentir apaisé à l'idée que ce baiser ne se renouvellerait pas ? L'avait-elle si mal embrassé pour qu'il regrette aussitôt son geste ?

Bon sang, la façon qu'il avait eue de l'embrasser était tellement… Elle ferma les yeux et se mordit la lèvre en y repensant, cherchant à étouffer un son qui montait dans sa gorge et ressemblait très clairement à un gémissement.

— Je dois retrouver Will, annonça-t-elle en s'appuyant sur cette pensée qui lui permettait de se donner une contenance.

— Oui, il a vraiment été incroyable ce soir. Quel courage il a eu !

Du courage. C'était quelque chose dont elle se sentait dépourvue à cet instant où lui prenait l'envie de se jeter de nouveau dans ses bras. Elle restait plantée là, incapable du moindre mouvement. Et si elle était vraiment si mauvaise que cela pour embrasser, ne pouvait-il lui apprendre les rudiments de cet art qu'il maîtrisait à la perfection ?

Hélas, Alex semblait plutôt gêné par ce moment de faiblesse partagée, mais qu'elle avait elle-même engagé.

Car elle l'avait bel et bien embrassée la première. Sa réponse à lui était en quelque sorte automatique, à l'image de sa façon de flirter en permanence. Il n'était sans doute pas à un baiser près.

Elle se rappela toutes les filles avec qui il sortait au lycée, et le message laissé par Amber l'autre soir, sans oublier les allusions de Rich Brennan. Elle ne voulait pas être une femme de plus. Elle refusait de passer dans sa vie quelques jours, quelques semaines avant de disparaître, comme toutes les autres. Elle n'était pas faite de ce bois-là.

— Je dois retrouver Will, répéta-t-elle en prenant garde à ne pas bafouiller, tout en le rassurant d'une tape amicale sur l'épaule.

Elle voulait surtout lui faire comprendre par ce geste qu'elle tirait elle aussi un trait sur ce qui s'était passé, et le rassurer sur le fait qu'il n'avait pas à s'en vouloir. Il avait l'air embarrassé, ce qui était plutôt courtois de sa part.

Regrettait-il ce baiser ? S'il pouvait faire marche arrière, renoncerait-il à ce baiser ?

Car, de son côté, elle était heureuse qu'il ait eu lieu, même si elle se sentait gênée et un peu honteuse. Elle savait maintenant ce qu'on peut ressentir lorsqu'on est embrassée de la sorte. Toutes les femmes du monde devraient pouvoir connaître cela.

Et tant pis si ce n'était pas vraiment réciproque.

Alex se repassa une dizaine de fois le film de cette célébration de la victoire dans sa tête. Allongé dans son lit, incapable de trouver le sommeil, il souffrait et doutait terriblement.

Elle l'avait pourtant embrassé pour de vrai. Il en était sûr. La façon dont elle avait répondu à son étreinte, la façon qu'elle avait eue d'ouvrir les lèvres, sa fougue, sa passion…

Mais cela ne durait jamais très longtemps chez elle. Holly avait toujours appris à refréner ses sentiments aux yeux du monde. Elle avait besoin de garder le contrôle, et la passion était l'exact opposé de ce contrôle. Il était compréhensible qu'elle ait souhaité balayer ce bref moment d'égarement.

Les rares fois où il avait été témoin de l'ardeur qui était en elle étaient des moments bien particuliers. La première fois, elle avait trop bu. La fois d'après était la nuit de l'incendie. Et il y avait eu ce soir où son fils venait de leur faire gagner le match le plus tendu qu'il ait eu à gérer avec son équipe.

Lorsqu'il était rentré de la soirée qui s'était improvisée après le match, il avait retrouvé Holly et Will.

Will était encore sur un petit nuage, racontant une nouvelle fois à sa mère comment il avait su que c'était le bon moment pour lancer sa balle. Il avait eu une certitude absolue de ce qu'il fallait faire et s'était senti d'un calme à toute épreuve. Il revivait avec euphorie chaque instant de cette victoire.

Alex l'avait écouté en souriant.

— C'était vraiment un match incroyable, avait dit Holly en levant vers lui un regard calme et posé, en complète opposition avec ce qu'il avait espéré y trouver. Typiquement le genre de moments où l'on est en mesure de perdre la tête et de se laisser emporter…

Elle avait dit cela en le fixant et il avait parfaitement compris le message. Il avait eu un haussement d'épaules pour lui faire comprendre en retour que c'était oublié et ce fut tout sur le sujet.

Ensuite, ils avaient passé encore deux bonnes heures à discuter et à rire en refaisant le match. Elle et lui avaient été un peu gênés au début, mais très vite la convivialité du moment l'avait emporté et la situation était revenue presque à la normale.

Evidemment, c'était sans doute mieux ainsi, songea-t-il, allongé dans son lit. C'était ce qu'elle souhaitait, et ce qu'il pensait de son côté n'avait que peu d'importance.

Et puis une femme qui pouvait tourner la page après un tel baiser n'était sans doute pas faite pour lui.

Même s'il se sentait plus attiré par elle qu'il ne l'avait jamais été par une autre femme, cela ne suffirait pas à Holly. Elle était le genre de femme qui méritait qu'on lui consacre toute sa vie… Et lui n'était pas du genre à donner dans le définitif. Il n'avait jamais offert autre chose que quelques mois de plaisir.

Elle méritait mieux que cela, il en avait conscience. Elle méritait tout ce qu'un homme avait à offrir, elle méritait un cœur en offrande. Et il n'avait jamais offert son cœur.

Pour toutes ces raisons, elle avait eu une sage réaction. La meilleure.

Ils étaient tous deux bien lâches en matière d'amour.

Même s'il était un peu précipité d'employer des mots comme amour.

C'était une flamme entre eux, une passion ardente, même si elle refusait de le reconnaître. Il y avait aussi de l'amitié, de l'affection. Un lien profond s'était créé, oui, mais ce n'était pas ça, l'amour.

L'amour rimait avec toujours. Et dans le cas de Holly, cela impliquait son fils, évidemment. Lui qui n'était déjà pas vraiment prêt pour une relation avec une femme, comment le serait-il avec une mère célibataire et son grand fils de quinze ans ?

Non, elle avait bien fait de mettre un terme à leur baiser, même si elle ne l'avait pas fait pour les bonnes raisons. Alex savait qu'elle avait eu peur, et lui s'était toujours efforcé de ne pas se laisser guider par la peur.

Le samedi matin était le jour des pancakes, l'informèrent Will et Holly lorsqu'il descendit dans la cuisine vers 10 heures. Elle l'accueillit d'ailleurs avec un large sourire, alors qu'elle était occupée à retourner trois pancakes dans la poêle. Il remarqua son T-shirt des Bengals qu'elle portait avec un nouveau jean. Ses cheveux formaient une natte sommaire dans son dos.

— Je rêve ou tu as attaqué mon tiroir à T-shirts ?

— Ah, oui, pardon ! C'est un des vêtements que tu m'as apportés le premier soir. J'ai acheté plutôt des vêtements pour le travail et je me retrouve à cours de T-shirts. Je ferai des achats sans tarder… si tu veux bien me le laisser en attendant.

Il balaya ses précautions de la main. C'était la deuxième fois qu'il faisait cela en deux jours, lui signifier d'un geste anodin que *tout allait bien*, qu'*elle n'avait pas à s'inquiéter*, que *c'était déjà oublié…*

— Ce n'est vraiment pas un problème, tu as bien fait. Alors, quels sont vos projets pour la journée ?

— Je compte apprendre à maman à faire une passe avec un ballon de football.

Il jeta à Holly un regard interrogateur.

— Est-ce que tu veux vraiment apprendre à lancer un ballon ? demanda-t-il en goûtant un pancake.

— Je ne peux pas dire que ce soit le rêve de ma vie, mais la journée semble vraiment belle et l'idée de passer du temps dans le jardin me paraît attrayante. Cela me mettra en jambes avant de filer à mon cours de gym. Je manque d'exercice et ce n'est pas une bonne idée, j'ai besoin d'un peu de stimulation physique.

— Je vous tiendrai compagnie dans ce cas, il doit y avoir une tonne de feuilles mortes à ratisser dans le jardin.

Will sembla ravi.

— Nous pourrons aussi t'aider, si tu veux. Je suis sûre qu'il est très agréable de ratisser des feuilles mortes. Moi qui suis une grande maniaque de l'ordre, je crois que je vais adorer cela, déclara Holly.

Elle avait raison : la journée était superbe. Un ciel bleu qui contrastait avec les feuilles rougeâtres des érables alentour. On aurait dit qu'un enfant avait sorti ses feutres aux couleurs les plus vives pour colorier le monde. Il y avait des tons cuivrés, des rouges vermillon, des oranges flamboyants…

En prime, les voisins faisaient brûler des feuilles sèches, et cette odeur qui se mêlait aux senteurs automnales du sous-bois était délicieuse.

Holly, qui avait enfilé un pull marron et laissé libres ses cheveux roux, était tout à fait de saison, songea-t-il.

La séance de ratissage fut rapidement oubliée lorsqu'ils se mirent à jouer avec le ballon, comme des enfants.

Mais, au bout d'une demi-heure, Will les rappela à l'ordre.

— Bon, maman, Alex va te montrer comment lancer la balle et je serai ton receveur. Je suis sûr que tu vas t'en sortir, même si tu as des mains un peu petites. Il faut te concentrer sur ta cible, d'accord ?

Il s'éloigna tout en parlant.

— Il rêve ! Il va bien trop loin, dit Holly, en plaçant la main sur son front en guise de visière.

Alex lui tendit la balle en s'approchant.

— Il a confiance en toi, c'est tout. Tu devrais être flattée. Allez, agrippe bien la balle en plaçant tes doigts sur la couture. Recule ton pied gauche pour prendre appui dessus et plie ton bras. Non, attends, pas comme ça.

— Comment, alors ? demanda-t-elle.

Il aurait pu lui montrer, comme il l'aurait fait avec n'importe lequel de ses joueurs, mais il préférait éviter de la toucher. C'était trop dangereux, même si l'envie ne lui manquait pas.

Oh ! et puis après tout !

Il se plaça derrière elle et ajusta la position de son bras.

— Comme ça, tu vois, c'est bien mieux. Maintenant, fais pivoter ton buste en gardant un œil vers ta cible.

Il savoura chaque frôlement de son corps. C'était ridicule, mais si bon. Puis il recula d'un pas.

— C'est bon, maintenant tu vas lancer la balle en restant concentrée sur l'impulsion que tu lui donnes.

Il l'observa tandis qu'elle effectuait son premier lancer.

— Pas mal, l'encouragea-t-il.

Puis il lui tendit la main sur laquelle elle frappa, le sourire aux lèvres.

— En fait c'est plutôt drôle, votre jeu ! s'exclama-t-elle, en adressant un sourire radieux à son fils.

Elle riait comme une enfant, et il sentit une vague de tendresse inouïe l'envahir en la regardant.

— Tu es adorable, dit-il en regrettant aussitôt son compliment.

Elle rougit, mais garda le sourire. Et il fut rassuré : elle n'en prenait pas ombrage.

Les heures suivantes passèrent tranquillement, à jouer dans le jardin avec le ballon. Puis ils s'assirent sous un érable pour en contempler les ramures par en dessous, le temps de se reposer.

— J'adore cet après-midi, je me sens vraiment super-heureux ! s'exclama Will tout à coup. Est-ce que vous avez déjà ressenti cela ?

— Peut-être une fois ou deux, oui, dans ma très longue vie, répondit Holly en riant. Et toi, Alex ?

— Une fois ou deux.

Le silence se fit et il leva la tête, observant les feuilles qui oscillaient dans le vent, écoutant le calme de la nature et les chants d'oiseau.

— Je pense comme toi, Will, reprit-il. Cet après-midi est vraiment parfait.

— On devrait rester ainsi pour toujours, renchérit Will.

Il eut envie de lui dire qu'il le voulait lui aussi, qu'il aurait voulu qu'ils restent vivre avec lui pour toujours.

— Pour toujours, ce serait sans doute un peu difficile, rétorqua Holly en se levant et en frottant ses jambes pour en décoller les feuilles. Bon, je ferai mieux de me dépêcher si je veux aller à mon cours de gym.

Elle se dirigea vers la maison en leur faisant un rapide salut de la main, le sourire aux lèvres.

Alex et Will restèrent sous le même arbre, au milieu des mêmes feuilles et sous le même ciel, mais le jardin sembla soudain avoir perdu un peu de sa magie.

- 8 -

Will prit sa décision le lundi.

Il n'arrivait pas à saisir pourquoi sa mère et Alex étaient si longs à se décider à sortir ensemble. C'était sans doute lui, le problème.

Il lui suffisait de régler ce point, et sa mère, qui était plutôt de la vieille école, accepterait peut-être de laisser les choses suivre leur cours.

Tom lui avait parlé d'un week-end à la pêche avec son père, et Will s'était empressé de lui demander s'il pouvait se joindre à eux.

Il décida de n'annoncer son projet que le vendredi matin, afin que sa mère n'ait pas le temps de réagir. En ce qui concernait ses émotions, elle était particulièrement peu intrépide et serait capable de tout mettre en œuvre pour éviter un week-end en tête à tête avec Alex.

Au fil des jours, ils avaient tous les trois trouvé un rythme presque familier, rythmé par le lycée ou le travail, le football et les dîners à la maison.

Les soirées étaient agréables. Tellement agréables que parfois Will se demandait si finalement l'amitié n'était pas la meilleure chose.

Mais, un soir, il avait surpris un regard d'Alex sur sa mère, alors qu'ils regardaient un film sur le football.

— Finalement, ça me plaît ! avait annoncé Holly tout à coup, faisant sursauter Alex.

— De quoi est-ce que tu parles ? avait-il demandé.

— Le football, reprit-elle. En fait, ça ressemble aux théories financières. Il faut de la stratégie, avoir un plan d'action pour le court terme sans perdre de vue le moyen et le long terme. Il faut savoir contourner les imprévus, rebondir, attendre son heure… Exactement ce que je fais lorsque je gère des patrimoines ou des actions en Bourse.

Alex avait paru surpris.

— C'est exactement ainsi que je vois le football, en tout cas tout ce qui fait partie de la stratégie. Je suis touché de l'intérêt que tu portes à un sport qui n'avait pas vraiment d'attrait à tes yeux au départ. Et ta description rend ton travail des plus intéressants ! Explique-moi plus précisément en quoi ça consiste.

Elle avait tourné son regard vers lui et Will y avait vu une lueur inconnue.

— Qu'est-ce qu'il y a ? avait demandé Alex face à son regard.

— Eh bien, avait-elle repris, je pense à ce que tu appelles ton bureau et qui est un immense capharnaüm à mes yeux, mais que j'ai toujours respecté lors de mes raids ménagers…

— J'apprécie en effet ta discrétion.

— Eh bien, c'est terminé ! Enfin, sauf pour ta chambre, que tu peux garder en l'état si cela te fait plaisir, mais nous allons ranger ton bureau. Ensuite, nous allons ouvrir ton livre de comptes, examiner l'état de tes finances, discuter de tes perspectives à long terme, de ton degré de prise de risque acceptable et mettre en place une stratégie financière personnalisée. Ne me remercie pas, c'est bien le moins que je puisse faire pour te renvoyer l'ascenseur.

Elle avait affiché un large sourire victorieux. Alex était perdu, avait songé Will.

Apparemment, Alex l'avait compris, lui aussi.

— Et cela devrait prendre longtemps ?

— Des heures et des heures, avait-elle répondu. Plusieurs jours même, mais comme tu n'as pas de match prévu ce week-end, alors nous pourrons attaquer dès ce soir.

Alex avait suivi une Holly plus déterminée que jamais hors de la pièce.

Et Will avait senti le découragement le gagner… Faire ses comptes et déterminer ses perspectives financières… Elle était vraiment prête à tout pour faire diversion.

Son projet d'escapade pour le week-end servirait-il à quelque chose ?

Après tout, il ne risquait rien à tenter sa chance.

Comment se faisait-il que les adultes rendent tout si compliqué ?

Le vendredi matin, Holly se leva de bonne heure pour préparer le petit déjeuner à Will avant qu'il ne parte pour sa journée. Elle avait aussi au fond d'elle l'envie à peine avouée de croiser Alex. Après tout, bientôt, ils déménageraient. Alors autant profiter de sa présence tant que c'était encore possible.

Cinq minutes plus tard, alors que Will lui exposait ses projets pour les jours à venir, cela lui sembla tout à coup une très mauvaise idée.

— Je ne serai pas là ce week-end, annonça son fils le plus légèrement du monde.

— Comment ça, tu t'en vas ? demanda-t-elle, surprise et légèrement paniquée face à cette perspective. Tu ne peux pas m'annoncer ça le vendredi matin au petit déjeuner, enfin. Alex, est-ce que tu étais au courant ?

— Certainement pas, je ne suis au courant de rien ! annonça-t-il en levant les mains en l'air comme pour plaider son innocence.

— Will, veux-tu bien m'expliquer ce que tu comptes faire ?

Son fils prit une cuillère de céréales dans son bol d'un air désinvolte.

— Tom et son père m'ont proposé hier de les accompagner, et j'ai oublié de t'en parler. Tu peux appeler le père de Tom, si tu veux. Ils m'invitent à aller camper, nous partons juste après les cours.

— Tu pars ce soir ? répéta-t-elle en sentant un trouble étrange l'envahir.

— Ce soir, oui, et jusqu'à dimanche après-midi, précisa-t-il, presque enjoué.

Elle se racla la gorge.

— Je n'ai pas refait de camping depuis que j'étais gamine, tu ne crois pas que le père de Tom serait…

— Alors là, maman, je t'arrête tout de suite. C'est un week-end entre hommes. En plus, on n'emporte qu'une seule tente pour trois personnes. Et puis vous aviez déjà des projets si je ne m'abuse, toi et Alex. Tu devais l'aider à faire sa comptabilité.

— Mais ils annoncent de la pluie, qu'est-ce que vous ferez tout le week-end ?

— On va pêcher ! Il parait que ça mord toujours bien quand il pleut. Allez, maman, j'ai préparé toutes mes affaires. J'emporte mon sac, comme ça tu n'as même pas besoin de m'apporter mes affaires.

N'attendant même pas la réponse, il bondit et l'embrassa.

— Merci, maman, passez un bon week-end tous les deux. Je vous retrouve dimanche !

Avant qu'elle n'ait eu le temps d'objecter quoi que ce soit, il était déjà parti.

Le silence qui suivit fut plutôt embarrassé. Elle était assise à la table de la cuisine, le regard fixé sur son petit déjeuner. Que pouvait bien penser Alex ? Sans doute se moquait-il de tout cela. Après tout, ils étaient amis, rien de plus.

— Will a raison, lança-t-elle finalement, se forçant à afficher un sourire sans faille. Un week-end pluvieux sera parfait pour se consacrer à tes finances !

Son sourire faiblit un peu face à l'expression d'Alex. Il était assis en arrière sur sa chaise et l'observait la tête légèrement inclinée, son regard bleu dans le vague.

— Bien, je crois qu'il est temps pour moi d'y aller, ajouta-t-elle en cherchant une échappatoire. Je dois travailler tard ce soir, donc ne m'attends pas pour dîner. A demain matin ! Nous verrons ce qu'il en est de ton portefeuille d'investissements après le petit déjeuner.

Il fronça les sourcils.

— Je n'ai pas de portefeuille d'investissements.

— Pas encore, en effet, mais cela ne saurait tarder !

Il fit une moue amusée et elle y répondit par un large sourire, ravie de voir leur relation retrouver ce ton de franche camaraderie qui lui convenait parfaitement. Après tout, elle s'en sortirait très bien, même sans la présence de Will pour l'empêcher de commettre un faux pas. Elle était suffisamment mûre et raisonnable, tout de même !

Elle se raccrocha de toutes ses forces à cette idée pendant sa journée de travail, et plus tard pendant la soirée passée au bureau à travailler pour éviter de rentrer trop tôt, et encore sur le chemin du retour.

Elle coupa le moteur, une fois garée, mais resta dans la chaleur de l'habitacle de sa voiture, écoutant la pluie sur le toit et admirant les ruisseaux formés sur sa vitre. Elle pensa à Will. Pourvu qu'il soit bien au chaud sous sa tente avec Tom et son père !

Evidemment, elle était partie trop préoccupée le matin pour penser à se munir d'un parapluie ou d'un imperméable. Maintenant qu'il pleuvait des cordes, elle serait trempée avant d'arriver devant la porte.

Elle soupira. Au moins, si elle arrivait ruisselante, aurait-elle une excuse pour gagner directement sa chambre, au cas où Alex serait encore en bas !

Elle inspira profondément, rentra la tête dans les épaules et ouvrit sa portière. Une bourrasque la frappa en plein visage et elle courut jusqu'à la maison. Elle était presque arrivée lorsqu'elle trébucha et chuta tête la première dans le parterre de fleurs qui longeait l'entrée.

— Génial, marmonna-t-elle en cherchant à se remettre debout.

Un gémissement retint alors son attention.

Oubliant l'état dans lequel elle se trouvait, elle jeta un coup d'œil autour d'elle cherchant d'où provenait le son qu'elle avait entendu.

Deux yeux tristes appartenant à un chiot la fixaient depuis le porche.

— Viens ici, mon petit, appela-t-elle en s'agenouillant sous la pluie battante.

Il aboya doucement, il devait être tout jeune.

— Viens ici, tu risques de te faire attaquer par les ratons laveurs si tu restes là. Allez, viens avec moi.

— A qui est-ce que tu parles ? Et qu'est-ce que tu fais dans la boue comme ça ?

C'était Alex qui venait d'ouvrir la porte.

— J'ai entendu un petit cri de chiot, expliqua-t-elle

en haussant la voix pour qu'il l'entende malgré la pluie et le vent. Il est juste là, j'essaie de le faire sortir pour le ramener à l'intérieur.

— Mais pourquoi le ramener à l'intérieur ?

— Il sera le premier animal que nous embarquerons dans notre arche, ironisa-t-elle. Comment veux-tu que je le laisse dehors par ce temps ? Ce n'est qu'un bébé, il ne peut pas affronter une telle tempête. N'as-tu pas la moindre compassion ?

Alex laissa échapper un soupir.

— Je vais essayer de l'appâter avec quelque chose à manger, suggéra-t-il en rentrant dans sa cuisine.

Elle continua à parler d'une petite voix au chiot, essayant de l'attirer. Puis Alex la rejoignit et présenta quelques restes de poulet à l'animal.

— Tout va bien, petit chien. Tu as de la chance, tu sais, tu as réussi à apitoyer Holly avec tes yeux tristes ! Toi, tu sais parler aux femmes, on dirait. Allez, viens te remplir l'estomac avec nous à l'intérieur.

Lentement, le chiot s'avança vers eux. C'était un petit labrador, tout noir et tremblant de froid dans le vent et la pluie.

Alex recula jusqu'à ce que le chiot soit à portée de Holly. Elle le saisit, puis rentra dans la maison.

— Et voilà ! dit-elle d'un ton triomphal. Tu vois comme ç'a été facile !

— C'est sûr, répondit-il, ses cheveux gouttant dans l'entrée. Je vais aller chercher des serviettes-éponges. Est-ce que tu penses pouvoir contenir ton nouvel ami dans l'entrée ? Regarde aussi s'il a un collier !

C'était bien le cas.

— Il est écrit : Johnny Peterson, 43 Linden Road, lui annonça-t-elle, lorsqu'il revint avec des serviettes. C'est l'adresse de ta voisine, non ?

— Oui, c'est celle qui t'a prêté les jeans, elle est très gentille. Je vais l'appeler pour la prévenir. Pendant ce temps, tu devrais aller te changer, tu es couverte de boue !

Elle grimaça mais suivit son conseil en allant enfiler un jean, un sweat-shirt et une paire de baskets propres. Lorsqu'elle redescendit, Alex jouait avec le chien dans le hall.

— Je viens de lui parler, elle est vraiment soulagée car elle s'inquiétait beaucoup. Je vais aller le lui déposer.

— J'aimerais bien venir aussi ! dit-elle.

— Vraiment ? Alors que tu viens de te changer ? Si tu veux m'attendre ici, je ne serai pas long.

— Qui va tenir le chien pendant que tu conduiras ? Non, vraiment je préfère venir.

Une heure plus tard, leur voisine Anna ne savait plus comment les remercier. Cette Scandinave d'origine, d'une cinquantaine d'années, était un sacré personnage, et Holly aurait pu rester encore longtemps à discuter avec elle si Alex ne s'était pas levé pour donner le signal du départ.

— On devrait y aller, il se fait tard, annonça-t-il.

— Oui, bien sûr, j'espère que vous viendrez dîner un soir cette semaine, je vous préparerai un poulet dont j'ai le secret.

— Quelle bonne idée, répondit Holly, enthousiaste.

Puis elle s'agenouilla pour caresser Johnny.

— Elle risque de vous demander un droit de visite, si vous la laissez revenir, lança Alex. Je crois qu'elle s'est attachée à votre Johnny.

— Eh bien, Johnny lui semble attaché aussi en retour, vous ne trouvez pas ? répondit Anna. Elle me semble être le genre de personne à qui on s'attache facilement.

Il tendit une main à Holly pour l'aider à se relever.

— De temps à autre, il lui arrive d'être assez attachante, en effet, reconnut-il.

Des trombes de pluie continuaient à s'abattre tandis qu'ils regagnèrent la voiture en courant. Le vent s'était encore accentué et en cinq secondes à peine ils furent trempés jusqu'aux os.

Et ce n'était pas fini !

Une fois devant chez Alex, une bourrasque repoussa la capuche de Holly, l'exposant tête nue à la fureur des éléments déchaînés.

Elle éclata de rire, soudainement hilare, et ouvrit les bras, le visage tourné vers le ciel et les yeux fermés. Elle ne formait plus qu'un avec l'orage, avec la pluie et le vent. C'était prodigieux.

Alex gagna le porche et se retourna vers Holly. Elle restait là, dans la pluie, et riait de plus belle à chaque bourrasque. Ses longs cheveux étaient trempés et lui donnaient l'air d'une sorte d'elfe de conte de fées.

— Hé, tu es folle de rester là-dessous, rentre vite t'abriter !

Elle lui répondit d'un large sourire, puis accourut vers la porte qu'il maintenait ouverte. Son arrivée fracassante les entraîna tous les deux et il s'en fallut de peu qu'ils ne s'effondrent dans l'entrée. Alex referma finalement la porte, et ils se retrouvèrent dans l'entrée, ruisselants et gelés.

Il appuya sur l'interrupteur, et son lustre diffusa une douce clarté sur Holly. Son visage rayonnait, malgré l'eau et le froid. Sa respiration était haletante, ses yeux verts semblaient toujours hilares. Elle laissa son imperméable glisser jusqu'au sol et secoua ses cheveux comme un chien mouillé, riant de plus belle lorsqu'elle l'aspergea.

Elle était si belle. De toute sa vie, il n'avait jamais rien vu d'aussi beau que cette femme. Elle lui rappelait le compte de la femme aux sept voiles, où l'on croit chaque fois découvrir la personne authentique, alors que l'on n'a soulevé qu'un nouveau voile.

Elle tordait maintenant ses cheveux afin de les essorer et lui faisait penser à une sirène. Il l'observait, tel un marin au long cours qui regarde avec respect une créature qu'il sait ne pas pouvoir approcher.

Mais la différence était qu'elle n'était pas vraiment une créature extraordinaire, ni une sorte de nymphe irréelle. Elle était de chair et de sang, et il la désirait. Tout en lui criait cette envie, ce besoin de lui faire l'amour pour qu'enfin leurs corps brûlent librement de cette flamme qui les consumait tous les deux, il le savait.

Il franchit sans réfléchir les deux pas qui les séparaient et posa sa main sur elle. Elle leva vers lui un regard surpris.

Alex se retrouva tout près d'elle si soudainement qu'elle sursauta. A l'instant où elle vit son expression, elle retint son souffle et son cœur se mit à battre la chamade. Il avança encore d'un pas, ce qui la fit reculer contre la porte.

La tension entre eux était palpable, comme si l'orage à l'extérieur les avait chargés de son électricité.

— Comment est-ce que tu fais cela ? demanda-t-il, la voix soudain grave.

— De quoi est-ce que tu parles ?

Elle le fixait les yeux ronds. Elle avait été folle de croire qu'elle pourrait contrôler le désir qu'elle ressentait pour cet homme.

— Ce que tu fais, dit-il en dévorant du regard ses

yeux, ses lèvres, ses cils. Tu mets de la distance et je le respecte en me disant que c'est ce que tu souhaites. Et, tout à coup, je te vois danser sous la pluie et je me rends compte qu'il y a une autre Holly en toi. Même si tu la caches bien la plupart du temps, elle surgit parfois, sauvage, indomptée.

Elle frémit, elle n'aimait pas cela.

— Je crois au contraire que je suis plutôt quelqu'un de mesuré, objecta-t-elle.

Il fit non de la tête.

— Je sais que tu penses cela, mais sous des dehors si policés tu imagines tromper tout le monde, toi y compris. Je n'y ai jamais cru. Même lorsque nous étions jeunes, je t'ai laissé persister dans ton mensonge en sachant pertinemment ce qu'il en était. J'aurais dû faire quelque chose pour changer tout ça…

Il lui devenait difficile de respirer. Elle tremblait des pieds à la tête. Si elle ne s'échappait pas tout de suite, il s'en rendrait compte.

— Il faut que j'aille…, commença-t-elle à dire en cherchant à faire un pas de côté.

Mais il la retint et la maintint contre la porte.

— Tu ne partiras pas avant que nous ayons eu cette conversation.

— Quelle conversation ? Ce n'en est pas une, c'est…

— C'est la vérité que je viens brandir devant tes yeux, que tu le veuilles ou non.

Ses yeux bleus n'avaient jamais autant brillé. Il y avait du défi, mais autre chose aussi qu'elle ne décryptait pas tout à fait. Les traits de son visage lui semblaient plus tranchés, plus inquiétants. Ses cheveux étaient mouillés. Quel était le mot qu'il avait employé ?

Indomptée.

— Arrête, soupira-t-elle.

— Arrête-moi, demanda-t-il, la voix rauque. Tu peux me repousser si tu le veux. Dis-moi simplement que tu n'es pas attirée par moi et je m'en irai.

Elle pouvait le faire, il le fallait, sinon sa vie risquait de basculer de nouveau.

Elle ouvrit la bouche pour prononcer ces mots, mais rien n'en sortit.

Ses yeux bleus ne la quittaient pas un seul instant.

Il s'écarta d'un pas.

— Tu ne peux pas le dire, mais tu n'es pas non plus capable de faire le premier pas vers ce que tu désires. Tu laisses la peur décider pour toi, dit-il en revenant tout contre elle. Moi aussi, j'ai peur. Depuis le soir où nous nous sommes embrassés, je tremble. Mais je refuse de faire semblant, pas sans avoir essayé de me battre contre toi s'il le faut. Alors vas-y ! Dis-moi pourquoi il ne faut pas que je t'embrasse !

Il était si près qu'elle ne parvenait plus à réfléchir ni à respirer. Elle ne voyait plus rien d'autre que lui. Il approcha les lèvres tout près de son oreille et, lorsqu'il parla, son souffle la fit frissonner des pieds à la tête.

— Allons, Holly, je suis sûr que tu penses au moins à une raison.

Elle retrouva sa voix, c'était au moins ça.

— Arrête, Alex ! Je ne peux pas organiser mes pensées quand tu es comme ça. Tu es trop près, ce n'est pas juste !

En disant cela, elle se desservait, elle le vit au sourire qui montait à ses lèvres.

— Pourquoi devrions-nous toujours lutter ? poursuivit-il. Nous n'avons jamais fait autre chose depuis le premier jour. Tu n'as donc pas encore compris que personne ne va gagner. De quoi as-tu si peur, au fond ?

Il y avait quelque chose dans ses yeux qu'elle reconnaissait. Il la provoquait, exactement comme il l'avait toujours fait.

— J'en viens à penser que tu es trop lâche pour accepter la vérité, lança-t-il. A moins que tu te l'autorises uniquement dans tes rêves ? C'est bien ça, Holly ? Car tu rêves de moi, je le sais, je t'ai entendue la semaine dernière, tu m'appelais, encore et encore, et j'ai poussé la porte de ta chambre, mais tu dormais. Je ne sais pas ce que nous faisions ensemble dans ce rêve, mais cela ne te déplaisait pas, visiblement.

Elle se sentit tellement humiliée qu'elle trouva finalement la force de le repousser et de se dégager. Puis elle se retourna pour lui faire face.

— Comment oses-tu ? Comment as-tu pu entrer dans ma chambre, m'écouter pendant mon sommeil ? Comment as-tu pu bafouer ainsi ma vie privée ?

— Et qu'est-ce que tu crois que tu as fait ? Tu ne te rends pas compte que tu as envahi chaque parcelle de ma vie ? Est-ce que tu crois que tu n'as pas envahi mes rêves aussi ?

Il avança de nouveau. Mais, cette fois-ci, elle ne recula pas. Tout allait se jouer maintenant, elle le savait. Alors, elle l'affronta, tête haute, menton relevé. Lorsque leurs regards se rencontrèrent, la tension atteignit des sommets.

— J'ai envie de toi, Holly, dit-il, faisant pour la première fois entendre la passion qui l'habitait. Je te désire comme je n'ai jamais désiré personne de toute ma vie. Et je sais que tu me désires aussi. Pourtant, le seul moment où tu nous laisses être ensemble est la nuit, lorsque tu dors. Est-ce que tu penses à moi dans ces moments-là ? A ce que tu ressentirais si c'étaient mes mains qui se posaient sur ton corps ?

Soudain, elle prit conscience de quelque chose de fondamental.

Il ne l'avait pas touchée. Pas ce soir. Il mettait à bas ses défenses, mais il n'avait pas fait usage de ce qui à coup sûr l'aurait désarmée. Il aurait suffi qu'il l'enlace, qu'il l'embrasse comme l'autre soir et elle aurait rendu les armes d'elle-même.

Mais il n'essayait pas de la désarmer.

Elle ferma les yeux et sentit quelque chose l'envahir, une chaleur si douce et si forte à la fois qu'il n'existait plus rien d'autre.

Il parlait, et elle l'entendait sans l'écouter, mais ça lui était égal, elle savait à coup sûr comment le faire taire.

Alex ne termina pas sa phrase. Holly posa les mains sur son torse et le poussa. Il fut tellement surpris qu'il perdit l'équilibre et fit deux pas en arrière, jusqu'à la porte. Le temps qu'il retrouve l'équilibre et elle était là, contre lui, et ses lèvres se pressaient contre les siennes avec fougue.

L'espace d'un instant, il resta comme paralysé, puis l'embrassa en retour, se sentant fou de joie et terrifié qu'elle puisse ainsi changer d'avis. Il l'enlaça pour la faire basculer à sa place, contre la porte. Mais, cette fois, elle le serrait, elle aussi, et leurs bouches ne se désunirent pas un seul instant.

Elle avait le goût de la pluie, de la chaleur humide. Il sentait la vigueur du désir qui l'enflammait et avait du mal à se refréner, à ne pas la dévorer de ses baisers. Pourtant, elle l'embrassait en retour avec une ardeur comparable.

Elle était si passionnée, si enflammée, cette femme dont il avait si souvent rêvé et qu'il n'avait jamais imaginé pouvoir serrer dans ses bras. Maintenant qu'il goûtait ses lèvres, sa bouche, qu'il sentait son corps contre le sien, ils brûlaient intérieurement au lieu de grelotter de froid dans ses vêtements trempés.

Il interrompit leur baiser pour embrasser son cou, sentant sous ses lèvres les battements de son pouls. Elle retint son souffle et renversa la tête en arrière, plantant sans retenue les ongles dans ses épaules.

Il fallait qu'il la possède complètement, maintenant. Mais il ne pouvait l'emmener à l'étage dans les chambres, gagner un lit, tant il redoutait qu'elle lui échappe, qu'elle change d'avis, qu'elle le repousse. Il avait tellement attendu ce moment et voilà qu'il arrivait, alors aussi longtemps qu'il pouvait l'enlacer, il refuserait de la lâcher.

Ensemble ils glissèrent jusqu'au sol, ne s'écartant que le temps qu'il enlève son sweat-shirt trempé.

Lorsqu'il se retourna vers elle, il sentit son cœur battre si fort dans sa poitrine que cela résonnait dans ses tempes. Les mains tremblantes, il lui enleva son haut mouillé qui collait à son corps. Elle était là, devant lui, en soutien-gorge.

Elle le dégrafa elle-même. Leurs mains se rencontrèrent et leur maladresse momentanée les fit rire.

— Laisse-moi faire, murmura-t-il, son regard dans le sien.

Lorsqu'il eut ôté le dernier rempart de tissu, il posa les mains sur ses seins si parfaits, si tendus par le désir.

Elle respirait plus vite, elle cambra insensiblement les reins et il vint lui embrasser un sein, tandis qu'il caressait l'autre entre ses doigts. Un long soupir de plaisir s'échappa aussitôt de sa bouche délicate.

Sa réserve s'enfuit avec ce gémissement.

Avant qu'il n'ait le temps de se relever pour lui enlever son jean, elle avait entrepris de le déboutonner elle-même. Il se redressa alors, s'obligeant à grand-peine à la quitter des yeux pour ôter ses propres vêtements, les jetant à terre dans la flaque d'eau de pluie qu'ils avaient formée. Il pensa soudain à son portefeuille dans la poche de son jean et fouilla fiévreusement jusqu'à en sortir un préservatif.

Il se concentra une seconde de plus le temps de se protéger, puis se retourna vers Holly. Elle l'attendait, nue et offerte.

Il la regarda de nouveau. Elle était d'une beauté époustouflante. Il n'arrivait pas à croire qu'elle était là, allongée sur le sol de son entrée, ses cheveux bouclés sur ses épaules dénudées, ses joues rosies par l'émoi qui l'habitait. Elle tendit la main vers lui, l'attirant jusqu'à elle. Un instant, il hésita, craignant que son désir si ardent ne le déborde, mais elle prit les devants et se cambra en le serrant contre son corps.

— Je t'en prie, Alex, murmura-t-elle, la voix rauque. Il n'est plus temps de jouer. J'ai envie de toi, besoin de toi en moi !

Ses mots nourrirent encore davantage la flamme qui le consumait. Il aimait pourtant faire durer le plaisir, éveiller le désir lentement, avec délicatesse, par des jeux érotiques habiles mais, cette fois-ci, c'était différent. L'urgence était là, violente, de lui faire l'amour, de la prendre alors qu'elle s'offrait à lui totalement.

Après tout, ils avaient derrière eux près de dix-huit ans de préliminaires, il était impensable d'attendre une seconde de plus pour assouvir leur désir mutuel.

Il la saisit par les hanches et, en un long et lent mouvement du bassin, il entra dans son corps. Ils retinrent aussitôt leur souffle, comme pour absorber l'onde de choc qui les parcourait.

Il resta ainsi un moment, immobile, comme saisi par les sensations qui affluaient et l'emportaient.

Ce fut elle qui le sortit de sa stupeur, en se mettant

doucement à onduler contre lui. Elle essayait de s'agripper du bout des doigts à ses flancs. Ses yeux étaient mi-clos, et son souffle haletant.

Il la rejoignit dans son va-et-vient, les mâchoires serrées dans l'espoir de garder le contrôle sur ses sens, tellement embrasés qu'il craignait de terminer prématurément ce premier corps à corps. Mais elle semblait avoir un autre avis sur la question. Elle l'enlaça de ses jambes, le plaquant contre elle avec une vigueur renouvelée.

— Ne te retiens pas, Alex, souffla-t-elle.

Il n'en fallait pas plus pour lâcher la bride à la passion impétueuse qui l'habitait. Son rythme se fit impétueux, déchaîné. Elle se mordit la lèvre, comme pour ne pas crier son plaisir violent à chacun de ses élans.

Ses yeux se rouvrirent tout à coup, et elle le fixa, pantelante. Il vit le moment précis où elle bascula dans l'orgasme, son corps se tendant sous lui, sa tête renversée en un gémissement rauque, et il se laissa partir lui aussi vers ce plaisir vertigineux qui l'attendait.

Il leur fallut un long moment pour revenir sur Terre. Quand ils purent de nouveau respirer normalement, il se laissa rouler sur le sol à côté d'elle, bien décidé pourtant à ne pas la lâcher.

Holly n'aurait su dire quelle heure il était. Blottie contre Alex, elle entendait les battements de son cœur et se laissait bercer par leur chanson, progressivement ralentie. Elle gardait les paupières closes, refusant que cet instant ne s'arrête. Jusqu'à ce que la fraîcheur du sol ne devienne inconfortable et qu'elle ne commence à rêver de la chaleur douillette d'un lit. Un lit dans lequel ils pourraient se réchauffer, et s'enfouir sous la couette pour hiberner jusqu'à l'arrivée du printemps.

Comme elle sentait la tension érotique la quitter doucement, elle se serra un peu plus contre Alex, comme pour retrouver cette chaude langueur. Il répondit aussitôt en resserrant son étreinte.

C'était assez rassurant.

Pourtant, elle ne parvenait pas à empêcher ses craintes d'affluer de nouveau, comme si elles étaient simplement restées en suspens, chassées de son esprit par le flot de la passion qui s'était emparé d'elle. Peut-être était-il possible de les maintenir ainsi à distance en ne quittant jamais ses bras ? Elle n'y croyait pas vraiment.

Elle inspira profondément, dans l'espoir de retrouver son calme. Elle sentait l'odeur d'Alex, mélange si masculin de savon et de pluie, odeur saline de sueur, et elle ferma les yeux pour calmer ce nouveau vertige.

Que pensait-il de ce qui venait de se passer ? Il lui avait dit la désirer, mais l'attraction physique était une chose, les tourments de l'âme en étaient une autre.

Elle s'engageait sur une voie périlleuse. Ne pas penser aux sentiments ! C'était un acte sexuel qui venait d'avoir lieu, un acte purement physique, aussi fort fut-il.

Il n'était pas le genre d'homme à vouloir s'engager au-delà. Et c'était sans doute cela qui rendait si explosive la rencontre de leurs corps. Ils étaient deux amis, deux formidables amants aussi.

Et puis elle ne voulait pas particulièrement d'une vie de couple, en tout cas certainement pas auprès de quelqu'un comme lui. Il fallait qu'elle garde les idées claires, elle avait un travail prenant, un fils dont elle voulait s'occuper de son mieux, et puis une maison à reconstruire.

Si elle commençait à compter sur Alex pour des choses qu'il n'était pas en mesure de lui offrir, ce serait injuste pour l'un comme pour l'autre. C'est lorsqu'on se repose sur ses lauriers que le sol se dérobe sous vos pieds, elle ne le savait que trop bien. Elle ne devait pas perdre de vue qui ils étaient l'un pour l'autre. Il était un ami formidable, mais pouvait être aussi dangereux que de la nitroglycérine, le genre de matériau avec lequel il valait mieux ne pas jouer.

Si elle essayait de le forcer à entrer dans un costume trop étroit à son goût, ils souffriraient tous les deux, et elle ne pouvait plus endurer ce genre de désillusion.

Des frissons glacés la saisirent progressivement, il était temps de se relever.

Elle prit appui sur lui pour s'asseoir.

— Hé ! Où penses-tu aller comme ça ? s'exclama-t-il en s'asseyant aussitôt à côté d'elle.

Elle hésita et vit l'appréhension dans son regard, mais il valait mieux mettre les choses au clair au plus vite.

— Je vais me coucher, seule, précisa-t-elle. Je crois que c'est mieux ainsi.

Il se leva et lui tendit la main pour l'aider à se mettre debout à son tour.

— Je le savais, dit-il d'une voix résignée.

— Tu savais quoi ? demanda-t-elle en essayant de libérer la main qu'il gardait dans la sienne.

— Que tu essaierais de t'enfuir.

Un vague sentiment de culpabilité l'envahit.

— Ecoute, reprit-il, je te propose de laisser ce moment durer jusqu'au matin. Si, à la lumière du jour, tu ressens encore le besoin de tourner le dos à ce que nous partageons, d'accord. Mais je t'en prie, Holly, donne-moi cette nuit au moins.

Comment aurait-elle pu lui dire non ? Elle se sentait terrifiée à l'idée qu'elle ne saurait peut-être jamais plus lui dire non, mais accepta de mettre cette idée de côté pour le moment. Une nuit, ce n'était pas le bout du monde.

— Une nuit platonique, alors.

— D'accord, lâcha-t-il d'un sourire. De toute façon,

je crois que je ne serai plus jamais en mesure de faire quoi que ce soit, tu m'as achevé !

Elle sourit, heureuse du ton badin qu'il retrouvait.

— Oh ! je pense que tu survivras et que tu aimeras de nouveau. Pense un peu au désespoir des populations féminines de l'Ohio si tu venais à prendre une retraite sexuelle anticipée !

Il eut un regard interrogateur le temps d'une seconde, mais ne posa pas la question qui semblait le traverser.

— Allons dans ta chambre, suggéra-t-il.

— D'accord, mais pourquoi ?

— Elle est plus chaude. Et puis c'est la tienne.

Elle tourna la tête, mais il était déjà en chemin, l'entraînant à sa suite.

Il soupira. *N'y pense pas ! Pas une seconde*, s'ordonna-t-il alors qu'il était allongé sur le lit. Il n'avait qu'à tourner la tête pour sentir l'odeur de son parfum dans l'oreiller. Ne pas penser à demain. D'ici là, une météorite pouvait s'écraser sur la Terre, détruisant toute vie humaine.

Penser à l'instant présent, et rien d'autre.

Elle sortit de la salle de bains.

Il alluma la lampe de chevet et se tourna vers elle, ébloui par la beauté de la lumière tamisée sur sa peau nue.

— Que tu es belle, lâcha-t-il.

Même à quelques mètres, il la vit rougir. Il souleva la couette pour lui permettre de se glisser à côté de lui dans le lit et, lorsqu'il la sentit toute glacée, il la recouvrit, puis se blottit contre elle pour la réchauffer.

Le contact si délicieux de son corps était des plus enivrants.

— Mmm, murmura-t-elle en se pelotonnant à son tour.

Puis, tout à coup, elle sursauta.

— Où as-tu trouvé un préservatif ?

La question tombait du ciel et il ne put réprimer un éclat de rire.

— Je suis sérieuse, reprit-elle en souriant, tu étais nu et, la seconde d'après, tu portes un préservatif. On croirait Superman qui sort d'une cabine téléphonique en tenue de superhéros !

— Je l'avais dans mon portefeuille, expliqua-t-il, flatté de la comparaison.

— Tu gardes des préservatifs dans ton portefeuille ?

— La fortune sourit aux prévoyants, déclara-t-il doctement.

— Remarque, cela n'a pas de quoi me surprendre, venant de toi…

Il préféra ne pas répondre à ses sous-entendus et laissa juste un sourire énigmatique s'afficher sur son visage.

Elle poussa un soupir exaspéré.

— Allez, dis-moi, tu rencontres une nouvelle fille toutes les semaines ? Tous les jours ? Combien de filles as-tu fréquentées au cours des trois derniers mois ?

Il prit l'air le plus concentré qu'il put, faisant mine de compter à voix basse pour la faire enrager.

— C'est bon, lança-t-il avec un rire, il n'y en avait qu'une !

Elle ouvrit de grands yeux.

— Tu n'as couché qu'avec une autre fille au cours des trois derniers mois ?

Il soutint son regard.

— Non, Holly, il n'y a eu que toi au cours de ces trois mois.

— Oh ! lança-t-elle, surprise.

Ils étaient allongés face à face et il effleura du doigt son visage.

— Raconte-moi un peu ta vie sexuelle jusqu'à ce jour, dit-il. Ensuite ce sera mon tour.

— Oh ! je ne voudrais pas que tu prennes la grosse tête, plaisanta-t-elle.

— Je voudrais vraiment en savoir un peu plus, insista-t-il.

— Eh bien, je ne peux que te dire que tu es hors compétition, soupira-t-elle. Tu surclasses sans conteste tes compétiteurs. Disons que, sur une échelle de un à dix, je te donne… cent trois ! Autre chose que tu voudrais m'entendre dire pour flatter ton ego ?

Il sourit de toutes ses dents.

— Cela me suffit pour le moment.

— Je t'interdis de garder le silence, et ce n'est pas parce que je manque d'expérience que tu as le droit de me ridiculiser. Je t'ordonne de me complimenter de façon extravagante immédiatement ou tu paieras le prix de ma colère !

Il arrêta de sourire, la fixant presque gravement tout à coup.

— Je ne crois pas qu'il y ait des mots, dit-il d'une voix posée et sérieuse. J'avais rêvé tant de fois que je faisais l'amour avec toi, mais mes fantasmes les plus audacieux étaient encore bien loin de la réalité. Tu es tellement… Moi qui te prenais pour une gentille fille sage…

Elle se cacha les yeux en rougissant.

— Je croyais aussi que je l'étais. Je le suis d'ailleurs en temps normal. C'est toi qui me fais cet effet-là.

— J'espère bien ! lança-t-il en s'approchant un peu plus. Je ne peux pas résister quand je te vois si sage et si gentille. C'est comme compulsif, il faut que je te touche.

— Rappelle-toi que tu étais d'accord pour qu'il n'y ait plus de sexe entre nous.

— Qui te parle de cela ? demanda-t-il, faussement innocent, en glissant son sexe tendu tout contre ses cuisses. Je suis juste allongé contre toi.

— Non, arrête ça ! lança-t-elle en le repoussant.

Il s'écarta aussitôt.

— Je suis désolé, il m'est très difficile de garder le contrôle en ta présence.

— J'ai besoin d'un peu de temps, dit-elle plus doucement, en posant la main sur son torse. C'est sans doute incompréhensible pour toi, mais j'ai besoin de prendre un temps de réflexion face à ce qui m'arrive. C'est ainsi que je fonctionne et c'est à prendre ou à laisser.

— Je prends, lança-t-il sans réfléchir.

Puis il lui ouvrit grand ses bras.

Elle sembla hésiter un instant et se blottit de nouveau contre lui. C'était un peu comme si elle retrouvait sa place.

Du moins le ressentit-il ainsi.

Il ne lui restait plus qu'à l'en convaincre, elle. Mais, visiblement, ce ne serait pas une mince affaire.

- 9 -

Le jour s'était levé. Holly le sentait aux rayons du soleil qui caressaient ses paupières.

Elle sentait autre chose, aussi. Elle sentait que quelque chose planait au-dessus d'elle, un fait lourd de sens et de conséquences.

Elle ouvrit les yeux et vit Alex allongé sur le flanc à côté d'elle. Les draps le couvraient jusqu'à la taille, mais il était nu. Nu et réveillé.

— Bonjour, dit-il, le sourire aux lèvres.

La lumière matinale donnait du relief aux coins de ses yeux, et ses iris étaient de la couleur du ciel.

— Oh, mon Dieu ! s'exclama-t-elle en s'asseyant dans le lit.

Elle réalisa alors sa propre nudité et se cacha promptement sous la couette.

— Ça ne sert à rien, dit-il en souriant. Cela fait une heure que je t'observe, je sais à quoi tu ressembles nue !

— Cela ne m'étonne pas de ta part, lança-t-elle en se levant, emportant toute la couette du même coup.

Il lui adressa un soupir exaspéré.

— Tu ne vas tout de même pas…

Il s'interrompit un instant.

— Non, après tout, tu as raison, reprit-il. C'est moi qui ai suggéré qu'on la remette à ce matin.

— Qu'on remette quoi ?

— La grande scène dramatique où tu veux fuir ce qui vient de se passer, tout oublier et tirer un trait sur la soirée d'hier pour l'éternité, énonça-t-il. Sauf que là, je ne joue plus et je refuse de te rendre les choses plus faciles. Je veux que nous continuions, Holly, je veux voir où cette histoire nous mènera. Si ce n'est pas ce que tu veux, très bien, mais je voudrais au moins savoir pourquoi.

Elle laissa ses mots faire leur chemin dans sa tête.

— Je comprends ta demande, assura-t-elle en se maudissant de parler comme une juge d'instruction. Je veux juste que tu saches que je ne cherche pas nécessairement à fuir la réalité, je veux juste…

— Prendre un peu de temps pour réfléchir ? termina-t-il à sa place.

Comment avait-il deviné ce qu'elle allait dire… Savait-il aussi qu'il avait fallu qu'elle s'éloigne de lui, au risque de le supplier de lui faire l'amour encore une fois ?

— Oui, c'est vrai, j'ai besoin d'un peu de temps et aussi…, commença-t-elle à dire avant de laisser son regard s'attarder sur son torse musclé et ses larges épaules. Et aussi d'une douche froide ! Ensuite j'irai à ma salle de gym, éliminer quelques tensions.

Il eut un sourire plein de sous-entendus.

— Je connais une autre façon d'éliminer les tensions…

Elle leva la paume pour l'empêcher de poursuivre.

— Inutile de terminer ta phrase. Je vais soigneusement étudier notre situation une fois que j'aurais l'esprit plus clair et que tu ne seras plus dans les parages pour me brouiller la cervelle !

— Est-ce que tu gères toujours tes relations comme un plan d'investissement financier ?

Elle fit mine de l'ignorer et poursuivit.

— Après ma douche, pendant laquelle tu pourras

regagner ta chambre, je vais m'habiller et me rendre à mon cours de gym, puis je déjeunerai en ville, loin de toi et de ton corps musclé qui empêche mes connexions neuronales de se faire efficacement !

— Je ne pensais pas avoir ce genre d'effet sur des connexions neuronales…

Elle décida de continuer à l'ignorer royalement et s'en alla dans la salle de bains, emportant derrière elle le plus dignement possible une traîne faite de la couette et de sa housse qui lui donnait une allure d'impératrice. Et comme elle entendait les ricanements étouffés d'Alex, elle claqua — toujours avec autant de dignité — la porte de la salle de bains.

Elle n'avait pas fait une séance d'entraînement aussi intense depuis très longtemps. Son trouble intérieur s'était mué en rage, en adrénaline pure, et elle termina un premier cycle sans même s'en rendre compte. Elle passa d'une machine de musculation à une autre, puis eut la surprise de tomber sur Gina, occupée à pédaler sur un vélo d'intérieur, comme si sa vie en dépendait.

Holly lui posa la main sur l'épaule, la faisant sursauter violemment.

— Holly, tu m'as fait peur !

— Gina, mais qu'est-ce que tu fais ici ? Tu ne t'envolais pas à Las Vegas ce soir pour te marier ?

— Eh bien si, dit-elle en s'essuyant le front avec sa serviette. C'est justement pour ça que je suis là.

Elle interrogea son amie du regard.

Gina poussa un long soupir.

— Je ne sais plus où j'en suis, j'ai peur de faire une

erreur et je n'arrive pas arrêter le flot de mes pensées, sauf lorsque je suis ici. C'est dommage que le mariage ait lieu demain matin, parce que d'ici peu j'étais prête à courir le Tour de France.

Holly l'invita à descendre de vélo et elles prirent place au bar à jus de fruits qui se trouvait à deux pas. Elle commanda deux cocktails énergétiques et s'assit sur un tabouret, en face de Gina.

— Bon, alors, qu'est-ce qui te préoccupe ? Tu aimes Henry à la folie, vous êtes faits l'un pour l'autre et en prime vous étiez impatients de vous marier…

— Tu as raison, tout ce que tu dis est vrai…

— Alors où est le problème ?

— Je ne sais pas, c'est tout et rien, sans doute juste la crainte de faire un si grand saut.

— Et tu ne prévois tout de même pas de…

— De prendre la poudre d'escampette ? Non, je ne peux pas faire ça à Henry. Je l'aime et je refuse de laisser la peur décider à ma place.

Holly ne put s'empêcher de repenser à ce que lui avait dit Alex à ce sujet la nuit précédente.

— Je vois, mais je ne comprends pas vraiment de quoi tu as si peur. Je te pensais radieuse et plus épanouie que jamais en attendant le grand jour !

— Pourtant, c'est fréquent de paniquer juste avant une échéance. Je n'ose même pas imaginer dans quel état se trouve Henry…

Holly hocha la tête.

— Tu as sans doute raison. Je croyais que, lorsqu'on était sûr de ses sentiments, le doute n'avait plus sa place, et encore moins la peur…

Gina lui sourit, amusée.

— J'aime Henry, et je n'ai pas vraiment de doutes, mais je suis terrorisée quand même. C'est sûrement que tu n'as jamais rencontré un homme qui te coupe le souffle tout en te donnant envie de fuir à toutes jambes face à la puissance de ce que tu ressens.

— Je vois, fit Holly. Mais tu te trompes, je ressens exactement ce que tu décris…

— Quoi ? s'écria Gina. Mais qui est-ce ? Dis-moi tout, qui est cet homme qui te plonge dans le trouble ?

Holly se mit à jouer nerveusement avec la paille plongée dans son verre.

— C'est Alex, avoua-t-elle.

Gina fixa son amie avec un large sourire aux lèvres.

— L'entraîneur, c'est ça ? Le gars qui t'a enlevé du bar l'autre soir et chez qui tu habites en ce moment ?

— Exactement.

Gina s'installa plus confortablement sur son tabouret.

— Je suis tout ouïe, raconte-moi tout ça depuis le début, je t'en prie !

Holly chercha à esquiver le sujet, comme elle en avait l'habitude dès lors qu'il s'agissait de questions trop personnelles. Puis elle se remémora la nuit précédente et ferma les yeux. Cette fois, elle avait vraiment besoin de parler à quelqu'un.

— Bien, tu te souviens de lui ? Il faut que je te dise qu'il a un corps absolument…

— Oh ! Pas besoin de me le rappeler, j'ai bien gardé à la mémoire son corps de rêve. Je crois que je suis partie de ses pieds et que je suis remontée lentement, sans perdre un seul centimètre !

— Alors, tu vois ce que je veux dire. En vivant avec lui au quotidien, j'avais toujours sous les yeux ses muscles, ses longues jambes, ses yeux si bleus… C'est bien parce que Will était là que je ne me suis pas jetée sur lui dès le premier soir. Et puis ce fils indigne est parti pour le week-end et là…

— Will vous a laissés tous les deux pour le week-end ?

— Oui.

Gina sourit.

— Il est malin, ce gamin !

— Tu ne crois tout de même pas que Will aurait fait exprès de nous laisser en tête à tête ?

— J'espère bien que c'est le cas, au contraire. Ton fils a toujours su m'épater par son esprit vif, cela ne m'étonnerait pas plus que cela.

— Non, Will ne ferait pas cela, déclara Holly, cherchant à balayer cette hypothèse. Mais bon, le résultat est que dès le premier soir …

— Je veux tous les détails, surtout ! insista Gina les yeux brillants de malice.

Holly soupira, songeuse.

— C'était absolument incroyable. Nous revenions de chez la voisine sous l'orage, tu te souviens comment il a plu fort la nuit dernière ? Eh bien, nous avons à peine pris le temps de fermer la porte et nous nous sommes retrouvés en train de faire l'amour à même le sol.

Gina n'en croyait manifestement pas ses oreilles.

— Tu es sérieuse ?

— Hélas, oui.

— Eh bien, moi, je dirais qu'Alex a un don incroyable. Je croyais que jamais tu n'arriverais à lâcher prise.

— Tu n'imagines même pas ce que j'ai ressenti. Jamais de ma vie je n'ai éprouvé quelque chose d'aussi intense, c'était…

Elle cherchait ses mots à grand renfort de gestes avec ses mains.

— Si c'était au-delà des mots, souligna Gina, tu n'as pas besoin d'en dire plus ! Mais ce qui m'échappe, c'est que cela te pose problème.

— Oui, c'était formidable, mais notre amitié aussi

est formidable. Et puis, surtout, Alex n'est pas du tout du genre à se mettre en couple avec qui que ce soit.

— Mais qu'est-ce que tu te compliques la vie ! Pourquoi tu ne profites pas simplement des bons moments partagés ? Tu l'as bien mérité, non ? Cela fait quinze ans que tu te comportes en mère de famille responsable et méritante, pourquoi ne pas te laisser vivre ta vie de femme pendant le temps que ça durera ?

L'idée était tellement tentante que Holly but une gorgée de son cocktail de fruits pour se calmer.

— Je ne peux pas faire cela, répondit-elle finalement.

Gina ouvrit de grands yeux.

— Donne-moi une seule bonne raison pour ne pas le faire !

— Will.

— Alors comme ça Will serait la raison qui t'interdit d'être heureuse ? Dis-moi seulement ce qu'il en penserait s'il savait que tu te sers ainsi de lui ?

— Ce n'est pas ça, mais je ne peux pas avoir une aventure torride et sans lendemain avec son entraîneur ! Alex est important pour Will, il tient à lui.

— Et si Will avait vraiment essayé de jouer les entremetteurs en vous laissant en tête à tête ? Ne reverrais-tu pas ta position ? Peut-être qu'il cherche à te voir reconstruire ta vie avec un homme en qui il a confiance, justement. Et puis, dans le fond, dis-moi franchement si ton fils est celui qui te préoccupe le plus. N'est-ce pas toi qui crains de souffrir ?

— Je prends soin de moi, ne t'inquiète pas. Je n'ai pas besoin qu'on me dise si ce que je fais est bien ou pas.

— Ah, j'avais oublié à qui je m'adressais… Holly Stanton, la femme qui refuse qu'on essaie de l'aider…

Elle fronça les sourcils.

— J'ai l'impression d'entendre Alex parler !

Gina soupira.

— Ecoute, Holly, c'est ta vie. Tu as des décisions à prendre, et tu les prendras selon ce que tu crois être bon pour toi. Mon point de vue est que rien ne t'empêche de partager de bons moments avec Alex, sans craindre à chaque instant de ravager la vie de Will. Faire l'amour avec un homme peut être une expérience épanouissante, tu sais ?

— Aux conséquences parfois dramatiques, tu l'oublies un peu vite !

— Tu te réfères toujours à ta mauvaise expérience avec Brian, mais les hommes ne sont pas tous pareils. Prends du bon temps, amuse-toi un peu et surtout baisse la garde pendant quelques jours, tu verras comme c'est plaisant.

— Mais je prends beaucoup de bon temps dans ma vie, même sans Alex, je te signale !

Gina sauta de son tabouret.

— J'abandonne, tu es un cas désespéré ! Allons pédaler jusqu'à l'épuisement !

Holly poussa un soupir.

— Enfin un conseil sensé de ta part ! Je te suis !

Alex ne savait pas à quoi s'attendre au retour de Holly. Il essaya de s'occuper afin de ne pas s'épuiser en conjectures, et entreprit de faire le ménage dans sa chambre. Peut-être retrouverait-il un peu de la magie qu'il avait ressentie en entrant dans sa maison scintillante ?

Il était occupé à changer ses draps lorsqu'il entendit la porte d'entrée.

— Alex ? appela la voix de Holly, un peu incertaine.

Il sortit dans le couloir et se pencha au-dessus de l'escalier.

— Salut ! dit-il.

Elle brandit un paquet blanc.

— J'ai rapporté un poulet rôti.

— Je savais bien que nous étions faits pour nous entendre ! lança-t-il un large sourire aux lèvres.

Il avait parlé sans malice et elle ne put refréner un sourire en retour.

— Tu n'as pas remarqué que la nuit tombait ? demanda-t-elle. Comme tout était éteint, j'ai même pensé que tu étais sorti !

Elle appuya sur l'interrupteur tout en parlant et Alex, qui était en train de descendre, cligna les yeux.

— Tu as raison, je ne m'en étais pas rendu compte, dit-il en allant s'asseoir sur le canapé. Comment s'est passée ta journée ?

Elle vint le rejoindre, s'asseyant à bonne distance de lui.

— C'était une bonne journée, dit-elle en déposant sur la table basse des assiettes en carton et des couverts jetables.

Il attendit un instant, dans l'espoir qu'elle en dise un peu plus, mais visiblement elle n'en avait pas l'intention.

— Bon, dit-il, je ne veux pas mettre les pieds dans le plat, mais j'ai simplement besoin de savoir si nous sommes autorisés à évoquer ce qui…

— Pas encore, s'il te plaît, donne-moi encore une nuit et nous parlerons demain, c'est promis. Je me disais que, pour ce soir, nous pouvions simplement manger un bon poulet rôti en regardant un film, si cela te convient.

Une nuit encore, songea-t-il. Au moins ne rejetait-elle pas l'idée en bloc, c'était déjà ça.

— Bien sûr que cela me convient. Qu'est-ce que tu voudrais regarder ?

— J'ai loué *Les Remplaçants.*

— Mais c'est un film sur le football ?

— Oui, pourquoi pas ?

— En effet, pourquoi pas ! répondit-il en écho.

Finalement, le film parvint à l'intéresser suffisamment pour qu'il songe à autre chose qu'à elle et, dès que le générique de fin s'annonça, ils se levèrent tous deux et se saluèrent rapidement, puis gagnèrent leur chambre respective. C'était plutôt facile, au bout du compte.

Ce fut après que cela se corsa. Une fois seul dans son lit, rien ne pouvait empêcher ses pensées de revenir en boucle.

Et si c'était à cela que ressemblerait sa vie dorénavant ? Des nuits entières sans sommeil, hanté par le fantôme de Holly.

Il soupira. Ne serait-ce pas plus simple si elle ne vivait pas chez lui ? Maintenant qu'ils avaient fait l'amour ensemble, il avait l'impression que c'était encore pire. Comment se déferait-il de son emprise sur lui ?

Il repoussa ses couvertures brusquement. Il avait besoin de sortir un peu, d'aller faire un tour hors de cette maison. Il enfila un jean et un T-shirt, et emprunta le couloir. Ce fut là qu'il nota de la lumière en provenance de la chambre de Holly.

Il détourna le regard et descendit les quelques marches, en bas desquelles il enfila ses bottes et sa veste de cuir noir.

Dehors, l'air était frais et quelques petits nuages blancs passaient devant la lune. Il fourra les mains dans ses poches et se mit à marcher dans l'espoir de retrouver une certaine sérénité.

Holly avait eu l'impression d'entendre une porte claquer. A moins qu'elle n'ait rêvé ? Elle fixa un instant la page de son livre : elle n'avait pas avancé d'une ligne depuis vingt minutes.

A quoi bon, après tout, faire semblant ? Elle posa le livre par terre et contempla le plafond.

Et si Gina avait raison ? A quoi cela servait-il de se consumer en silence pour quelqu'un comme Alex ? Pourquoi ne pas traverser le couloir et le rejoindre dans sa chambre ?

Elle s'assit sur son lit, déterminée. Elle considéra son pyjama, plutôt simple, mais de soie, et à la coupe féminine.

Il lui fallut toute son énergie pour ne pas réfléchir encore. Non, c'était décidé, dans deux minutes, elle serait entre ses bras. Elle se leva et avança jusqu'à sa porte sur la pointe des pieds. Elle hésita encore avant d'ouvrir sa porte, mais l'instant d'après elle se retrouvait sur le seuil de sa chambre à lui.

Sauf qu'il n'était plus là.

Elle repensa à la porte qu'elle avait entendue et poussa un soupir amer. Il était sorti faire un tour. Sans doute avait-il eu besoin de se changer les idées ? Etait-ce une façon de diminuer la pression ? Ressentait-il le même désir qu'elle et était-il sorti pour éviter d'aller la rejoindre, comme elle s'apprêtait à le faire ?

Il réagissait exactement comme elle le lui avait demandé.

Se reprochant d'avoir autant attendu, elle regagna sa chambre, se glissa dans son lit et éteignit. C'était mieux ainsi, finalement. Demain, Alex et elle pourraient parler et décider de ce qui était préférable pour eux. Et puis, ensuite, Will rentrerait à son tour et tout reviendrait à la normale.

Bien sûr, c'était moins attrayant ainsi, mais certainement plus raisonnable.

Elle s'endormit puis se réveilla alors qu'il faisait toujours nuit. Elle sursauta : Alex était au pied de son lit. Etait-elle en train de rêver ? Il portait ses vêtements d'extérieur, avec sa veste et ses bottes en cuir. Il sentait les feuilles mortes et la terre humide.

— Alex ? demanda-t-elle.

— Excuse-moi, j'ai pensé que tu étais peut-être encore éveillée et puis…, commença-t-il à dire avant de s'interrompre, visiblement perturbé, et de s'agenouiller à côté d'elle. Je suis désolé, je n'aurais pas dû venir, mais je n'y arrive pas… Te savoir si proche et ne pas pouvoir être avec toi, je n'y arrive pas, Holly. J'ai besoin que tu m'aides, d'une façon ou d'une autre. Dis-moi quelque chose qui me permettra de comprendre que c'est fini. Dis-moi que tu ne m'aimes pas, que tu ne veux plus me voir, que tu veux que je m'en aille.

Elle était allongée sur le côté et le regardait fixement. Elle tendit la main vers lui pour écarter une mèche de cheveux tombée devant ses yeux.

— Je ne peux pas, dit-elle, je ne sais pas ce que je veux, mais je ne veux pas que tu t'en ailles. Pourquoi est-ce tellement plus facile de dire la vérité la nuit ?

Il saisit la main qui effleurait ses cheveux, et y déposa un baiser. Elle frissonna.

— Je ne sais pas, dit-il, mais j'espère en tout cas que le soleil ne se lèvera plus. Jamais.

Pendant un moment, ils restèrent ainsi, dans la pénombre, bercés par les seuls bruits de leurs respirations et le murmure des feuilles à l'extérieur. Puis il posa la main sur son bras nu, et elle sentit la chair de poule irradier tout son corps, depuis l'endroit où il avait posé sa paume.

Il se redressa pour venir sur son lit, et elle tendit les bras pour l'accueillir, timidement. Il ne la lâcha pas et laissa ses bras retomber derrière sa tête, puis s'assit à califourchon sur ses hanches. Il avait toujours ses bottes aux pieds et sa veste en cuir. Qu'il soit tout habillé lui donnait quelque chose d'encore plus masculin. Elle se sentait totalement dominée par cette présence et resta figée, dans l'attente émue de son prochain mouvement.

Son pyjama s'était relevé jusqu'au-dessus de sa taille, et le regard d'Alex s'attarda sur son nombril. Tout son corps était comme aux aguets du moindre frôlement. Elle sentait des frissons la parcourir tout entière.

Puis son regard remonta jusqu'à sa poitrine et elle eut l'impression qu'il la touchait déjà. Ses seins se tendirent aussitôt, comme s'ils répondaient à une caresse. Il remarqua cette manifestation visible de son désir et ne put réprimer un sourire.

— C'est cruel ! murmura-t-elle comme il exerçait une pression renouvelée sur ses poignets, dorénavant totalement plaqués sur son oreiller.

Il la libéra aussitôt et posa sa main fraîche sur son ventre, juste au niveau de la ceinture de son pantalon. Puis elle la sentit remonter le long de ses côtes, s'arrêtant finalement — ô joie — sur son sein droit.

Elle ne pouvait plus refréner le trouble qui l'habitait et l'envie irrépressible de le sentir plus vite, plus fort…

Mais il semblait très bien savoir de quoi elle avait envie… Son autre main vint couvrir son sein gauche et ses caresses se firent plus appuyées, plus précises, inondant tout son corps de frémissements de plaisir.

Elle cambra le dos, perdant un peu plus à chaque instant ses facultés de résistance. Elle aida Alex à enlever son haut et, lorsqu'il posa ses lèvres sur la pointe de son sein, un gémissement de plaisir jaillit de sa gorge.

Les sensations étaient tellement exacerbées qu'il lui fallut un moment pour se rendre compte qu'il était en train d'embrasser son ventre et descendait vers son nombril, puis plus bas encore.

Elle se tendit aussitôt et mit la main dans ses cheveux pour l'arrêter. Il releva la tête, semblant deviner qu'elle se sentait nerveuse.

— Fais-moi confiance, murmura-t-il.

Il glissa les pouces sous l'élastique de son pantalon de soie et en deux secondes elle fut nue, totalement exposée à son regard.

— Tu es la plus belle femme que j'aie jamais vue, dit-il en se redressant.

Puis il glissa ses mains entre ses genoux.

Elle avait l'impression de le voir en ombres chinoises, dans la lueur de la lune. Elle sentit la pression qu'il exerçait entre ses genoux et laissa ses jambes s'écarter tout naturellement pour lui permettre de se glisser entre elles. Elle sentit le contact frais de sa veste contre ses cuisses et frémit de nouveau.

La vision de cet homme encore tout habillé, agenouillé entre ses cuisses pour son plaisir, était ce qu'elle avait vu de plus érotique de toute sa vie. Elle sentait le désir envahir tout son corps, son bas-ventre semblait palpiter sous l'effet de l'émoi qui l'habitait.

Elle retint son souffle lorsqu'elle sentit ses doigts se positionner délicatement au creux de ses cuisses comme pour se frayer un passage. Lorsqu'il avança encore la tête et glissa sa langue à la place de ses doigts, elle crut perdre pied sous la violence de ce qu'elle ressentait.

Elle faillit même prendre peur, lui demander d'arrêter, mais c'était tellement, tellement, tellement bon…

Une vague était en train de se former en elle, une vague gigantesque et grondante qui enflait encore et encore. A chaque mouvement de sa langue, elle sentait s'approcher l'instant où cet énorme rouleau se briserait en un éclat dévastateur.

Ce moment arriva et elle poussa un cri, se cambrant vigoureusement. Mais il la maintenait fermement, et il ne bougea pas, continuant à l'embrasser doucement, lentement cette fois, le temps que son corps cesse de trembler. Seulement lorsqu'elle put recommencer à respirer, il se redressa et vint s'allonger sur elle.

La sensation de son jean et de sa veste contre son corps dénudé provoqua en elle un nouveau frisson.

Il embrassait son cou, elle était en sueur et sentait ses caresses sur sa peau moite. Elle l'accompagna en glissant les doigts dans ses cheveux tandis qu'il descendait entre ses seins. Elle l'incita à remonter, jusqu'à pouvoir embrasser ses lèvres, sa bouche, sentir sa langue contre la sienne.

Alex interrompit leur baiser et baissa les yeux vers elle. Elle avait les paupières closes. Il se redressa, la recouvrant délicatement. Puis il se leva et s'accroupit à la tête du lit, absorbé par la contemplation de son visage ravi. Il goûta de nouveau ses lèvres, puis caressa ses cheveux, les écartant de son visage.

Elle rouvrit alors les yeux.

— Rendors-toi, murmura-t-il. Je retourne dans ma chambre.

— Mais… Et toi ? demanda-t-elle, l'air soucieuse.

Il sourit.

— Ne t'inquiète pas pour moi. Tu es fatiguée et je suis certain que tu préféreras te réveiller seule demain matin. Pas trop de pression, nous devons encore parler tous les deux.

Elle hocha la tête et il déposa un dernier baiser sur son front.

— Bonne nuit, Holly.

Le sommeil l'avait déjà emportée lorsqu'il referma la porte.

Il prit une douche pour apaiser ses sens, puis se glissa, nu et encore humide sous ses draps. Pour la première fois depuis plusieurs jours, il se sentit en paix et put fermer les yeux et s'endormir paisiblement.

Elle se réveilla fraîche et dispose. Cela faisait une éternité qu'elle ne s'était pas sentie aussi bien. La lueur du petit matin était encore douce, il ne devait pas être tard.

Les événements de la nuit précédente lui revinrent à l'esprit et elle poussa un petit soupir en fermant les yeux.

Elle les rouvrit presque aussitôt. Elle avait envie de partager cela avec lui, qu'il se sente aussi bien qu'elle. Elle n'avait jamais vraiment eu confiance en elle, mais tout à coup elle se sentait en mesure de rendre à cet homme le plaisir qu'il lui avait fait ressentir. Et même si elle ne savait pas vraiment comment elle s'y prendrait, elle comptait sur lui pour la guider.

Elle avait dormi nue, elle sortit donc de son lit sans autre forme de préparatifs.

Elle gagna sa chambre et se sentit profondément heureuse de le trouver dans son lit, encore endormi. Il était allongé sur le dos, un bras étendu sur le côté. Elle s'approcha doucement, souleva les draps pour se glisser auprès de lui. Elle sourit : il ne s'était pas encombré de pyjama pour dormir.

Elle s'allongea doucement et laissa sa main descendre le long de son ventre jusqu'à trouver ce qu'elle cherchait.

Elle le sentit bouger doucement et glisser une main dans ses cheveux.

— Holly ? demanda-t-il soudain comme s'il ne pouvait y croire.

— Bonjour, murmura-t-elle en lui adressant un large sourire.

— Mais qu'est-ce que tu fais ?

— J'aime le plaisir s'il est mutuel, dit-elle.

Il gémit et elle sentit toute la vigueur de son désir. Alors il se redressa, pour s'asseoir sur son lit, et l'attira sur ses genoux en l'embrassant fougueusement un court instant. Puis il s'écarta d'elle et se leva brusquement.

— Attends-moi ! dit-il sans plus d'explication.

Il quitta la chambre et elle l'entendit descendre l'escalier. Il remonta quelques secondes plus tard.

— Mais qu'est-ce que tu fais ?

Il avait remonté un lecteur CD portable.

— Je réalise simplement un fantasme, annonça-t-il avec un large sourire en posant la chaîne au sol et en appuyant sur le bouton de lecture.

La musique de Marvin Gaye emplit la pièce. C'était *Let's Get It On*. Il revint vers elle, un sourire particulièrement sexy sur les lèvres.

— J'aime cette chanson, dit-elle.

— Elle me fait penser à toi. Je m'imagine en train de faire l'amour avec toi chaque fois que je l'entends, répondit-il en caressant son épaule.

Elle frémit.

— Je ne te savais pas si romantique…

— Je ne le suis pas de manière générale, c'est toi qui fais naître cela en moi.

Elle tendit la main vers lui et le caressa sensuellement. Il se raidit, le souffle court.

— J'ai envie de toi, dit-il d'une voix rauque. Je veux te faire l'amour, je veux sentir ton corps. Est-ce que tu veux la même chose ?

— Oui ! lança-t-elle dans un souffle.

Il ouvrit le tiroir de sa table de chevet et en sortit

un préservatif dont il déchira l'emballage. Elle tendit alors la main pour se saisir du petit morceau de latex et le dérouler délicatement sur son sexe en érection. Elle réprima un sourire lorsqu'elle l'entendit retenir son souffle.

— Tu es vraiment infernale ! lança-t-il en s'asseyant sur le lit et l'attirant sur lui.

Ainsi positionnée, elle se laissa descendre doucement jusqu'à sentir son sexe à l'entrée de son corps. Elle hésita un instant mais, lorsqu'il posa les mains sur ses hanches, elle s'abandonna en s'asseyant complètement sur lui. Un tremblement la traversa lorsqu'elle le sentit au creux de son corps. Elle aimait la sensation d'être aux commandes de leur plaisir à tous les deux.

Comme elle se penchait en avant, elle posa ses deux paumes à plat sur son torse et se mit à onduler doucement des reins à un rythme qui lui fit fermer les yeux et renverser la tête en arrière, la mâchoire serrée.

Elle était tellement concentrée sur l'expression de son plaisir à lui qu'elle ne sentit pas l'orgasme monter en elle. Elle perçut les premiers frissons d'extase monter en elle et l'envahir de plus en plus puissamment, et un cri se forma dans sa gorge. Les muscles de tout son corps se contractèrent en un spasme involontaire, au même instant où Alex se crispait à son tour en un gémissement rauque. Elle entrouvrit un quart de seconde les paupières, et leurs yeux se croisèrent en un regard inoubliable.

Cette fois-ci encore, il fallut à Alex un bon moment avant de parvenir à bouger ou prononcer un mot. Au bout de longues minutes, il la fit s'allonger à côté de lui, parcourant de sa main la courbe parfaite que dessinait sa taille depuis ses hanches jusqu'à ses côtes.

Sans ouvrir les yeux, elle se pelotonna contre lui, la tête dans le creux de son cou et le bras enroulé autour de sa taille. Il ressentit une drôle de sensation. Quelque chose qui était sans doute aussi vieux que l'humanité, une sorte de voix qui résonnait dans son cœur et lui faisait dire : « Cette femme est mienne et je prendrai soin d'elle jusqu'au jour de ma mort. »

Il resserra insensiblement son étreinte, mais elle dut le sentir, car elle se lova encore davantage contre lui. Il tendit la main pour remonter les couvertures sur eux.

Un instant plus tard, ils dormaient tous deux profondément.

- 10 -

— Ohé ? Il y a quelqu'un ? Je suis rentré !

Il ouvrit les paupières, mais Holly fut plus rapide. Tel un ressort, elle sauta du lit cherchant dans la panique quelque chose pour se couvrir. Ne trouvant rien d'autre qu'une serviette, elle l'enroula autour d'elle.

— Oh, mon Dieu, Alex, c'est Will ! Il faut que tu descendes faire diversion le temps que je regagne ma chambre et que je m'habille !

Alex fit aussi vite qu'il le put. Il enfila un jogging et un T-shirt et se dirigea vers la porte. Elle l'arrêta en le saisissant par le bras.

— Je descends dans une petite minute, ne dis pas un mot à propos de… de tout ça.

Ses mots résonnèrent dans sa tête tandis qu'il descendait à la rencontre de Will. Est-ce qu'elle envisageait de cacher cela à son fils à tout jamais ou bien voulait-elle simplement être celle qui lui en parlerait ? Dans tous les cas, ce n'était peut-être pas le moment de s'en inquiéter. Il n'avait pas encore eu le temps de mettre les choses à plat avec elle, et il avait du mal à croire qu'elle tirerait un trait sur ce qu'il y avait entre eux. Pas après ce matin !

Il retrouva Will dans la cuisine, occupé à vider sa glacière, qui contenait trois petites truites.

— Regarde un peu ce que j'ai pêché ! lança Will avec entrain.

Malgré la brutalité de son réveil, Alex fit son possible pour sourire avec tout l'enthousiasme dont il était capable.

— Formidable !

— Le week-end s'est bien passé pour vous deux, j'espère ? demanda Will.

Etait-ce son imagination ou Will suspectait-il quelque chose ? Il en aurait le cœur net.

— Will, est-ce que tu n'aurais pas organisé ce week-end, par hasard ?

Le jeune homme eut aussitôt une mine coupable qui confirma Alex dans son intuition.

— Qu'est-ce que tu entends par « organisé » ?

— Tu sais très bien ce que je veux dire, répondit-il en tournant la tête vers le couloir lorsqu'il entendit Holly descendre l'escalier. Ne dis pas un mot à ta mère, surtout !

Elle fit son entrée, souriante et heureuse de retrouver son fils.

— Salut, chéri, tu es rentré tôt !

— Vraiment ? Mais j'avais bien dit que je revenais dimanche après-midi, non ?

Alex et Holly tournèrent en même temps le regard vers l'horloge. A leur grande stupeur, elle indiquait 14 heures.

— Oui, c'est vrai, enchaîna-t-elle, en cherchant du regard quelque chose à quoi se raccrocher. Oh ! mais tu nous as rapporté un véritable festin, à ce que je vois !

Elle s'approcha de la glacière au maigre contenu. Alex retint un soupir de soulagement.

— Le père de Tom trouve que je me suis vraiment bien débrouillé pour un débutant. Eux, ils ont pêché une vingtaine de truites, mais je suis quand même très content.

Elle s'avança jusqu'à son fils et le serra dans ses bras.

— Je suis d'accord avec le père de Tom, je suis très

fière de toi ! J'imagine que nous n'avons pas à nous préoccuper du menu de notre prochain repas ?

— Non, tu sauras les cuisiner ?

— D'accord, mais je refuse de les vider, c'est ton boulot !

— Pas de souci, maman. Tom m'a montré comment faire. Est-ce que vous avez déjeuné ?

— Non, pas encore, répondit-elle en rougissant. Alex et moi n'avons… pas déjeuné !

— Bon, alors c'est parti. Je suis affamé ! conclut Will.

Une fois le léger malaise initial dissipé, ils passèrent tous les trois un moment agréable autour d'un délicieux repas. Alex se détendit en écoutant le récit des aventures de Will. Holly semblait, elle aussi, moins tendue.

C'est vers la fin du repas que quelque chose le frappa avec toute la force de l'évidence.

Will riait à gorge déployée à une remarque que Holly venait de faire. A tel point qu'il finit par attraper le hoquet. Holly trouva la situation si drôle qu'elle fut, elle aussi, prise d'un fou rire. Chaque fois qu'elle essayait de dire quelque chose, elle était interrompue par le hoquet de son fils et le fou rire repartait de plus belle.

C'est à cet instant qu'il ressentit cela avec évidence.

Il les aimait.

C'est exactement ainsi que cette pensée s'imposa à lui.

Je les aime.

Ce qu'il désirait, c'était la famille complète et pas juste une aventure avec Holly. Il voulait que Holly et Will fassent partie de sa vie pour toujours.

Pour toujours.

Ce sentiment était si bouleversant qu'il se leva.

Holly et Will s'interrompirent aussitôt et levèrent les yeux vers lui.

— Est-ce que tout va bien ? Tu as l'air bizarre, dit-elle préoccupée.

— Je…

Il ne pouvait pas le leur dire, pas encore. Il n'avait jamais dit cela à personne, comment pouvait-il faire un tel aveu ?

Il lui fallait un peu de temps pour réfléchir à tout cela. Pour mettre de l'ordre dans ses pensées.

De l'air, aussi, il avait besoin d'air frais.

— Je reviens tout de suite, dit-il en gagnant précipitamment la porte de la cuisine.

— Est-ce qu'Alex va bien ? demanda Will, inquiet. Je ne voudrais pas qu'il pense que je me moquais de lui…

— Oh ! Je suis sûre qu'il le sait, dit-elle en se dirigeant vers le téléphone qui s'était mis à sonner. Oui, allô ?

— Oui, euh… Est-ce qu'Alex est là ?

Une voix féminine et jeune au bout du fil.

— Il vient de sortir dans le jardin, répondit Holly. Est-ce que je peux prendre un message ou voulez-vous que j'aille le chercher ?

— Eh bien, vous pouvez lui dire que Krystal a appelé. Krystal avec un K.

Evidemment, songea Holly en prenant note, il valait mieux être précis avec Alex, car il était probable qu'il ait aussi connu une Crystal avec un C…

— Est-ce qu'il a votre numéro ?

— Il l'avait mais je viens d'en changer. Je peux vous donner le nouveau ?

— Bien sûr, répondit Holly en grimaçant, tout en continuant de noter.

Elle était en train de fixer le papier lorsque Alex rentra dans la cuisine.

— Un message pour toi, dit-elle en le lui tendant.

Il empocha le papier sans même y jeter un regard.

— Holly, je…

— Tu ne veux pas savoir qui a appelé ?

Il avait toujours ce drôle d'air.

— Pas particulièrement. Je voudrais surtout que nous puissions discuter en privé. Peut-être pourrions-nous aller boire un verre ou dîner tous les deux, ou…

— C'était Krystal.

— Crystal ?

— La femme qui a appelé… Son nom était Krystal, avec un K.

— Oui, d'accord, mais je ne vois pas le rapport. Quelque chose ne va pas, Holly ?

— Non, rien, je me demandai simplement si Krystal était passée avant ou après Amber.

Elle était en train de lui faire une scène de petite amie jalouse !

— Tu penses que je t'ai menti ? Tu ne me crois pas si je te dis qu'il n'y a personne dans ma vie, à part toi ?

Il y eut quelque chose dans son regard qui lui noua l'estomac. Elle croisa les bras devant sa poitrine.

— Après tout, tu as raison, cela ne me regarde pas.

— Eh bien, je crois que si. En tout cas, je crois que cela concerne la femme avec qui je voudrais continuer à sortir. Tu as le droit de savoir qu'il n'y a et n'y aura personne d'autre.

Il voulait sortir avec elle ? Cela voulait dire être en couple avec elle ?

Elle avait envie de le croire, envie d'y croire, à un point qu'elle avait du mal à concevoir. Peut-être qu'Alex lui aussi avait envie de croire à cela, même si c'était difficile d'imaginer qu'il puisse s'envisager dans ce rôle de façon sérieuse. Et puis elle ne pouvait pas oublier Will dans cette histoire. Comme vivrait-il une séparation ? Comment la vivrait-elle ?

— Si nous allions boire un verre au Swan ? proposa Alex.

Le Swan était un pub obscur et à l'atmosphère intime, avec des coins salons privés.

— Non, répondit-elle tout de go. Ecoute, Alex, je sais que nous n'avons pas vraiment eu le temps de parler de tout cela, mais de mon côté je crois que j'ai besoin de me concentrer sur mon fils, et de prendre un peu de temps pour moi aussi. Est-ce que nous pouvons remettre cela à demain ?

Il sembla vouloir insister, mais finit par hausser les épaules.

— Nous parlerons demain, alors… mais tu ne pourras pas fuir sans cesse, Holly.

Comme si elle ne le savait pas.

Elle ne voulait pas être cette personne. Elle avait structuré toute sa vie pour ne pas être cette personne. Cette femme qui s'enflammerait de jalousie à cause d'un appel téléphonique, cette femme qui frôlerait la crise de nerfs à cause d'un sourire ou d'un regard. A cause d'un homme, surtout.

Elle s'était juré que son bonheur ne reposerait jamais sur quelqu'un d'autre qu'elle-même et voilà qu'elle passait d'une crise de jalousie déraisonnée à un état de désir incontrôlable la minute suivante.

Il était plus de minuit et tout le monde dormait, tandis qu'elle faisait les cent pas dans sa chambre. Enfin, une chambre dans la maison d'Alex.

Après avoir été rejetée par ses parents, elle s'était

juré que jamais plus elle ne vivrait dans un endroit qui ne lui appartiendrait pas, un endroit dont on pourrait la chasser à tout instant.

Bien sûr, il n'allait pas la renvoyer de chez lui, mais il en avait le pouvoir, c'était déjà trop.

Elle ouvrit la porte et avança dans le couloir, s'arrêtant en silence derrière sa porte.

Elle ferma les yeux. Les souvenirs de leurs étreintes lui revinrent et la firent frissonner. Alex avait réveillé quelque chose en elle. Dans son corps, bien sûr, mais aussi dans son esprit, dans son cœur et dans son âme. Cette flamme avait tout brulé sur son chemin. Toutes les barrières, toutes les restrictions…

Et même si c'était une rencontre des plus agréables, il fallait un beau jour se lever et reprendre le cours de sa vie. C'était là que les choses devenaient compliquées car elle n'avait jamais ressenti un tel lien avec qui que ce soit. Elle n'avait pas même imaginé que ce fût possible.

Elle se remit en marche le long du couloir et descendit les marches, puis parcourut ces pièces du rez-de-chaussée où elle se sentait tellement à l'aise, déjà.

Ce lien qu'elle ressentait envers Alex impliquerait de la souffrance le jour où il se romprait. Elle connaissait déjà la douleur d'être rejetée, abandonnée, trahie et se refusait à risquer une nouvelle fois de vivre cela.

Elle éteignit finalement les lumières et regagna le séjour.

En fréquentant Alex, elle avait ouvert la boîte de Pandore des sentiments dont elle était capable et cela l'effrayait.

Certes, il était attentionné et tenait sans doute à elle, mais il n'était pas du genre à choisir une femme et une seule pour le restant de ses jours.

Et Will dans tout cela ? C'était sans doute sa pire

crainte. S'il venait à être blessé, elle ne se le pardonnerait jamais. Il tenait tant à Alex, il retrouvait en lui une figure paternelle. Elle ne voulait pas courir le risque de le voir souffrir à cause d'elle.

Elle se saisit alors d'une statuette de bois qui représentait une girafe sculptée. Elle la caressa doucement, puis la remit à sa place. Elle était en train de s'imprégner de chaque objet dans cette maison. Des objets et des lieux qu'elle associait à Alex.

Elle se préparait à dire au revoir.

Le matin suivant, Will et Alex partirent avant même qu'elle ne se lève. Elle appela son bureau et prit sa journée. Puis elle se rendit dans son café préféré et acheta le journal.

Il y avait là quelques annonces pour des maisons et des appartements en location, mais elle ne se sentait pas de faire de nombreuses visites ou d'attendre le premier jour du mois pour emménager.

Elle jeta un regard à l'horloge sur le mur. Il était 8 heures à Las Vegas… Trop tôt pour déranger une femme pendant son voyage de noces. Elle se promena dans les rues en attendant que deux heures passent, puis appela Gina sur son portable.

Lorsque son amie décrocha, elle l'accueillit d'une voix encore ensommeillée, mais très joviale.

— Bonjour, bonjour ! Vous avez demandé Mme Henry Walthrop ?

Holly sourit.

— J'en conclus que tu n'as pas pris la poudre d'escampette ?

— Non, et c'est une bonne chose. Me voilà mariée et heureuse de l'être !

— Oh ! Gina, je suis tellement heureuse pour toi et je suis désolée de te déranger à un pareil moment, mais j'ai un énorme service à te demander.

— Pas de problème, ma chérie, qu'est-ce que je peux faire pour toi ?

— Ton appartement, est-ce qu'il est disponible ?

— Oui, mon bail se termine à la fin du mois, ce qui m'oblige à payer le loyer alors que je ne vais plus l'occuper.

— Eh bien, tu viens de trouver quelqu'un pour te le sous-louer. Quand est-ce que je peux emménager ?

Gina sembla hésiter.

— Eh bien, quand tu veux. Le gardien a les clés et mes affaires sont déjà chez Henry. Je te pensais bien installée chez Alex, pourtant ?

— Rien de grave, je t'expliquerai.

— Hum, je suppose que les choses ne se sont pas passées comme tu l'entendais ? Tu as pris peur et tu préfères t'esquiver, c'est ça ?

— Pas vraiment, la rencontre a bel et bien eu lieu et il m'annonce maintenant qu'il veut continuer à sortir avec moi.

— Mais c'est formidable !

— Eh bien…

— Holly Stanton, donne-moi une seule bonne raison pour laquelle ce ne serait pas formidable ?

— Parce que Alex n'a jamais été en couple plus de trois mois et que, de mon côté, je n'ai jamais été avec un homme qui ne finisse pas par m'abandonner.

— Et ne crois-tu pas qu'il y ait un début à tout ?

— Non, pas pour ce genre de choses… Et pas pour moi, en tout cas.

— Bon, Holly, il faut vraiment que je te dise quelque chose, alors ouvre bien tes oreilles : il est temps que tu arrêtes de survivre et que tu te mettes à vivre. Je sais ce que tu as traversé à cause de Brian et tes parents, qui t'ont laissé tomber à tour de rôle. Je sais que tu as bâti un mur autour de ton cœur pour le préserver de telles souffrances, mais tu as traversé ces épreuves et elles sont aujourd'hui derrière toi.

— S'il te plaît, je te demande juste une chose : dis-moi si oui ou non nous pouvons avoir ton appartement. J'ai besoin d'un endroit où loger.

— Bien sûr que tu peux t'installer chez moi, mais cela ne t'évitera pas d'entendre parler du pays quand je serai de retour !

— Très bien, c'est noté, et c'est moi qui t'inviterai ! lança Holly d'un ton plus léger. Gina ? Je crois que je ne t'ai pas félicitée !

— Merci ! Tu veux que je te dise mon secret pour être heureuse ? Ne pas laisser passer l'homme de sa vie parce qu'on est aveuglée par de mauvaises expériences.

Holly poussa un soupir.

— Profitez bien de votre voyage de noces !

Le temps que Will et Alex rentrent de l'entraînement, tout était en ordre. Elle avait empaqueté et déménagé leurs quelques affaires, et refait les lits chez Alex. Elle avait aussi préparé à dîner et mis la table.

— Bonsoir ! fit-elle avec un enthousiasme un peu forcé lorsqu'ils rentrèrent. Le dîner est servi.

Alex souriait et Will semblait content, bien que visiblement épuisé par sa séance d'entraînement.

— Maman, tu peux saluer le nouveau quarterback des Wildcats. Alex a pour habitude d'essayer de tuer ses nouvelles recrues sur le terrain, et s'ils survivent, ils sont engagés pour le prochain match !

Elle resta un instant interdite, le saladier à la main.

— Je pensais que Charlie serait de retour à la fin de la semaine, pourtant…

Alex fit non de la tête.

— La blessure est plus sérieuse qu'on ne le pensait. Il ne rejouera pas de la saison, ses ligaments sont touchés.

Elle les servit, puis s'assit en silence.

— Will n'a que quinze ans. Que se passera-t-il s'il se blesse, lui aussi ?

— Maman, j'ai survécu à l'entraînement d'Alex, alors je ne vois pas comment une équipe adverse serait en mesure de faire pire !

— Contre qui est votre prochain match ?

— Les Warriors de Silverton, répondit Alex.

— Ce sera un jeu d'enfant ! assura Will en attaquant son steak avec appétit.

— Attention, Will, ce n'est pas parce que tu as réussi quelques belles passes aujourd'hui qu'il faut te prendre pour le roi du stade !

— Je ne me prends pas pour le roi du stade. Je dis juste que les Warriors sont nuls, tu ne vas pas prétendre le contraire.

— Bon, c'est vrai, ils ne sont pas terribles. Mais ne va pas pécher par excès de confiance.

— Ecoute, coach, s'ils gagnent, je veux bien faire la vaisselle pendant un mois !

Holly avait écouté leur échange sans intervenir, mais il était temps pour elle de le faire.

— Eh bien, justement, la vaisselle ne sera plus un problème, car nous n'allons pas rester ici.

— Oui, bien sûr, il va bien falloir qu'on déménage un de ces jours, mais en attendant…, lâcha Will.

— Il n'y a plus besoin d'attendre. J'ai sous-loué l'appartement de Gina, nous partons ce soir.

Will et Alex tournèrent leurs regards abasourdis vers elle. Un lourd silence s'installa, puis Alex déposa sa fourchette à côté de son assiette.

— C'est du rapide, soupira-t-il.

— Comment ça, on part ce soir, maman ? Pourquoi ? Alex a dit que ça ne le dérangeait pas…

— Nous ne pouvons pas abuser plus longtemps de l'hospitalité d'Alex, interrompit-elle. Inutile de discuter, Will, je t'ai dit que c'était réglé. J'ai posé un jour de congé pour m'occuper de cela et j'ai installé nos affaires dans l'appartement tout à l'heure.

— Je ne le crois pas ! Tu n'as jamais posé le moindre jour de congé et tu fais ça aujourd'hui pour manigancer ce déménagement dans mon dos ! s'exclama Will.

— Dans ton dos ? Mais enfin, Will, je suis ta mère, je prends des décisions pour nous, c'est aussi simple que cela !

— C'est ça, et tu vas ajouter que tu fais cela pour mon bien, n'est-ce pas ? C'est toujours ce que tu dis quand tu essayes en fait de te protéger !

Il s'était levé et Holly découvrit toute l'intensité de sa colère. Une colère à laquelle elle n'avait jamais vraiment été confrontée jusqu'à ce jour.

— Je sors, j'ai besoin de me calmer. Et puis je veux dire au revoir à Anna, sinon elle va croire qu'on est partis comme des voleurs, et ça ne se fait pas !

— Will, mais tu pourras revenir ici quand tu le voudras, enfin…

— Laisse tomber, maman, tu pourras essayer de vendre tes arguments à Alex. Mais il est intelligent et je ne pense pas qu'il se laissera abuser, lui non plus.

Elle sentit les larmes lui monter aux yeux. Elle ne voulait pas pleurer devant Alex et se concentra donc sur un plat qu'elle débarrassa de la table d'une main tremblante. Puis elle s'installa dos à la table contre l'évier, le temps de retrouver une contenance.

Elle entendit la chaise d'Alex bouger.

— Est-ce qu'il y a une chance pour que cela ne signifie pas la fin de notre histoire ? demanda-t-il d'une voix froide.

Elle ne parvenait pas à le regarder.

— Nous n'avons jamais vraiment eu d'histoire, Alex…, déclara-t-elle la gorge nouée.

— Je vois.

Elle tourna le robinet et plongea les mains sous le jet d'eau chaude. C'était tellement chaud que ça la brûlait, mais elle resta ainsi. Si seulement la brûlure pouvait effacer l'autre souffrance qui consumait son cœur…

— Je t'ai dit samedi matin que j'étais prêt à accepter ta décision, quelle qu'elle soit, mais que j'aurais besoin de la comprendre.

— C'est vrai et c'est normal, dit-elle.

— Je vais prendre l'air, moi aussi, et j'espère que nous pourrons parler à mon retour.

Il n'attendit pas sa réponse.

Elle écouta ses pas s'éloigner.

Deux larmes roulèrent de ses yeux. Elle ferma les paupières et inspira profondément, puis se concentra sur la vaisselle.

- 11 -

Il décida d'aller courir pour apaiser la tempête d'émotions qui sévissait en lui. Depuis tout petit, il avait pris l'habitude de courir quand la douleur devenait intolérable. C'était à la mort de sa mère qu'il avait découvert qu'il pouvait canaliser sa souffrance, même si à l'époque il avait choisi les poings un peu trop souvent.

Ensuite, le football et le sport en général étaient entrés dans sa vie. Il était heureux d'avoir au moins cela, car il semblait que Holly, elle, allait lui échapper.

A moins qu'il ne parvienne à la convaincre de leur donner une chance.

Lorsqu'il regagna la maison, le soleil était en train de se coucher derrière la colline au loin. Il marcha un moment tranquillement, afin de laisser à son cœur le temps de retrouver un rythme paisible. Il essuya son front avec le revers de sa manche.

— Alex ?

C'était Holly. Elle semblait se découper sur le fond rougeoyant du coucher de soleil.

Tout à coup, elle lui parut jeune et frêle, alors qu'elle levait sur lui ses grands yeux verts. Elle n'était plus une enfant, pourtant.

— Alex, je regrette tellement que les choses se passent ainsi.

— Vraiment ?

— Je redoutais que cela arrive. Tu as été si généreux envers nous, tu nous as accueillis, tu as pris soin de nous et je ne sais même pas ce que nous aurions fait sans toi. Et puis notre amitié est née, et elle me tenait tellement à cœur… Maintenant elle est détruite et je regrette tellement ce qui s'est passé…

Sa lèvre inférieure tremblait.

— Nous n'aurions jamais dû coucher ensemble, ajouta-t-elle.

Le coup était rude. Plus violent que ce qu'il avait imaginé.

— Comment peux-tu dire cela ? lança-t-il. Les nuits que nous avons partagées étaient les plus belles de toute ma vie. Faire l'amour avec toi était… Je n'ai même pas de mot pour décrire cela, mais je sais que tu les as vécues avec la même intensité que moi.

Elle détourna le regard.

— Ce n'est pas ce que je voulais dire. Bien sûr que j'ai ressenti la même chose… Ces nuits étaient… Mais nous serions fous de croire que quelque chose de plus sérieux serait possible entre nous.

C'était maintenant ou jamais, il le savait.

— Mais enfin, Holly, tu n'as pas compris que ce que je ressens pour toi, je ne l'ai jamais ressenti ? Tu n'as pas compris que… je t'aime ?

Elle tourna le regard vers lui de nouveau.

— Qu'est-ce que tu as dit ?

— Tu m'as très bien entendu, et je devine à ta mine scandalisée que tu n'es pas en mesure de me répondre la même chose.

— Alex, je… je ne peux pas.

— Tu ne peux pas ou tu ne veux pas ? Parce que je sais que tu ressens quelque chose pour moi, Holly. Pourquoi est-ce que tu refuses de nous laisser une chance ?

— Alex, tu me dis cela alors que tu n'as jamais caché que tu as toujours chéri ton indépendance, ta liberté. Comment veux-tu que je puisse croire que tu abandonnes ton bien le plus précieux pour moi ? Une mère célibataire avec un adolescent à charge ?

— C'est pourtant le cas.

Elle ne semblait pas convaincue.

— Holly, reprit-il avec l'énergie du désespoir, c'est vrai que je n'ai jamais été engagé dans une relation durable, mais est-ce que tu as déjà songé que peut-être je n'ai simplement jamais rencontré la bonne personne ?

Il se rapprocha d'elle, la gorge serrée par l'émotion.

— Peut-être que je n'ai jamais rencontré la femme que je cherchais parce que je l'avais déjà trouvée ? J'ai toujours été trop orgueilleux pour le reconnaître, mais je sais maintenant que cela fait longtemps que je t'aime.

Le soleil finit de se cacher derrière la colline et le crépuscule vint remplacer les lueurs rougeoyantes. Elle tremblait.

— Alex, tu ne sais pas ce que tu dis…

— Je te dis tout simplement ce que je ressens. Je t'aime, et j'aime Will aussi. Je voudrais que vous fassiez tous les deux partie de ma vie. Est-ce que cela ne suffit pas pour que tu nous laisses une chance ?

Elle se recula d'un pas, mais elle lui sembla s'éloigner beaucoup plus loin en réalité.

— C'est ce que tu ressens aujourd'hui, mais comment savoir de quoi sera fait demain ? Will fait partie de l'équation, comme tu viens de le rappeler. Et je n'ai pas le droit de risquer de le faire souffrir.

— Il a souffert, pourtant, ce soir.

— C'est vrai. Il a souffert à cause de nous, mais il souffrirait encore davantage si nous nous mettions en couple et qu'il te voie non plus seulement comme un entraîneur mais comme une figure paternelle. Alex, je ne peux pas lui faire ça !

Il avait perdu. C'était trop tard.

— J'ai besoin de prendre une douche, déclara-t-il d'une voix grave.

La lèvre de Holly se remit à trembler. Il eut envie de la serrer dans ses bras, de la rassurer, mais il s'obligea à rester immobile.

— Bonne chance pour votre nouvelle vie, Holly.

Les quelques pas qui le séparaient de la maison lui semblèrent durer une éternité.

Les jours qui suivirent furent particulièrement durs pour Holly.

Elle ne s'était jamais sentie aussi mal à l'aise avec Will. Jamais il n'y avait eu entre eux un sujet aussi tabou que celui-là.

Elle avait essayé de lui parler, une fois, alors qu'ils étaient en train de dîner.

— Mon chéri, je suis désolée de ces changements un peu brutaux. J'aurais dû t'en parler avant de décider de venir chez Gina mais, pour certaines raisons, j'ai jugé qu'il était important de…

Il refusa de la regarder.

— Ouais, je sais, on a dû partir parce que Alex est amoureux de toi et que ça te fait flipper. Tu crois que je n'ai rien remarqué ou tu considères que ce ne sont pas mes affaires ? Je ne suis que ton fils, après tout, la personne qui tient le plus à toi au monde !

Il avait quitté la cuisine sur ces paroles pour regagner la chambre où il s'était installé.

Holly était restée figée, la bouche entrouverte, puis avait enfoui son visage entre ses mains. Ainsi il savait.

Est-ce qu'Alex lui avait parlé ou s'était-il rendu compte de lui-même de ce qui se passait entre eux ? Peu importait, après tout. Son fils vénérait Alex et était absolument incapable de comprendre comment elle pouvait opposer un refus à son héros.

Et, au fond, pourquoi est-ce qu'elle avait fait cela, alors qu'Alex lui avait dit qu'il l'aimait ? Pourquoi l'avoir rejeté aussi durement après une telle déclaration ?

Durant ces longues journées, le moment le plus bouleversant pour elle fut celui où elle se mit à la recherche d'un CD parmi ceux que lui avait offerts Alex. Elle découvrit un album sans pochette, intitulé :

« Pour Holly, à emporter sur une île déserte. »

Elle hésita un long moment avant de l'ouvrir. Elle était seule dans l'appartement pour au moins une heure encore avant que Will ne rentre. Personne ne la verrait pleurer, après tout.

Et elle pleura en écoutant Bruce Springsteen, Joni Mitchell, Aretha Franklin et Van Morrison. Mais, lorsque Marvin Gaye entonna *Let's Get It On*, elle éteignit aussitôt la chaine hi-fi.

La douleur en elle était si vive.

Elle alla se passer un peu d'eau sur le visage.

Pleurer ne servait à rien. Tout était fini, maintenant, et c'était une bonne chose. C'était mieux ainsi, se répétait-elle.

Si seulement elle arrivait à rétablir un peu la situation avec Will.

Depuis un jour ou deux, il semblait un peu moins amer et ils arrivaient à se parler de nouveau plus simplement, même si le stress de son prochain match comme quarterback n'y était certainement pas étranger : il aurait parlé à n'importe qui dans l'espoir de limiter la tension.

Elle aussi était passablement anxieuse à l'idée de

ce match, à la fois pour Will et pour elle-même : elle reverrait Alex pour la première fois depuis leur discussion. Même si rien ne les obligeait à se retrouver en tête à tête, elle le verrait et cela suffisait à la préoccuper.

Le soir du match, elle retrouva David et Angela Washington sur les gradins et ne put s'empêcher de jeter rapidement un regard en direction du banc de touche.

Il était là, au bord du terrain, avec son maillot des Wildcats.

En une seconde, elle comprit.

Elle l'aimait.

Le moment n'aurait pu être plus mal choisi. Il faisait un temps détestable, une bruine persistante alternait avec des bourraques glacées, les gradins semblaient des blocs de glace, le froid et l'humidité avaient depuis longtemps traversé ses vêtements et l'objet de son trouble était à cent mètres en contrebas, entouré d'un essaim d'adolescents revêtus de casques et de leurs protections.

Pourtant, l'espace d'un instant que dura sa révélation, elle ne sentit plus le froid.

Elle aimait cet homme.

Elle aimait Alex McKenna.

Toute la colère qui l'avait habitée, toutes ses interrogations et ses angoisses, tout cela s'évaporait.

Elle ne se demandait même pas ce qui pourrait se passer ensuite. La seule chose qui lui importait était cette fenêtre qui venait de s'ouvrir dans son cœur. C'était une émotion tellement puissante qu'elle avait le sentiment que cela pouvait se lire sur son visage, alors même que tout le monde autour d'elle observait les joueurs en attendant le coup d'envoi.

Ses yeux restaient sur Alex. Il semblait être la seule personne au monde.

Soudain, il interrompit sa conversation avec l'arbitre

pour tourner la tête vers les tribunes, comme si on venait de l'appeler. Son regard trouva le sien et elle sentit son cœur battre plus fort. Elle ouvrit la bouche pour lui dire, lui crier *je t'aime*, mais le coup de sifflet retentit et il tourna la tête pour suivre le match.

Cela n'importait plus. Elle avait tout son temps. Elle sentait une sorte de sérénité l'envahir. Elle avait vu dans son cœur et n'avait pas pu fuir. N'avait pas voulu fuir. En un instant, elle s'était libérée. Elle était enfin libre.

Elle se concentra sur les débuts de son fils en tant que quarterback. Elle comptait bien ne pas en perdre une seule seconde.

Lorsqu'une passe parfaite de Will se conclut par un touchdown de Tom à quelques secondes du coup de sifflet final, faisant monter l'avance des Wildcats à dix points, elle se retrouva debout avec Angela. Toutes deux s'époumonèrent pour soutenir leurs fils avec un enthousiasme hors du commun.

Puis le dernier coup de sifflet retentit, et l'un des défenseurs de Warriors qui croisait le chemin de Will lui donna un violent coup de casque à la tête. Will s'effondra au sol, provoquant aussitôt le silence général dans le stade.

Il ne se relevait pas.

Pendant un instant, elle resta comme paralysée, incapable de quoi que ce soit. Puis elle traversa comme elle put les rangées de gradins, chutant sur les dernières marches, se relevant. Elle courut jusqu'à son fils et s'agenouilla à côté de lui.

— L'ambulance est en chemin, annonça Alex en s'accroupissant à ses côtés.

Avant qu'elle n'ait le temps de lui dire un mot, les secouristes présents sur le terrain placèrent Will sur un brancard et le recouvrirent d'une couverture. Ils se levèrent ensemble et gagnèrent le parking où l'ambulance était en train de se garer.

On la fit monter dans le véhicule. Les premiers examens eurent beau s'avérer rassurants, rien ne calmait la terreur absolue qui avait pris possession d'elle.

L'heure suivante releva du calvaire. On admit Will à l'hôpital, mais elle ne put l'accompagner et on l'abreuva de documents à signer, sans lui donner d'informations sur l'état de santé de l'être le plus cher à ses yeux, alors même qu'elle interrogeait chaque médecin passant dans le couloir.

— Asseyez-vous un instant, madame Stanton. Aussitôt que nous aurons du nouveau, nous viendrons vous prévenir.

Elle songea à Alex. Elle venait tout juste de baisser sa garde, de s'avouer les sentiments qu'il lui inspirait et voilà ce qui arrivait, comme un signe du ciel pour la mettre en garde.

A cet instant, il arriva, traversant le couloir dans sa direction, alors même qu'un médecin arrivait par une porte opposée.

— Il va bien, annonça la femme en blouse blanche. Il a souffert d'une légère commotion cérébrale, mais le scanner et les tests neurologiques n'indiquent aucune lésion. Nous préférons le garder en observation cette nuit, par précaution, mais il devrait être sur pied demain matin.

— Est-ce que je peux le voir ? demanda-t-elle.

Les larmes de soulagement roulaient sur les joues.

— Bien sûr, mais il est encore endormi, et il vaut mieux le laisser se reposer.

— Je ne le réveillerai pas.

Will lui sembla tout petit sur son lit d'hôpital, avec sa perfusion dans le bras et un moniteur à côté qui bipait régulièrement. Elle resta près de lui un long moment, à l'écouter respirer. Puis une infirmière vint la chercher.

Alors qu'elle s'efforçait de signer d'une main tremblotante les derniers formulaires, Alex apparut de nouveau.

— Holly, je suis vraiment désolé de ce qui est arrivé.

— Ce n'est pas ta faute, répondit-elle sans lever les yeux. C'est la mienne.

— Pourquoi t'accuser, alors que c'est moi qui ai laissé Will jouer, alors qu'il n'a que quinze ans et…

— Il voulait jouer, personne n'aurait pu l'en dissuader. On ne pouvait pas imaginer qu'il se ferait agresser après la fin du match. Le problème vient d'ailleurs, de ma responsabilité de mère.

— Holly, mais cela ne veut rien dire, comment peux-tu penser cela ?

— C'est ainsi, je dois retourner auprès de Will, maintenant.

— Holly, attends. Avant de commencer à raconter à Will que tout cela est ta faute, ce dont il n'a absolument pas besoin, prends une seconde pour me parler.

Elle hésita, puis se figea, la gorge nouée, et finit par se laisser tomber sur un siège en plastique.

— Que veux-tu que je te dise ? soupira-t-elle.

— Explique-moi en quoi c'est ta faute.

— J'ai baissé la garde, expliqua-t-elle en acceptant de croiser son regard pour la première fois depuis l'accident. Alors que j'étais assise dans les gradins, je me suis rendu compte que j'éprouvais des sentiments pour toi. Je me suis dit que je t'aimais, et je me suis sentie heureuse. Tout m'est apparu avec l'évidence du bonheur et de l'amour… Et voilà ce qui est arrivé…

Il s'avança tout près.

— Tu penses que Will a été frappé parce que tu as

pris conscience que tu m'aimais ? reformula-t-il, l'air incrédule.

— Oui ! s'exclama-t-elle. Voilà ce qui arrive lorsque je fais confiance à mon cœur. La première fois, je me suis retrouvée enceinte et mes parents m'ont chassée de chez moi, la deuxième fois, je me suis retrouvée ivre et ma maison a brûlé, et voilà maintenant ce qui arrive…

Il la fixait, stupéfait.

— C'est un engagement que j'ai pris il y a des années. Je dois me consacrer à Will et rien qu'à lui, sinon… Oh, mon Dieu, Will !

Il lui prit doucement le visage entre les mains.

— Holly, ce que tu dis n'a pas de sens. Tu parles comme une petite fille et non comme une adulte responsable que tu es. Mais je crois que je viens de comprendre…

— Comprendre quoi ? demanda-t-elle d'une petite voix, le visage noyé de larmes.

— Tu ne t'es pas pardonné ce qui s'est passé lorsque tu es tombée enceinte, que Brian puis ta propre famille t'aient abandonnée. Tu ne pouvais rejeter la responsabilité sur Will, c'est donc sur toi que tu l'as fait…

— Will est la plus belle chose qui me soit arrivée, dit-elle entre deux sanglots.

— Oui, je le sais, mais ce n'était pas une raison pour te culpabiliser et t'interdire à tout jamais d'être heureuse. Comme si tu pouvais contrôler tout ce qui se passe dans vos vies à tous les deux.

— Je ne comprends pas ce que tu veux dire.

— Je sais, ça paraît fou, mais c'est ce qui se passe : tu te punis encore d'avoir fait une erreur de jugement à dix-huit ans. Une erreur qui a donné naissance à Will, et depuis tu as le sentiment que tout ce qui arrive est ta faute, comme une sorte de punition divine.

— Ce n'est pas vrai ! C'est toi qui délires complètement, lança-t-elle en faisant mine de se lever.

— Tu peux bien dire ce que tu veux, Holly. Il faudra que tu acceptes de grandir un jour.

— Grandir ? Mais tu ne crois pas que c'est le contraire ? Je n'ai jamais été une enfant, je suis née adulte !

— Tu te trompes. Grandir, c'est aussi accepter que la vie soit complexe et que les gens fassent des erreurs. C'est réaliser que l'on ne peut pas toujours empêcher les drames ou les catastrophes, et que ce n'est pas en négociant son bonheur que l'on gagne la tranquillité. Grandir, c'est avoir le courage de prendre des risques avec son cœur.

Il se pencha à son oreille et murmura :

— Je ne suis pas un risque pour vous, Holly, car tu n'as pas compris combien je t'aime. Je n'aime que toi, je n'ai jamais aimé que toi, et jamais je n'aimerai personne comme je t'aime.

Elle leva vers lui deux grands yeux perdus et encore brouillés de larmes.

— Mais... pourquoi ? demanda-t-elle. Pourquoi est-ce que tu m'aimes alors que je te repousse constamment ?

Il sourit à demi.

— Je n'ai jamais dit que c'était facile, en effet, c'est même plutôt compliqué de côtoyer quelqu'un comme toi, mais je crois que je t'aime parce que tu me pousses dans mes retranchements, parce que tu es la femme la plus insupportable qui soit, et parce que, depuis que j'ai seize ans, je t'ai dans la peau, envers et contre tout.

Elle replia les genoux contre sa poitrine, les entourant de ses bras.

— Je t'aime, reprit-il, parce que tu as donné à Will ce que tu n'as jamais reçu. Ce que, moi non plus, je n'ai jamais connu. Tu as été sa mère et son père à la fois, tu l'as fait passer avant tout le reste, avec tellement d'amour… Et je t'aime parce que, sous ton masque, tu es une vraie force de la nature, passionnée, magnifique. Et que tu fais l'amour avec cette passion incroyable, avec toute ton âme. Et je crois que si tu t'en donnais le droit, tu saurais aimer un homme avec cette même ardeur.

Il se tut un instant et prit une profonde inspiration.

— Je crois que nous sommes faits l'un pour l'autre, ajouta-t-il, mais je ne vais pas continuer à te demander quelque chose que tu n'es pas en mesure de m'offrir. Je ne peux continuer à t'offrir mon cœur si tu n'en veux pas, ça fait trop mal, Holly.

Il leva les yeux en direction du couloir qui menait à la chambre de Will.

— S'il veut me voir à n'importe quel moment, appelle-moi et je viendrai.

Sans un mot de plus, il tourna les talons et disparut derrière la porte de sortie.

Comme un automate, elle se leva et gagna la chambre de Will. L'entendre respirer était rassurant et terrifiant à la fois. Les mots d'Alex résonnaient dans son crâne.

Tout à coup, elle se laissa glisser jusqu'au sol et fondit en sanglots.

Elle pleura pendant de longues minutes, peut-être des heures, et, au fil des sanglots, elle finit par sentir une tension se dénouer en elle. Un poids sur sa poitrine qu'elle avait toujours porté et qui tout à coup disparaissait.

Les larmes finirent par se tarir, et un curieux sentiment d'apaisement l'envahit.

— Hé, pas la peine de pleurer comme ça, le médecin a dit que c'était une légère commotion, je vais bien !

Elle se leva précipitamment, le cœur empli de bonheur.

— Will ! s'écria-t-elle en se penchant pour caresser le

visage de son fils. Ce n'était pas pour toi que je pleurais, mais sur mon sort !

— Je préfère ça, même si cela fait de toi une mère indigne qui ne pleure même pas pour son fils hospitalisé !

— C'est parce que je sais que tu es tiré d'affaire !

Il poussa un long soupir.

— Dans quelques années, lorsque je rédigerai mes mémoires, ce sera un chapitre central de mon récit.

Elle lui adressa un large sourire.

— Est-ce que ce sera aussi important que celui où tu raconteras le mariage de ta mère et de ton entraîneur ?

Il ouvrit de grands yeux.

— Je suis vraiment réveillé ou encore K-O ? Tu veux bien répéter ?

— Tu m'as entendu, reprit-elle, sérieusement cette fois. En tout cas, il y aura au moins un chapitre où ta mère demande en mariage ton entraîneur, même si je ne sais pas s'il dira oui.

— Tu es si pénible, il faut dire !

— Oui, tu as raison, et je sais qu'Alex pense la même chose. C'est ce qui me fait me demander pourquoi il pourrait bien vouloir se marier avec moi.

— Je n'en sais rien, peut-être trouve-t-il que tu es charmante quand même… Mais, en tout cas, tu ne vas pas rester ici toute la nuit à m'empêcher de me reposer, tu vas rentrer retrouver Alex et lui faire ta demande, afin qu'on puisse enfin vivre heureux tous ensemble. Je vous attends tous les deux demain matin, main dans la main. J'ai assez attendu ce moment, et Alex aussi.

Elle haussa un sourcil.

— Depuis quand est-ce que tu me dis ce que je dois faire ?

— Depuis cet instant. Tu m'as toujours appris que je devais écouter mon cœur et me battre pour ce que je voulais. Alors il est temps que tu mettes en pratique ce que tu prêches.

— Et s'il refuse de se marier avec moi ?

— Est-ce que cela doit t'empêcher de tenter ta chance pour autant ?

— Non, tu as raison, dit-elle en souriant. Une idée sur la façon de faire ma demande ?

Lorsqu'elle s'arrêta devant chez Alex, elle remarqua aussitôt la lumière de sa chambre, alors que le reste de la maison était éteint. Elle entra doucement en allumant juste la lampe du couloir pour se rendre dans le séjour et récupérer le CD qu'elle avait en tête.

Elle le glissa dans le lecteur, puis réunit toutes les bougies de la pièce et les déposa le long du couloir et de l'escalier. Elle les alluma une à une.

Elle avait une allure terrible avec son jean encore humide du stade et son sweat des Wildcats… sans parler de ses cheveux en bataille, ou de ses yeux gonflés et rouges. Mais, après tout, il l'avait déjà vue dans un piteux état…

Elle inspira profondément. Elle était prête. Elle avança jusqu'au lecteur et pressa sur la touche lecture en montant le son.

La voix de Marvin Gaye emplit la maison.

Elle resta là, au milieu du séjour. Quelques secondes plus tard, Alex la rejoignit.

Elle se sentit tellement émue en le voyant arriver, torse nu, que les larmes lui montèrent de nouveau aux yeux.

Elle inspira profondément.

— C'est Will qui m'envoie, dit-elle en hochant la tête. Non, à vrai dire, je voulais venir, je voulais te dire… te dire…

Elle s'interrompit, se mordant la lèvre sous le coup du stress. Alex semblait décidé à ne pas l'aider cette fois-ci. Il restait en face d'elle, imperturbable, les bras croisés.

— Bon, je crois que je suis seule sur ce coup-là, mais je vais y arriver. Ce que je voulais te dire, c'est que… c'est que…

C'était si dur…

— Bon sang, est-ce que tu veux bien danser avec moi ? demanda-t-elle finalement au prix d'un effort incroyable.

Il resta encore immobile un instant.

— Eh bien, ça dépend, répondit-il en s'approchant un peu plus. Est-ce que tu veux m'épouser, Holly ?

Elle recula d'un pas.

— Quoi ? Non ! C'est moi qui voulais te le demander ! Je voulais t'inviter à danser d'abord, mais tu me devances, ce n'est vraiment pas du jeu !

Il riait.

— Est-ce que tu veux m'épouser, Holly ?

Elle revint tout contre lui, ses yeux dans les siens.

— Oui, répondit-elle.

Et la joie pure l'inonda, chassant, s'il en restait, les derniers doutes, les dernières appréhensions.

Il s'approcha encore pour l'embrasser et ce baiser vint la baigner comme un soleil de printemps après un trop long hiver. Elle ne pourrait plus le quitter. C'était une erreur qu'elle ne commettrait plus jamais.

— Il faudra l'annoncer à Will, murmura Alex au bout d'un moment.

— Oui, mais les heures de visite sont finies. Nous ne pourrons le voir que demain matin.

Il réfléchit un instant.

— Que dirais-tu d'aller attendre ensemble à l'hôpital, pour être près de lui quand même ?

Sans bien savoir pourquoi, elle éclata en sanglots.

— Oh, oui, je le veux ! dit-elle en se jetant dans ses bras.

Ils reprirent donc le chemin de l'hôpital malgré l'heure tardive et restèrent dans la salle d'attente toute la nuit, attendant le lever du jour pour entrer main dans la main dans la chambre de Will, exactement comme il l'avait souhaité.

Epilogue

Le jour de son mariage.

Alex s'était imaginé que ce serait une journée solennelle, où la gravité et la profondeur des sentiments seraient de mise.

Cependant, la présence de Will comme témoin changeait un peu la donne. Il était tellement enthousiaste qu'il ne fermait pas la bouche plus d'un quart de seconde, l'inondant de conseils trouvés sur internet.

— Will, sur ce que j'ai de plus cher, je te demande de te taire et de simplement me dire pourquoi on nous fait attendre ici ? Est-ce qu'ils sont prêts à l'intérieur ?

— C'est normal de se sentir nerveux, tu sais, j'ai lu que parfois les futurs mariés s'évanouissaient même…

— Stop ! Pas un mot de plus ! Dis-moi plutôt si tout va bien, si ma tenue est en place, si j'ai bonne mine…

— A vrai dire, tu as l'air un peu barbouillé, tu veux un comprimé contre les nausées ? J'ai ça dans ma trousse de secours !

— Tu as une trousse de secours ?

— Evidemment, j'ai emporté de l'aspirine…

— Non, ne me dis pas… Jette plutôt un coup d'œil à l'intérieur et dis-moi où ils…

Avant qu'il ne termine sa phrase, la porte s'ouvrit et le prêtre l'invita à entrer. Il sentit alors son estomac se nouer et la tête lui tourner. Et au moment où il s'apprêtait à demander une minute pour passer aux toilettes se rafraîchir, Will lui tapa dans le dos.

— Tout va bien se passer, coach ! Nous avons survécu aux championnats régionaux, nous survivrons aussi à ce mariage !

Il hocha la tête, inspira profondément et passa la porte qui le menait à l'autel.

L'église était remplie d'invités, mais il ne distingua personne vraiment. Ses yeux restaient rivés sur la porte principale par laquelle Holly ferait son entrée.

La musique commença, un air de Bach, se rappela-t-il, mais il n'entendait déjà plus grand-chose.

A cet instant, Gina fit son entrée, parcourant l'allée centrale d'un pas lent. Il ne remarqua pas vraiment sa tenue ni sa coiffure, qui étaient certainement du plus bel effet.

Sans savoir quel était le signal, il vit tout à coup les invités se lever d'un même mouvement. Son cœur s'arrêta. Il inspira profondément en priant pour que ses jambes le soutiennent.

Et, soudain, elle arriva.

Aussitôt qu'il la vit, ses craintes s'évanouirent. Il avait vécu trente-cinq ans et n'avait jamais été regardé de la sorte. Il y avait tant d'amour et de confiance dans les yeux de Holly qu'elle semblait irradier le bonheur.

Il vit son sourire éclatant et ses yeux brillants sous le voile, découvrit la magnifique robe qu'il n'avait pas eu le droit de voir avant cet instant. Et il sentit les larmes lui brûler les yeux. Il s'apprêtait à les essuyer d'un revers de la main lorsqu'on lui donna un mouchoir en papier.

— Trousse de secours ! murmura Will.

— Merci, répondit-il en lui souriant.

Son regard passa alors de Will à Holly. Elle leur souriait de toute son âme.

Il tendit la main vers elle et, ainsi unis, ils se jurèrent devant Dieu tout ce qu'ils s'étaient déjà promis depuis si longtemps dans leurs cœurs.

Le 1er septembre

Passions n°418

Le prix de la séduction - Yvonne Lindsay

Série : «Les secrets de Waverly's»

Pour convaincre Avery Cullen de lui vendre les toiles impressionnistes en sa possession, Marcus Price, marchand d'art chez Waverly's, est prêt à tout. Y compris à séduire la riche héritière, ce qui ne devrait pas s'avérer trop difficile, s'il en croit la lueur d'intérêt qu'il voit briller dans le regard de la jeune femme. Mais s'il veut parvenir à ses fins, Marcus doit aussi et avant tout faire face à un obstacle inattendu – en domptant le désir qui s'empare de lui chaque fois qu'il se trouve en présence de l'époustouflante Avery...

Fiancée pour un mois - Linda Winstead Jones

Bien des fois, Daisy a imaginé ses retrouvailles avec Jacob Tasker – il la dévorerait des yeux tout en regrettant amèrement de l'avoir abandonnée autrefois, elle l'éconduirait avec fierté... Mais pas une seule fois elle n'a pensé qu'il reviendrait dans leur petite ville de Bell Grove, plus beau encore qu'à l'époque de leur liaison, avec l'intention de lui demander l'impossible : jouer, auprès de sa famille, et pour un mois seulement, le rôle de sa fiancée...

Passions n°419

La passion de Gabriella - Nora Roberts

Saga : «Les joyaux de Cordina»

Perdue, bouleversée, Gabriella ne sait plus qui elle est... Comment a-t-elle pu tout oublier de sa famille, et même de Cordina, le magnifique pays dont elle est la princesse ? Dans le tourbillon d'émotions qui la submergent bientôt, elle ne peut se raccrocher qu'à une seule certitude : Reeve MacGee, l'homme chargé de la protéger, est le seul en qui elle puisse avoir confiance. Auprès de lui, c'est bien simple, elle a l'impression de pouvoir abandonner son titre, son rang, pour n'être plus qu'une femme, tout simplement. Une femme vibrante de désir pour lui...

L'honneur d'Alexander - Nora Roberts

Glacial, puissant, arrogant, incroyablement viril... Le prince Alexander, l'héritier de la couronne de Cordina, représente une énigme pour Eve. Et un objet de fascination, aussi. Pourtant, en aucun cas elle ne doit céder aux sentiments troublants qu'il éveille en elle. Si Alexander l'a conviée dans son palais, c'est uniquement pour qu'elle organise le plus grand festival du pays – et jamais il ne sera question d'amour entre eux. Car même si le prince la couve d'un regard chargé de désir, lier son destin à une étrangère sans noblesse lui sera à jamais interdit...

Passions n°420

Soumise à son destin - Christine Rimmer

Epouser Alexander Bravo-Calabretti, cet homme aussi froid que distant ? Jamais Liliana, princesse d'Alagonia, n'aurait imaginé qu'elle en arriverait à une telle extrémité... Et pourtant, depuis qu'elle s'est abandonnée dans les bras de son ennemi de toujours – pour une nuit seulement – elle n'a plus le choix. Car la voilà enceinte, et pour le bien de son enfant et de son pays, elle va devoir se marier avec Alexander. Même si cela signifie pour elle renoncer à l'amour sincère et éternel auquel elle a aspiré toute sa vie...

Juste un rêve... - Stella Bagwell

Depuis qu'elle travaille pour Russ Hollister, pas une seconde Laurel ne l'a considéré autrement que comme son patron. Mais il est très sexy, c'est un fait. Et curieusement, depuis qu'il lui a proposé de le suivre dans le nouveau poste qu'il occupera au ranch de Chaparral, elle se prend à rêver qu'il puisse s'intéresser à elle. Une rêverie à laquelle elle doit pourtant se soustraire au plus vite, elle ne le sait que trop bien. Non seulement Laurel ne peut risquer de compromettre sa carrière et son cœur pour une histoire nécessairement vouée à l'échec, mais depuis la tragédie qui a marqué sa vie, elle ne se sent pas prête à aimer de nouveau...

Passions n°421

Un vibrant secret - Nancy Robards Thompson

Série : «Le destin des Fortune»

Pour échapper à la tornade qui balaye Red Rock, Jordana Fortune se réfugie dans une maison à l'abandon – avec Tanner Redmond, qu'elle vient de rencontrer. Là, dans cet abri exigu et coupé du monde, elle ne tarde pas à s'abandonner au désir qu'il lui inspire... Seulement voilà, alors qu'elle pense ne jamais revoir Tanner, Jordana a la surprise de le voir débarquer chez elle quelques mois plus tard. Or, loin de l'amant tendre qu'elle a connu, c'est un homme furieux qu'elle découvre. Et pour cause : Tanner a appris qu'elle attend un enfant de lui, et s'il est là aujourd'hui, c'est pour exiger qu'elle l'épouse sans tarder.

La promesse d'un baiser - Sara Orwig

Lorsqu'elle croise le regard brûlant du séduisant inconnu qui vient de l'aborder, Sophia sent un étrange et délicieux frisson la parcourir. Elle n'a qu'une envie, à présent : qu'il l'embrasse. Déjà, l'air lui paraît plus chaud, l'ambiance, presque torride. Et lorsque, enfin, il pose ses lèvres sur les siennes, elle s'abandonne au plaisir, comme si c'était la chose la plus naturelle du monde... Est-ce cela, l'amour ? se demande-t-elle soudain, chavirée. Rien n'est moins sûr, car Sophia ignore encore que la rencontre qui vient de bouleverser sa vie n'est en rien le fruit du hasard...

Passions n°422

L'amant de Wolff Mountain - Janice Maynard

Lorsque, sept ans plus tôt, Sam Ely l'a rejetée après qu'elle s'est offerte à lui, Annalise Wolff s'est juré de fuir cet homme coûte que coûte. Hélas, quand une tempête de neige les réunit tous deux dans une demeure glacée et coupée du monde, Annalise doit se rendre à l'évidence : sa passion pour Sam ne s'est jamais éteinte. Et si elle en croit le regard ardent qu'il pose désormais sur elle, Sam semble quant à lui résolu à profiter de leur toute nouvelle proximité pour réécrire leur histoire...

Héritière malgré elle - Beth Kery

Deidre Kavanaugh n'en revient pas : son père biologique vient de lui léguer une immense fortune et la moitié des parts de son entreprise. Or, si cet héritage la surprend et l'émeut, il l'embarrasse aussi. Et cela d'autant plus que Nick Malone, le bras droit de son père, persuadé qu'elle n'est qu'une intrigante, a décidé de contester le testament. Pis, il a l'intention de séjourner auprès d'elle, à Harbor Town, pour mieux la surveiller ! Révoltée et blessée, Deirdre n'a pourtant d'autre choix que de supporter la présence à son côté de cet homme puissant – et bien trop troublant...

Passions n°423

Un défi très sexy - Debbi Rawlins

Cole McAllister : un regard brûlant sous son stetson, le corps le plus parfait sur lequel Jamie ait jamais posé les yeux... et un visage sur lequel se lit sans ambigüité la plus franche hostilité ! Mais même si Cole ne fait rien pour dissimuler son irritation quand son ranch, récemment transformé en chambres d'hôtes, se voit envahi par de jeunes citadines en quête d'aventure et de grands espaces, Jamie n'en est pas moins décidée à lui prouver qu'elle n'a rien, elle, d'une écervelée. Et surtout, à le convaincre de s'abandonner au désir entre ses bras. Un désir qu'elle est sûre de voir briller dans les yeux de son séduisant hôte chaque fois que leurs regards se croisent...

Pour une seule nuit... - Nancy Warren

Hailey ne laisse jamais la moindre place à l'imprévu. Aussi, quand elle se rend compte que le charme renversant et le corps sublime de Rob Klassen l'empêchent non seulement de se concentrer sur son travail, mais la poursuivent jusque dans ses rêves, n'a-t-elle d'autre choix que d'agir. Puisqu'elle ne peut éviter tout contact avec son plus important client, il ne lui reste qu'à céder, pour une nuit, au désir qui la consume, avant de se remettre sereinement au travail. Une nuit, une seule, mais qui promet d'être la plus passionnée, la plus enivrante et la plus excitante de toute sa vie...

A paraître le 1er juillet

Best-Sellers n°568 • suspense

La peur sans mémoire - Lori Foster

Intense et bouleversante. La nuit qu'Alani vient de passer avec Jackson Savor résonne en elle comme une révélation. Après son enlèvement à Tijuana, deux ans plus tôt, et les cauchemars qui l'assaillent depuis, jamais elle ne se serait crue capable de s'abandonner ainsi dans les bras d'un homme. Et pourtant, Jackson, ce redoutable mercenaire qui n'a de limites que celles fixées par l'honneur, a su trouver le chemin de son cœur. Hélas, cette parenthèse amoureuse est de courte durée. Au petit matin, à peine sortie de la torpeur du plaisir, Alani comprend qu'il y a un problème : son amant, si empressé un peu plus tôt, a tout oublié de leurs ébats torrides. Pas de doute possible : il a été drogué. Mais par qui ? Et comment ? Le coupable est-il lié aux odieux trafiquants sur lesquels Jackson enquête ? Ces questions sans réponse, ce sentiment d'impuissance, Alani les supporte d'autant plus mal qu'elle y a déjà été confrontée. Mais au côté de Jackson, et pour donner une chance à leur histoire, elle est prête à affronter le danger, et ses peurs…

Best-Sellers n°569 • suspense

Le mystère de Home Valley - Karen Harper

Mille fois, Hannah a imaginé son retour à Home Valley, la communauté amish où elle a grandi et avec laquelle elle a rompu trois ans plus tôt. Mille fois, elle a imaginé ses retrouvailles avec Seth, l'homme qu'elle aurait épousé s'il ne l'avait cruellement trahie. Mais pas un seul instant elle n'aurait pensé que cela se ferait dans des circonstances aussi dramatiques. Car dès son retour, alors qu'elle a décidé sur un coup de tête de se rendre de nuit dans le cimetière de la Home Valley, elle est prise pour cible par un homme armé, qui heureusement ne parvient qu'à la blesser. Pourquoi cet homme a-t-il voulu la tuer ? Va-t-il s'arrêter là ? Pour répondre à ces angoissantes questions, Hannah décide d'apporter toute son aide au ténébreux Linc Armstrong, l'agent du FBI chargé de l'enquête, et qui suscite la méfiance chez les autres membres de la communauté amish — et surtout chez Seth. Ecartelée entre deux mondes, entre deux hommes, Hannah va bientôt être submergée par ses sentiments – des sentiments aussi angoissants que les allées du cimetière plongées dans l'obscurité…

Best-Sellers n°570 • thriller

Piège de neige - Lisa Jackson

Prisonnière du criminel pervers qu'elle traque depuis des semaines dans l'hiver glacial du Montana, l'inspecteur Regan Pescoli n'a plus qu'une obsession : s'échapper coûte que coûte. Aussi essaie-t-elle, dans le cachot obscur et froid où elle est enfermée, de dominer la terreur grandissante qui menace de la paralyser. Car ce n'est pas seulement sa vie qui est en jeu, mais également celle d'autres captives, piégées comme elles et promises à la mort. Pour les sauver, autant que pour retrouver ses enfants et Nate Santana, l'homme qu'elle aime, Regan est déterminée à découvrir le point faible du tueur. Pour cela, il lui faudra aller au bout de son courage, de sa résistance physique… Et vaincre définitivement ce maniaque, avant qu'il ne soit trop tard.

Best-Sellers n°571 • suspense
Les disparues du bayou - Brenda Novak

Depuis l'enlèvement de sa petite sœur Kimberly, seize ans plus tôt, Jasmine Stratford a enfoui ses souffrances au plus profond d'elle-même et s'est dévouée corps et âme à son métier de profileur. Mais son passé ressurgit brutalement lorsqu'elle reçoit un colis anonyme contenant le bracelet qu'elle avait offert à Kimberly pour ses huit ans. Bouleversée, elle se lance alors dans une enquête qui la conduit à La Nouvelle-Orléans. Là, elle ne tarde pas à découvrir un lien effrayant entre le meurtre récent de la fille d'un certain Romain Fornier et le kidnapping de sa petite sœur. Prête à tout pour découvrir la vérité, Jasmine prend contact avec Romain Fornier, seul capable de l'aider à démasquer le criminel. Elle se heurte alors à un homme mystérieux, muré dans le chagrin et vivant dans le bayou comme un ermite. Un homme qu'elle va devoir convaincre de l'aider à affronter le défi que leur a lancé le tueur : *« Arrêtez-moi »*.

Best-Sellers n°572 • roman
L'écho des silences - Heather Gudenkauf

Allison. Brynn. Charm. Claire. Quatre femmes prisonnières d'un secret qui pourrait les détruire… et dont un petit garçon est la clé. Allison garde depuis cinq ans le silence sur le triste drame qu'elle a vécu adolescente et qui l'a conduite en prison pour infanticide. Brynn sait tout ce qui s'est passé cette nuit-là, mais elle s'est murée dans l'oubli pour ne pas sombrer dans la folie. Charm a fait ce qu'elle a pu, bien sûr, pourtant elle a dû renoncer à son rêve et se taire. Alors elle veille en secret sur son petit ange. Claire vit loin du passé pour tenter de bâtir son avenir avec ceux qui comptent pour elle. Et elle gardera tous les secrets pour protéger le petit être qu'elle aime plus que tout au monde. Quatre femmes réfugiées dans le silence, détenant chacune la pièce d'un sombre puzzle.

Best-Sellers n°573 • roman
Un jardin pour l'été - Sherryl Woods

Son cœur qui bat plus vite lorsqu'elle consulte sa messagerie, son imagination qui s'emballe lorsqu'elle revoit en pensée le visage aux traits virils de celui dont elle est tombée amoureuse… Moira doit se rendre à l'évidence : elle ne peut oublier Luke O'Brien. Il faut dire qu'avec ses cheveux bruns en bataille, son regard parfois grave mais pétillant de vie, son sourire irrésistible, cet Américain venu passer ses vacances en Irlande n'a guère eu de mal à la séduire. Sauf qu'après le mois idyllique qu'ils ont passé ensemble, Luke est reparti aux Etats-Unis reprendre le cours de sa vie, et peut-être même retrouver une autre femme. Alors que Moira tente de se persuader que tout est ainsi pour le mieux, son grand-père lui demande de l'accompagner à Chasepeake Shores, la petite ville de la côte Est des Etats-Unis où vit Luke. Moira n'hésite que quelques secondes avant d'accepter. Même si, dès lors, une question l'obsède : saura-t-elle convaincre Luke qu'il y a une place pour elle dans sa vie ?

Best-Sellers n°574 • historique

La maîtresse de l'Irlandais - Nicola Cornick

Londres, 1813.

Autrefois reine de la haute société londonienne, Charlotte Cummings a vu son existence voler en éclats lorsque son époux – las de ses frasques – a mis fin à leur mariage du jour au lendemain. Brusquement exclue des soirées mondaines, ruinée et endettée, Charlotte n'a eu d'autre choix que de renoncer à son honneur en vendant ses charmes chez la cruelle Mme Tong. Jusqu'à ce qu'un jour un troublant gentleman ne lui redonne espoir en lui proposant un pacte aussi tentant que surprenant. Si elle accepte de devenir sa maîtresse, elle retrouvera son statut de lady et les privilèges qui vont avec. D'abord hésitante, Charlotte finit par se soumettre à ce scandaleux marché, même si elle pressent que cet homme mystérieux lui cache quelque chose…

Best-Sellers n°575 • historique

Un secret aux Caraïbes - Shannon Drake

Mer des Caraïbes, 1716.

Roberta Cuthbert ne vit que pour se venger du cruel pirate qui a tué ses parents et anéanti le village de ses ancêtres, en Irlande. Pour cela, elle a tout abandonné, allant jusqu'à se faire passer pour un homme et entrer dans la piraterie, afin de parcourir les mers à la recherche de son ennemi. Pourtant, le jour où elle fait prisonnier le capitaine Logan Haggerty, elle comprend que son déguisement ne sera d'aucune protection contre les sentiments troublants que cet homme éveille en elle. Comment pourrait-elle maintenir son image de pirate impitoyable quand elle ne s'est jamais sentie aussi féminine que sous son regard doré ? Bouleversée, Roberta n'en est pas moins déterminée à ignorer la tentation, coûte que coûte. Jusqu'à ce que le capitaine la sauve de la noyade lors d'une violente tempête, et qu'ils ne s'échouent tous deux sur une île déserte…

Best-Sellers n°576 • érotique

L'éducation de Jane - Charlotte Featherstone

Jane le sait : lord Matthew peut être dur. Cassant. Impitoyable avec ceux qu'il pense faibles. Pourtant, lorsqu'elle l'a trouvé, affreusement blessé, dans l'hôpital où elle travaille, et qu'elle l'a veillé jour et nuit, c'est lui qui, les yeux protégés par un bandage, se trouvait à sa merci. Lui, l'homme à la réputation sulfureuse, qui la suppliait de le laisser toucher son visage, sa peau, ses lèvres, son corps tout entier, comme si ces gestes troublants avaient le pouvoir de le ramener à la vie. Alors aujourd'hui, même s'il a recouvré la vue et risque de la trouver laide, comparée à ses nombreuses maîtresses, même s'il est redevenu l'aristocrate arrogant dont les frasques libertines défrayent la chronique mondaine, Jane est décidée à se livrer à lui, corps et âme. Un choix insensé qui pourrait la détruire, mais devant lequel elle ne reculera pas. Car à l'instant où Matthew a posé les mains sur elle, elle a su qu'elle avait trouvé son maître…

www.harlequin.fr

Composé et édité par les

éditions HARLEQUIN

Achevé d'imprimer en Italie (Milan)
par Rotolito Lombarda
en juillet 2013

Dépôt légal en août 2013